KB182811

# 내러티브 뉴스

SHARYL ATTKISSON

세릴 앳키슨 지음

서경의 옮김

*SLANTED*

도서출판 미래지향

이 책은 내 가족과 나의 친구들, 법률 자문을 해준 변호사들,

그리고 진실을 추구하는 나의 동료들에게

사랑과 고마움을 담아 바치고 싶다.

이 책의 수익금 중 일부는 플로리다대학 언론정보학과와

올바른 저널리즘과 검열반대를 위한 운동에 기부할 예정이다.

# 차례

# 서문

조지 오웰의 디스토피아 소설 《1984》에 등장하는 불운한 주인공 윈스턴 스미스는 정부 부처 진실부의 관료로서 정부 관련 기록을 편집하는 일을 하고 있는데, 실상 그가 하는 일이라고는 온통 거짓말에 관련된 것뿐이다.

가련한 윈스턴의 임무는 실시간으로 역사를 힘들게 다시 써 내려가는 것이다. 기존의 신문 기사를 현 집권당이 주장하는 진실에 맞게 수정하는 것이다. 이는 해도 해도 끝없는 일이었다. 하나의 거짓말은 필연적으로 또 다른 거짓말을 야기했기에 끝없이 역사를 왜곡해야만 했다. 전체주의 사회의 독재자인 빅 브라더는 이미 자신이 취했던 입장도 지워버리고 없었던 것으로 되돌리고는 했다.

그렇게 하기 위해서, 빅 브라더는 모든 기록 문서의 파쇄를 명령했다. 모든 시민은 남아 있는 문서를 '메모리 홀'에 넣어두어야 했고, 다시는 꺼내 볼 수 없었다. 진정한 '뉴스'라곤 찾아볼 수 없었으며, 오직 힘 있는 자들의 허락 아래 대중이 듣고 믿어도 좋은 뉴스 즉 검열과 선별과 삭제를 거친 뉴스만이 허용되었다.

오늘날, 우리는 오웰이 묘사한 것보다 더 심각한 상황에 처해있다. 빅 브라더는 수시로 변하는 정부의 선전에 적합하도록 '사실들'을 끊임없이 재수정했고, 미디어의 전면에 드러나는 정보를 교묘하게 필터링함으로써 '바람직한' 뉴스만 노출되도록 하는 방법을 고안해냈다.

지금 이 순간에도 역사와 사건들이 실시간으로 강력한 이익집단들의 입맛에 맞게 기록 및 수정되고 있다. 우리 시대의 '메모리 홀'은 뉴스 정보를 검열하거나 삭제하고, 일단의 사실을 금지하며, 특정 견해의 표방을 불법화하고, 특정 소셜 미디어의 계정을 폐쇄하며, 논란의 여지가 많은 현재의 기준으로 먼 과거의 사건들과 사람들을 재단한다.

윈스턴 스미스처럼 지각이 있는 사람들조차 자신들처럼 조작으로 세뇌되지 않은 사람들이 과연 얼마나 있을지 의구심을 가질 수밖에 없다. 여러 인터넷 기사들을 뒤져보고 케이블 뉴스 채널 등을 찾아보는 것으로는 알 길이 없다.

지식과 사실에 대한 거대한 조작은 뉴스 미디어를 통하지 않고서는 불가능하다. 일반 대중이 모든 정보에 접근하거나 정보를 알 필요는 없으며, 오직 강력한 이익집단이 던져주는 것만으로 충분하다고 세뇌시키는 노력에 미디어 역시 놀라울 만큼 동참해왔다.

기자들은 이를 잘 인지하고 있으며, 이에 대한 명칭까지 가지고 있다. 내러티브가 바로 그것이다. 이 용어는 기자들이 다른 누군가가 뉴스를 설계하고 만들어내려고 시도하는 것을 잡아냈을 때 묘사하는 단어였다. 그런데 이제는 우리 스스로 그런 짓을 하고 있다.

내러티브(narrative)란 힘 있는 자들이 여러분의 견해를 규정하고 제한하기 위해 들려주고자 하는 스토리라인을 가리킨다. 내러티브의 목적은 특정 아이디어를 사회 속에 깊숙이 심음으로써 더 이상 그에 대해서 질문이 나오지 않도록, 아니 아예 질문을 할 생각조차 못 하게 하는 것이다.

본서 《SLANTED(편파적인)》는 기자가 뉴스 소비자에게 사실보다 기자의 사견이 더 중요하다고 확신을 심어주게 될 때 어떤 일이 발생하는지에 대한 이야기를 들려준다. 뉴스와 인터넷의 모든 정보가 이제는 우리의 손가락 끝에 놓여 있게 된 상황에서, 그러한 정보를 조작하기 위해 선동가들은 불철주야 노력을 기울이고 있다. 이런 시내에 우리는 과연 무엇을 믿어야 하는지를 묻게 된다. 기자들은 기꺼이 그에 대한 해답을 주려고 노력한다. 하지만 불행하게도 기자들 역시 선전선동의 유혹에 이끌릴 때가 너무 많다.

이 책의 목적은 가장 강력한 집단들이 가장 교묘한 방법을 이용하여 만들어내는 내러티브들을 폭로하고 물리치는 것이다. 또한 이러한 내러티브가 어떻게 우리가 한때 뉴스라고 부르던 것을 죽음으로 몰고 갔는지를 밝히는 것이다.

필자는 사실들이 서로 모순되는데도 여론을 주도해온 일련의 내러티브를 분석할 것이다. 예를 들자면, '성희롱 피고인은 고소하는 사람의 숫자만 많다면 그 주장의 근거가 아무리 빈약할지라도 유죄일 수밖에 없다.', '도널드 트럼프는 너무 겁이 많아서 전쟁터의 군대를 방문하지 않는다.', '특정 도시에서 총기 난사가 발생할 경우에는 '총기 난사'라는 용어를 되도록 피하고 다른 용어로 대체해야 한다.', '러시아가 2016년 대선의 결과를 바꾸어 버렸다.', '새로운 선거제도로 개편 시 공화당에게 재앙이 될 것이다.' 등이다. 그 외에도 많다.

요컨대, 이러한 내러티브는 우리가 어떤 사실을 습득해야 하는지를 유도하고 정해준다. 이러한 내러티브에 도움이 되는 사실들은 '뉴스'가 된다. 그렇지 않은 사실들은 뉴스가 되지 못한다. 또는 흔적도 없이 사라진다.

## 내러티브 정의하기

먼저, 내러티브는 다양한 측면을 가진 이슈를 한쪽 측면에서만 보여주는 경향이 크다. 어떠한 논리적 접근도 배제된다. 공격 대상에 적용된 기준이나 판단은 내러티브를 주도하는 세력과 그 동조 세력에게는 결코 적용되지 않는다. 예를 들어, 내러티브를 밀어붙이는 세력이 어떤 대상을 거짓과 혐오를 일삼는 인종주의자로 공격한다고 치자. 그 세력 역시 거짓과 혐오 및 인종차별을 저지른다 해도 그들의 위선에 대해선 아무도 신경을 쓰지 않는다. 마치 그런 일이 없는 것처럼 무시해 버리기 일쑤다. 이 책에서는 실제 그런 사례를 많이 보게 될 것이다.

내러티브를 정의하는 가장 뚜렷한 특징이 거짓이라고 생각할지도 모른다. 하지만 그렇지 않은 경우가 적지 않다. 진실된 정보조차 내러티브가 될 수 있는 경우가 세 가지나 된다.

첫째, 진실된 정보가 고의적으로 편향된 방법으로 제시되는 경우다. 어떤 특정한 목적을 위해서 다른 사실들에 혼란을 주거나 다른 사실들을 덮어버리는 식으로 제시되는 것이다. 예를 들어, 대량 살인범이 총을 사용한 것은 사실일 수 있다. 그런데 이 범죄에 대한 기사가 총기 규제를 지지하기 위해서 그에 대한 반론은 배제해 버린다면 이 역시 내러티브가 된다.

둘째, 보다 확대된 스토리라인을 만들기 위해서 어떤 개별 뉴스의 가치를 필요 이상으로 확대할 경우, 진실된 정보도 내러티브가 될 수 있다. 예를 들면 힐러리 클린턴 전 영부인이 계단을 내려오면서 발을 헛디딘 것은 사실일 수 있다. 하지만 그 사실이 클린턴이 심각하게 아프다는 것을 증명하는 것이라고 암시하기 위해 다른 확실한 증거도 없이 그런 기사를 메인 뉴스의 헤드라인과 소셜 미디어의 트렌드 뉴스로 띄운다면 이 역시 내러티브가 된다.

셋째, 어떤 이슈를 재고할 필요도 없는 종결된 사건인 것처럼 서술하거나 그것과 반대되는 사실과 견해는 불법인 것처럼 서술할 경우 진실도 내러티브가 될 수 있다. 예를 들어, 잦은 토네이도나 홍수를 지구온난화의 관점에서 살펴보는 것은 이론적으로 합당하다. 하지만 뉴스 분석가가 모든 기상 현상을 인간이 초래한 기후 변화와 연결시키면서 마치 이를 사실인 것처럼 말하고 이에 대한 과학적 반론은 고려하지 않는다면 이 역시 내러티브가 된다.

내러티브가 일단 확립되면 이를 공고히 하기 위해서 막대한 노력이 투입된다. 내러티브에 반하는 견해, 사실, 과학 등은 모두 '메모리 홀'에 던져져서 마치 존재하지 않았던 것처럼 사라져 버리게 만든다.

정보화 시대에 이러한 선전선동을 이루어 내기 위해서는 엄청난 조직적 노력이 필요하다. 여기에는 뉴스가 제삼자에 의해 엄선될 필요가 있다는, 과거에는 생각조차 할 수 없었던 주장을 대중들이 받아들이게끔 만드는 캠페인도 포함된다. 엄청난 자금이 동원된 '미디어 해독력' 캠페인을 통해 우리와 우리 자녀들이 누구를 믿고 누구를 걸러야 할 것인지를 세뇌시키려는, 아니 교육하려는 노력 또한 포함된다. 뉴스 검열을 조장하고 언론의 자유를 속박하는 법률을 발의하고, 접근 가능한 정보를 제한하는 정책들을 시행하며, 꼭두각시 '피리 부는 사나이' 뒤에서 얌전히 춤추며 따라가지 않는 사람들을 괴롭히는 짓들 역시 여기에 포함된다.

이제 뉴스는 이 모든 것들을 이루어 내기 위해 이용되고 있다.

'뉴스'가 내러티브를 심화시키기 위해 이용될 때, 우리는 사실에 기반한 뉴스에서 심각하게 이탈되고 만다. 내러티브는 정보를 편파적으로 제시하거나 맥락에서 벗어난 사실을 제시하기 쉽다. 물론 전적으로 거짓인 뉴스를 내보낼 수도 있다. 불행히도, 점차 그런 추세가 늘고 있다. 어쩌면 바로 그 점이 내러티브가 이루어 낸 가장 큰 승리인지도 모른다.

내러티브가 정치적인 이익을 추구하려 할 때 나타나는 중요한 요소가 있다. 바로 초당파적이라고 스스로를 포장하는 것이다. 또한 내러티브에 반하는 뉴스들은 모두 당파적 견해로 치부된다. 내러티브에 부합할 경우, 익명의 제보를 통한 정부에 관한 심층 취재는 퓰리처상 후보감이 된다. 그렇지 않을 경우, 당리당략에 의한 저격으로 호도된다.

내러티브를 지지하는 사람들이 모두 부정적이거나 사악한 동기를 추구하는 것만은 아니라는 사실을 인지하는 것 역시 중요하다. 스스로 숭고한 목적을 위해 최선을 다하는 것일 수도 있다. 이런 경우, 이들은 매우 중요한 신념을 가지고 있다. 즉 자신들이 독자들보다 똑똑하다는 것이다. 이들은 독자들이 스스로 정보를 처리하고 결론을 내리는 것을 신뢰하지 않는데, 잘못된 결론을 내릴지도 모른다고 믿기 때문이다. 독자들은 스스로 판단하도록 내버려 두어선 안 된다. 이들은 마치 빅 브라더처럼 어떠한 견해가 합법적이며 어떤 것은 접근 불가인지를 스스로 결정한다. 즉, 독자들에게 어떤 생각을 해야 하는지를 주입한다. 이들은 논쟁이나 여러 견해가 있을 수 있는 사안에 대해서도 무엇이 진실인지를 최종적으로 결정해버린다. 모두 독자를 위해서 하는 일이다.

과학적으로 증명됨. 논쟁의 여지가 없음. 모두가 동의함.

## 내러티브의 심리학

내러티브의 심리학을 이해하는 데는 《1984》에서 시민들을 심리적으로 조종하기 위한 전술로 묘사된 '이중사고'의 운용이라는 개념이 도움이 된다. 오웰은 이중사고를 다음과 같이 정의한다. '서로 상충하는 두 개의 견해가 서로 모순이 되는 것을 알면서도 둘 다 신뢰하며 동시에 수용하기, 망각이 필요한 것은 무엇이든 망각하기, 또한 필요하면 언제든 다시 기억 속으로 되살리기, 그리고 다시 즉각적으로 망각하기, 무엇보다 그런 과정을 당연한 것으로 여기기.'

뉴스 기자와 전문가들은 양심의 가책 없이 내러티브를 지지하기 위해서는 스스로 이중사고를 수용해야 한다. 그다음, 뉴스 소비자들이 지성과 이성을 거부하도록 이중사고의 사용을 종용해야 한다. 누구도 내러티브에 의문을 품어서는 안 된다. 상반되는 사실을 수용해야 하고, '잘못된' 사람들을 불신해야 한다. 이슈에 대해서 새로운 견해를 보이거나 토론을 시도하는 사람들을 공격하도록 대중을 조건화시켜야 하며, 그런 사람들을 실제로 공격하는 사람들에 대한 전적인 지지를 보내야 한다.

내러티브의 존재야말로 도저히 설명할 수 없는 것들에 대한 설명이 된다. 분석해야 할 뉴스 주제가 무수히 많은데도 전국 뉴스에서는 똑같은 몇몇 뉴스만 계속 반복하는 이유도 바로 내러티브다.

신뢰도와 정확성이 떨어지는 몇몇 인사들이 전국 뉴스에 계속 등장하는 이유 역시 내러티브다. 거짓 정보를 일삼는 인사들을 기자들이 계속 취재하는 이유 역시 마찬가지다. 심지어 전임 정보 관료들이 수사를 받고 있는 사안들이 있으며, 잘못이 있음이 밝혀졌음에도 뉴스 방송사들이 그들에게 계속 그런 사안에 대한 분석을 의뢰할 수밖에 없는 이유도 이로써 설명이 된다.

가장 대표적인 사례가 바로 정치평론가 도나 브라질의 경우다. 지난 2016년 대선 때, 〈CNN〉의 정치평론가로서 민주당의 고위직을 맡았던 그녀는 힐러리 클린턴 측에 방송사 내부 정보를 유출했다가 그런 사실이 없다고 부인했다. 이후 그런 일이 사실로 드러났고, 그녀는 CNN에서 해고되었다. 정치 전문가가 뉴스 미디어에 기고하는 목적이 정직한 분석과 의미 있는 견해를 제공하는 것이라면 브라질은 방송국에서 영구 퇴출당하는 것이 마땅하다(그녀 자신에 대한 논란으로 출연하는 경우를 제외하고).

그런데 실상은 이후 브라질은 정반대의 처분을 받았다. 이 역시 내러티브가 그 이유를 설명해준다. 뉴스 미디어는 그 사건 이후 오히려 그녀에게 환대를 보냈다. 여러 방송국에서 그녀를 초대해 민주당의 정책에 대한 의견을 피력하도록 했고, 마치 그녀에게 아무런 잘못도 없었다는 듯이 많은 기자와 전문가들은 그녀의 말을 경청했다. 내러티브를 심화시키는 것이 목표가 될 때, 진실과 정확성 그리고 신뢰도는 뒷전이 된다. 이러한 상황 속에서만 도나 브라질의 행보가 설명이 된다.

정치적인 인물들만이 내러티브를 만들어내는 것은 아니다. 기업가들 역시 내러티브를 만드는 데 귀재들이며, 비즈니스와 뉴스의 시너지 효과를 적극 이용한다. 광고 수주에 혈안이 된 방송 매체들은 경쟁적으로 기업의 이윤을 위한 내러티브를 적극 수용한다. 뉴스 매체가 기업의 내러티브 보급을 위한 수단으로 전락하는 셈이다.

내러티브를 지지하지 않는 뉴스 기자들은 어떻게 될까? 내러티브 기득권층의 엄청난 분노를 감당해야 한다. 괴롭힘을 당하고, 공격을 받으며, 침묵을 종용받고, 수사를 받고, 소송을 당하고, 조사를 받고, 논란의 대상이 되며, 모든 가용한 선전선동 수단을 통해 비방을 받는다.

또 하나의 유행하는 내러티브는 도널드 트럼프가 우리가 이제껏 뉴스라고 부르던 것을 사망케 한 원흉이라는 것이다. 새로운 명예훼손법을 제정하여 언론에 대한 소송을 쉽게 만들겠다고 호언장담했던 것 역시 그였다. 또한 그는 선거 유세 때마다 '가짜 뉴스'에 대한 비판의 목소리를 높여왔다. 그의 수행원은 백악관 기자회견에서 CNN 기자의 마이크를 빼앗으려 한 적이 있으며, 그 기자는 일시적으로 백악관 출입이 금지되기도 했다. 트럼프 대통령은 가짜 뉴스가 '미국민의 공적'이라고 공공연히 주장했다.

그런데 만약 반 내러티브 측의 이야기를 들어보면 어떨까?

트럼프 대통령은 예측을 불허하고 기존의 고압적 내러티브를 벗어난 비인습적인 방법을 통해서 뉴스 미디어의 편향성, 결함, 취약성 등을 그대로 노출시켰으며, 이는 뉴스 미디어 업계 사람들이 집단적 이성을 잃고, 객관적으로 보이려 했던 그동안의 가면조차 벗어버리게 만들었다. 대부분의 미디어는 트럼프 대통령을 공격하고 궁극적으로는 대통령직에서 몰아내기 위한 정치적 의제에 목을 매게 되었다. 이는 역설적으로 미디어의 편향성을 지적한 트럼프의 주장이 허언이 아니었음을 증명하는 결과를 낳았다.

〈CNN〉, 〈CBS〉, 〈NBC〉, 〈ABC〉, 〈MSNBC〉, 〈블룸버그 뉴스〉, 〈뉴욕타임스〉 등의 전·현직 보도국장, 기자, 뉴스 편성책임자들의 솔직한 견해와 분석을 가감 없이 듣게 될 것이다. 그중에는 놀랄 만한 내용들도 있을 것이다. 이들은 〈프라임타임 라이브〉, 〈나이트라인〉, 〈60분〉 등의 뉴스 프로그램에서 일했거나 일하고 있는 사람들이다. 이들은 월터 크롱카이트, 테드 코펠, 케이티 쿠릭, 다이앤 소여 등의 명사들과 어깨를 나란히 했던 사람들이다. 이들 대부분은 내러티브 뉴스와 '뉴스의 사망'에 대해서 자신의 견해를 기꺼이 피력했다. 많은 이들이 자신이 몸담고 있는 뉴스 산업과 동료들을 비판함으로써 배척당할 염려로 실명을 밝히는 것을 꺼렸다. 이들 중에서 자신의 정치적 성향에 대해 보수적이라고 대답한 사람은 거의 없었다. 대부분이 진보적 또는 매우 진보적이라고 대답했다. 어떤 사람은 자신을 '중도적 성향'이라고 생각한다고 말했다. 대부분의 사람들이 자신의 정치적 성향은 '극단적이지 않으며' 또는 '일방적으로 한쪽으로 치우치지 않는다'고 설명했다.

이번 '부검보고서'는 우리가 한때 알았던 뉴스가 죽게 된 것은 누군가 죽인 것이 아니라 스스로 죽음을 택했다는 점을 증명하게 될 것이다. 그리고 그 수단은 내러티브였다.

《1984》에서 정부의 평화부는 전쟁을 수행한다. 애정부는 잔인한 처벌을 시행한다. 진실부는 역사적 기록을 조작한다.

2020년 오늘, 우리 역시 크게 다르지 않다.

팩트체커는 편파적 견해를 성문화한다. 괴담 사냥꾼(Myth Busters, 전통적인 결론에 대해 새로운 관점을 취하는 사람 -옮긴이)은 진실을 저버린다. 온라인 지식은 의제 편집자들에 의해 결정된다. 언론의 자유는 검열에 의해 통제된다. 뉴스는 더 이상 뉴스가 아니다. 그리고 당신은 소비자가 아니다. 단지 제품일 뿐이다.

결국 《1984》에서 말하는 것처럼, 대중은 스스로 독립적 사고를 하는 능력을 상실하고 만다. 당이 말하는 것은 무엇이든 진실이 된다.

본서는 독립적 사고를 추구하는 사람들에게 도움이 되고자 한다. 우리가 매일의 삶에서 맞닥뜨리는, 복잡하게 얽혀 있는 내러티브들을 낱낱이 속속들이 파헤칠 것이다. 그리고, '그래도 미래는 있다'는 희망의 불씨를 발견할 수 있을 것이다. 그 믿음의 근거는 바로 당신이 이 글을 읽고 있다는 점이다.

2020년 11월

셰릴 앳키슨

# CBS 이야기

난도질당한 뉴스의 죽음

1장

SLANTED

나의 기자 초년 시절로 되돌아가 보자. 나는 뉴스 보도에 있어서 두 종류의 편향이 있다는 사실을 깨닫게 됐다. 하나는 의도적 편향이고, 다른 하나는 부지불식간의 편향이다.

의도적 편향은 말 그대로 뻔뻔하며, 식별하기가 쉽다. 자신의 속내를 분명하게 드러낸다. 자랑스러워하며 부정하지 않는다. 의도적 편향을 저지르는 기자들은 대개 스스로 그 사실을 잘 알고 있으며, 자신의 편향을 정당화하거나, 편향된 기사의 피해자는 그런 대우를 받아도 싸다고 스스로 합리화한다.

반면에 비의도적인 편향은 마치 잡힐 듯 말 듯 한 교활한 녀석과 같다. 오늘날의 뉴스에서 보이는 문제의 상당 부분이 바로 여기에서 기인한다. 비의도적인 편향을 알아채는 것은 마치 연기를 붙잡거나 물을 깨물려고 하는 것과 같다. 비의도적인 편향을 저지르는 사람은 스스로 편향이 있다는 사실조차 인지하지 못한다. 자기는 결코 그렇지 않다고 믿으면서도 실제로는 편향에 빠지고 만다. 때때로 우리는 동료나 상사에게서 비의도적 편향을 발견한다. 하지만 그러한 사실을 그들에게 지적하거나 논리에 호소해 보아도 그들의 생각을 바꾸는 것은 매우 힘들다. 오히려 그들은 나에게 의심의 눈길을 보낼지도 모른다. "도대체 왜 그래?"

물론 편향은 정치적인 것일 수도 있다. 하지만 얼마나 많은 편향이 정치적인 것과 상관없이 일어나고 있는지를 알게 된다면 무척 놀라게 될 것이다.

미국의 뉴스 산업은 이러한 편향을 둘러싼 갈등에 대해 지속적 관심을 기울여야 한다. 하지만 대부분의 경우 별로 관심을 기울이지 않는다. 그리고 이러한 갈등은 뉴스가 제작되고 기사가 채택되는 과정, 그리고 구독자 및 시청자에게서 얻는 신뢰 등에 큰 영향을 미친다. 뉴스 제작팀 내에서 연기를 붙잡아보려고 노력하는 사람들이 있다고 할지라도, 결국엔 이 교활한 녀석이 승리를 거두고 만다.

이러한 현상을 유발하게 된 씨앗은 이미 오래전에 뿌려졌다. 오랜 세월 싹을 틔우고 자라난 결과 오늘날에 이른 것이다.

1996년 내가 워싱턴 DC에서 〈CBS 주말 뉴스〉의 취재 기자로 일하고 있을 때의 일이다. 뉴욕 본사에서 과제가 내려왔다. '스티브 포브스의 일률 과세 정책이 실패할 수밖에 없는 이유에 대한 기사를 작성할 것.' 포브스는 당시 공화당의 대선 후보 중 한 명이었다. 그 과제는 말 그대로 결론을 예단한 기사였다. 쉽게 말하면 포브스의 일률 과세는 부자에게 유리하고 가난한 사람에겐 불리한 정책이라는 내러티브였다.

사실, 일률 과세가 실제로 어떠한 영향을 미칠지는 아무도 모른다. 경제학자들의 견해도 제각기 다른 마당에 기자들이 그 결과를 확실히 예상한다는 것은 불가능한 일이었다. 과제는 일률 과세가 어떻게 영향을 미칠지 양쪽 방향을 다 살펴보는 것이어야 했다. 그래서 나는 그런 방향으로 기사 작성에 착수했다. 그 시절에 이미 나는 일부 경험 많은 동료들이 명성 있는 전국 방송 뉴스 네트워크에서 일하면서도, 스스로 명백한 편향적 시각으로 기사를 쓰고 이를 전혀 자각하지 못한다는 사실에 적잖이 놀랐다. 때때로 우리는 기사의 내용이 어떻게 전개되어야만 하는지에 너무 몰입한 나머지, 진짜 뉴스를 놓칠 때가 많다.

그 사건이 있고 난 후, 오랜 세월이 흘러 내가 2014년 〈CBS〉를 떠나기 얼마 전이었다. 하루는 젊은 기자 한 명이 워싱턴 DC, 노스웨스트에 위치한 내 사무실로 들어섰다. 그녀는 가난한 사람들에게 무료 식료품을 제공하는 푸드팬트리(food pantries)의 중요성에 대한 기사를 쓰라는 과제를 받았다고 말했다. 한 주가 지난 후, 그녀는 내게 취재 진행 과정에 대해 보고하면서 취재에 적합한 가정을 찾는 것이 무척 어렵다고 토로했다. 그녀가 접촉한 푸드팬트리 가정들은 모두 상대적으로 경제적 사정이 양호한 편이었다. 무료 식료품에 의존해야 할 만큼 가난한 형편이 아니었다. 어떤 경우에는 기사 취재를 위해 자신의 집에 와서 자신과 가족의 모습을 촬영하라고 초대하는 사람도 있었다. 그곳에 도착한 기자는 텅텅 빈 냉장고를 상상하면서 냉장고 안을 촬영해도 되느냐고 물어보았다. 그런데 놀랍게도 그 안에는 식료품이 가득했다. 사람을 위한 식료품뿐 아니라 애완동물을 위한 사료까지 구비되어 있었다. 이는 과제에 부합하는, 연민을 유발하는 장면과는 거리가 멀었다.

신참 기자가 세 번째로 내 사무실을 찾아와서 푸드팬트리에 의존하는 가난한 가정을 찾기가 쉽지 않다고 말했을 때, 나는 이야기의 진실이 과제가 예단한 내용과 다를 수도 있지 않겠느냐고 조심스럽게 조언했다. 어쩌면 푸드팬트리를 방문하는 사람들이 실제로는 어떤 사람들인지에 대한 이야기가 기사가 될 수도 있다. 사실은 경제적으로 크게 곤궁하지 않은 사람들이 푸드팬트리를 찾아오고 있다. 실제 취재 현장에서 알아낸 사실들을 기사로 쓰는 것이 어떨까? 왜 실제로 존재하지도 않는 내러티브를 억지로 취재해야 하는 걸까? 내 말을 들은 그녀는 마치 내가 머리가 둘 달린 괴물이라도 되는 것처럼 나를 쳐다보았다.

그녀가 미처 몰랐던 것은 그녀를 위한 나의 조언이 사실은 바로 나의 경험에서 비롯된 것이라는 사실이었다.

1990년대 후반, 클린턴 대통령의 재임 시절, 당시 노동부 장관이었던 로버트 라이크는 연방 최저 임금의 인상을 주장했다. 수만 명의 가정이 최저 임금 소득으로 힘겹게 아이들을 기르고 있다는 그의 주장이 신문 기사들에 넘쳐났다. 뉴욕 CBS 본사로부터 CBS 주말 뉴스에 내보낼 기사를 위해 그런 가정 중 하나를 섭외해서 취재하라는 과제가 나에게 주어졌다. 그 당시에는 미처 그렇게 생각하지 못했지만, 돌이켜보면 내가 받은 과제는 예단 된 내러티브를 지지하기 위한 것이었다. 즉 가족을 부양하기 위해 열심히 일하는 수많은 가정들이 탐욕스러운 고용주들 때문에 적절한 임금을 받지 못하고 있으며, 이를 강제적으로 바로잡기 위해서는 최저 임금이 인상되어야만 한다는 것이었다.

나는 이 지시를 수행하기 위해 곧 취재에 착수했다. 그리 어렵지 않은 일일 거라고 생각했다. '수많은 가정들이 최저 임금으로 가족을 부양하고 있다!' 그중에서 한 가정만 찾으면 되는 일이었다. 워싱턴 DC에는 거의 모든 사안에 대한 압력단체들이 상존하며, 이들은 늘 마감에 쫓기는 기자들에게 기꺼이 큰 도움을 준다. 나는 이들에게 내가 찾는 가정들을 알아봐 달라고 부탁했다.

얼마간 시간이 흘렀지만 놀랍게도 내게 취재할 가정을 소개해주는 단체가 하나도 없었다. 연락을 취해보니, 다들 최저 임금으로 아이들을 기르는 부부를 하나도 찾을 수 없었다고 실토했다.

그래서 내가 말했다. "좋아요. 아이를 기르는 부부 중 한 사람만 최저 임금을 받는 가정을 찾아보세요." 그러나 그 역시 아무런 소득이 없었다. 단 한 가정도 그런 경우를 찾을 수 없었다. 다시 요청 사항을 수정했다. "최저 임금으로 아이를 키우는 편부모 가정을 찾아보면 어떨까요?" 그들은 사방으로 연락을 취해보았지만, 역시 결과는 마찬가지였다. "그러면 아이는 없지만, 최저 임금으로 연명하는 부부는 있을까요?" 역시 없었다.

나는 주어진 과제를 완수하는 데만 온 신경을 집중한 나머지, 나무를 보느라 숲을 보지 못하는 잘못을 범하고 말았다. 어쩌면 최저 임금 인상안을 열렬히 지지하는 압력단체들조차도 최저 임금으로 아이들을 부양한다고 알려진 '수만 명의' 미국 가정들 중, 단 하나의 가정도 찾을 수 없었다는 사실이 진정한 기삿거리였을지도 모른다.

나의 마지막 요청은 스스로 보기에도 안쓰러워 보일 정도였다. 나는 아이가 없는 독신자 중에서 최저 임금으로 살아가는 사람이라도 찾아달라고 요청했다. 그들의 답을 기다리는 동안, 나는 이 문제를 직접 해결해보기로 마음먹었다. 최저 임금으로 생계를 유지하는 가정을 직접 찾아 나서기로 한 것이다. 나는 이렇게 생각했다. '힘들어 봐야 얼마나 힘들겠어? 그런 가정이 수만 개나 있다잖아! 정부에서 그렇게 장담했으니까!'

나는 레스토랑, 피자 체인점, 세탁소 등 최저 임금을 지불하리라고 예상되는 곳들에 모조리 연락을 취했다. 나는 곧 대부분의 주와 대도시 및 카운티에서 연방 정부가 규정하는 것보다 더 높은 수준의 최저 임금을 유지한다는 사실을 알게 되었다. 또한 대학생들이 방학을 맞아 단기간 일자리를 구하는 여름 동안에는 최저 임금 일자리가 있을 수도 있다는 것도 알게 되었다. 하지만 당시는 여름이 아니었다. 또한 대학생은 최저 임금으로 아이를 기르거나 자기 자신을 부양하는 계층도 아니었기에 기사에 적합한 사례도 아니었다.

나는 그래도 포기하지 않았다. 어딘가에서는 최저 임금 가정을 찾을 수 있으리라 믿었다. 어쩌면 맥도날드에서 찾을 수 있을지도 모른다! 내가 아는 가장 값싼 패스트푸드 레스토랑인 맥도날드는 틀림없이 최저 임금을 지불하고 있을 것이다. 그래서 나는 사무실을 빠져나와 워싱턴 DC 노스웨스트의 M스트리트로 나서 근처의 맥도날드로 갔다. 오후에 콜라를 사기 위해 종종 가던 곳이라서 이곳 매니저와는 친분이 있었다. 아마도 그는 최저 임금을 받고 일하는 종업원을 소개해 줄 수 있을 것이었다.

내가 취재 과제에 대해서 설명을 시작하자, 매니저는 내 말이 미처 끝나기도 전에 고개를 절레절레 흔들기 시작했다. 그는 우선 워싱턴 DC가 연방법이 정한 최저 임금보다 훨씬 높은 최저 임금을 정하고 있는 도시 중 하나라고 설명했다. (2020년 현재, 워싱턴 DC의 최저 시급은 15불이며, 이는 연방 최저 시급 7불 25센트의 두 배가 넘는다.)

"솔직하게 말할게요." 매니저가 말했다. "최저 임금으로 시작한 종업원이 있다고 쳐도, 그대로인 경우는 없어요. 매일 출근만 해도, 3개월마다 25센트씩 시급이 오르게 되어 있죠. 여기에서 사는 사람 중에서 최저 임금만으로 생활하는 사람은 없다고 봐야 합니다."

어쩌면 바로 그것이 진정한 기삿거리였는지도 모른다. 내가 알게 된 사실들은 모두 전혀 예상치 못한 것들이었다. 얼마나 많은 사업체가 연방 최저 임금보다 높은 임금을 지불하고 있는가? 최저 시급을 지불하리라고 예상한 사업체들이 왜 실제로는 더 높은 시급을 지불하고 있는 것일까? 최저 임금으로 자녀를 부양하는 가정을 찾는 것은 얼마나 어려운 일일까? 이런 것들이야말로 흥미로운 이야기 아닌가! 하지만 당시에는 내가 현장에서 실제로 알게 된 사실을 바탕으로 취재 과제를 바꾸어야겠다는 생각은 미처 하지 못했다.

한편, 끝까지 나를 돕던 마지막 압력단체에서 연락이 왔다. "우리가 찾은 유일한 사례는 메릴랜드 주에서 살고 있는 은퇴한 노인인데, 소일 겸 최저 임금을 받고 공원 청소를 하는 사람입니다." 최저 임금으로 가족을 부양하는 가정과는 너무나 거리가 먼 사례였다. 하지만 결국 나의 취재는 그 노인을 중심으로 이루어졌다. 미리 정해진 내러티브를 충족시키기 위해 의도치 않게 생고생을 해야 했다.

나는 그 이후에도 비슷한 과오를 계속 범했고, 나중에서야 비로소 잘못을 깨닫기 시작했다. 우리 언론인들은 사실을 밝히기보다 내러티브를 충족시키는 경우가 너무 많았다.

2004년, 〈CBS 뉴스〉의 한 선임 프로듀서가 우리에게 과제를 부여했는데, 대선 캠페인 이슈와 관련 있는 '한 사람의 특정 인물'을 선정해서 심층 취재하라는 것이었다.

여러 기자들이 그 과제의 잠재적 위험성을 지적했다. 그 이유는 다음과 같다.

정치적 쟁점을 취재하기 위해서 한 명의 인물을 선정하게 되면 필연적으로 그 인물에 대한 동정심이 유발되기 마련이다. 결국 공명정대한 기사를 쓰기가 어려워진다. 예를 들어, 낙태라는 이슈를 취재한다고 생각해보자. 취재 대상으로는 불가피하게 목숨을 구하기 위해 임신 중절이 필요한 여성 또는 임신 유지를 원하지 않는 강간 피해 여성이 선정될 것이다. 이러한 여성을 취재 대상으로 선정하게 되면 공정한 반론의 제시 없이, 자연스럽게 그녀와 낙태를 찬성하는 입장에 서서 동정심을 유발하는 편파적 기사를 작성하게 될 것이다. 이미 CBS의 진보적 편향성에 대한 대중의 비판이 심각한 상황에서 이러한 편향적 기사는 더욱 걱정스러울 수밖에 없었다.

나는 과제를 지시한 선임 프로듀서에게 전화를 했다. CBS 방송국을 위해, 그리고 공정성에 대한 우리의 평판을 위해서 쟁점이 되는 사안에 대해서는 양측의 견해를 모두 반영하는 기사를 작성해야 하며, 양측을 대표하는 다수의 인물들을 취재해야 한다고 설명했다. 하지만 선임 프로듀서는 나의 의견을 무시했다. 그녀의 논리는 여러 프로듀서와 기자들이 한 이슈에 대해서 각기 다른 입장을 선택하리라는 것이었다. 어떤 사람은 진보적 입장을, 또 다른 사람은 보수적 입장을 선택하게 되면 결국은 균형이 잡힐 것이라는 논리였다.

어찌 됐든 나는 과제를 진행해 나갔다. 나는 세간의 관심을 끄는 대선 이슈들 속에서 우리의 진보적 편향에 대한 세간의 우려를 조금이나마 완화하는 것이 내가 할 일이라고 생각했다. 그래서 공공학교 내의 종교 문제를 주제로 선택했다.

일반적으로 공공학교 내의 종교 문제에 대한 대부분의 뉴스 기사는 학교 내에서 기독교와 관련된 내용이나 신에 관한 언급 등을 배제하려는 노력에 초점이 맞춰져 왔다. 학생들이 국기에 대한 맹세를 제창할 때, '신(神) 아래'라는 어구를 말하지 않아도 되도록 해달라고 법정 소송을 진행한 한 학부모의 경우를 예로 들 수 있다.

하지만 나는 그런 전통적 방식으로 기사를 쓰고 싶지 않았다. 첫째로, 그런 기사는 이미 여러 사람들이 많이 다루었다. 나는 좀 더 색다른 또는 관심을 덜 받은 사례를 다루고 싶었다. 둘째로, 다른 방식으로 기사를 취재하는 것이 좀 더 흥미를 유발하고, 기대감을 불러일으키며, 내러티브를 따르지 않는 기사가 될 것이었다. 셋째로, 최근의 여론조사에 따르면 미국인 열 명 중 아홉은 '신 아래'라는 어구가 정당하다고 동의했다. 또한 미국인의 90%가 신을 믿는다고 응답했다. 비록 나 자신이 특별히 종교에 심취한 것은 아니지만, 우리 뉴스 청취자의 상당수가 종교에 관심이 많은 미국인이며, 이들에 대한 관심이나 배려가 부족했던 것이 사실이다. 따라서 시청자의 관점에서 생각해볼 때, 이들의 입장을 대변하는 이야기를 적어도 하나쯤 다루는 것은 당연한 것으로 생각되었다.

나와 함께 일하던 워싱턴 DC의 프로듀서가 우리 기사의 중점 '취재원'으로 적합할 만한 대상에 관한 좋은 아이디어를 냈다. 어떤 한 개인 대신에 메릴랜드 주의 한 공립고등학교에서 성경공부 모임을 갖는 몇몇 고등학생들을 취재하기로 했다. 이들은 매주 학교 안에서 모임을 가졌는데, 교회와 국가의 분리를 명시한 헌법 규정을 잘 준수하고 있었다. 예를 들면 학교 안에서 성경공부 모임을 가졌지만, 방과 후에 모임 시간을 가졌고, 학생들 스스로 모임을 주관하였으며 누구도 참석을 강요받지 않았다.

프로그램 오프닝을 위해서 전국 무신론자 및 불가지론자 모임의 지도자인 애니 로리 게일러를 인터뷰했다. 그리고 국기에 대한 맹세에서 '신 아래'라는 구절을 제거하기 위해서 소송을 벌였던 캘리포니아의 한 학부모의 사건을 요약했다. 마지막으로, 매우 중립적인 견해를 가지고 있는 인물을 인터뷰했다. 바로 퍼스트 어멘드먼트 센터(First Amendment Center, 미수정헌법1조의 의사 표현의 자유를 주창하는 초당파적 시민단체 -옮긴이)의 찰스 헤이네스였다.

기사를 작성하고 난 뒤, 과제를 하달한 뉴욕의 선임 프로듀서에게 기사를 보냈다. 그리고 그녀는 기사를 승인했다. 그런데 다음날 매우 이례적으로 그녀는 결정을 번복했다. 그녀는 고등학교 성경공부 모임 아이들의 이야기가 기사의 중심인 것을 좋아하지 않았다.

"이슈를 부각시킬 만한 좀 더 극단적인 견해를 가진 사람을 다룰 수 없을까?" 그녀가 말했다. "공립학교 교과 과정에 종교를 삽입하려고 하는 사람을 찾아보지?"

매우 이상한 요구라고 생각했다. 나는 그녀에게 '공립학교 교과 과정에 종교를 삽입하려고 하는' 사람은 아무도 없었고, 따라서 그런 취재는 우리 기사에 도움이 되지 않는다고 항변했다.

"제리 폴웰은 어때?" 그녀가 집요하게 말했다. "제리 폴웰을 인터뷰할 수 있겠나?"

텔레비전 설교가이자 기독교 보수주의 운동가인 폴웰은 공립학교에 종교를 삽입하려고 하는 것과는 아무런 상관이 없었다. 문득 이 선임 프로듀서의 의도가 진짜 이슈를 취재하는 것이 아니라 일촉즉발의 위기감을 조성할 방법을 찾는 것임을 깨달았다. 그녀가 원하는 내러티브는 종교를 믿는 사람들은 비이성적인 극단주의자라는 것이었다. 내가 취재했던 고등학생들은 시청자들에게 이성적, 우호적으로 보일 수 있을 것이기 때문에 그녀의 의도에는 맞지 않았던 것이다.

"제리 폴웰은 인터뷰하지 않겠습니다." 내가 대답했다. "기사 내용은 그대로가 좋겠습니다."

그 말과 함께 내 취재 기사는 방영이 예정되었던 〈CBS 이브닝 뉴스〉 프로그램에서 미끄러졌다. 그런데 그것으로 끝이 아니었다.

당시 나는 뉴욕의 CBS 주말 뉴스 앵커로 나서는 일이 자주 있었다. 평일 저녁 뉴스에서 학교 내 종교 이야기를 방영하려 하지 않았기에, 나는 내가 앵커로 나서는 주말 뉴스에 그 취재 기사를 내보내려고 계획했다. 그런데 방영 며칠 전, 내가 CBS 워싱턴 DC 지국의 사무실에 있을 때였다. 마침 프로듀서의 책상을 지나다가 주말 뉴스 책임 프로듀서와 뉴욕 본사 담당자 둘과 함께 스피커폰으로 대화하는 내용이 들렸다. 주말에 방송 예정된 기사들에 대해서 의견을 나누고 있었다.

책임 프로듀서가 나를 지칭하며 말했다. "그 앵커는 일요일에 성경을 옹호하는 이야기를 방영하고 싶어 해." 그녀의 목소리에는 싫어하는 기색이 분명했다.

나는 무척 놀랐다. 내 기사는 전혀 '성경 옹호적'이지 않았다. 이미 기술한 것처럼, 어느 한쪽을 지지하는 내용은 전혀 담고 있지 않았다. 다양한 견해를 공정하게 제시했다. 만약 내가 국기에 대한 맹세에서 '신 아래'라는 구절을 제거하려 했던 학부모의 아이를 취재했다면 과연 그 책임 프로듀서는 그 기사를 '반성경적'이라고 폄하했을까? 그들은 단지 기자가 제시된 내러티브를 따르지 않는 것에 익숙하지 않았던 것이었다. 내가 그들의 심기를 건드린 것이 분명했다. 그런 기자들은 회의적 또는 의심의 눈초리를 피할 수 없게 된다.

뉴욕에서 방송이 송출되기 한 시간 전에 나는 선임 프로듀서에게 왜 나의 기사가 스태프들에게 '성경 옹호적'이라는 타이틀로 불리게 되었는지를 따져 물었다.

"글쎄, 종교가 모든 악의 근원이고 모든 전쟁의 원인이기 때문 아닐까?" 그가 더듬거리며 말했다. 나의 질문에 놀란 눈치였다.

"보도 취재에 있어서 프로듀서나 기자의 개인적인 견해는 상관 없는 것 아닌가요?" 내가 반박했다.

그해 연말에 모든 정황이 좀 더 명확해지는 사건이 있었다. CBS 이브닝 뉴스에서 2004년 민주당 존 케리의 대항마로 재선에 나선 조지 W 부시 대통령에 대한 추문을 캐라는 과제가 내려왔다. 부시가 대통령에 당선되기 오래전에 코카인을 사용했다는(확인되지 않은) 소문이 한창 떠돌고 있었다.

나는 취재에는 일가견이 있었지만, 불과 며칠 안에 부시의 추문을 확인할 만한 증거를 캐내기란 거의 불가능하다고 생각했다. 부시를 싫어하는 기자들이 이미 많은 시간을 들여 그러한 증거를 찾아내려 했지만 모두 실패했던 사안이었기 때문이다.

하지만 일단 조사에 착수했다. 여러 소문과 주장들을 섭렵했다. 그런데 별다른 내용이 없었다. 그래서 나름대로 하나의 가설을 세웠다. 이는 조사 내용이 무언가 막연한 경우 하나의 시발점으로 도움이 된다. 만약 부시가 어린 시절에 정말 약물 또는 알코올 문제가 있었다면 아마도 그의 가족은 그를 고향인 텍사스주 밖 어딘가의 재활 센터에 보냈을 수 있다고 생각했다. 아마도 부유층이 신뢰할 만한, 비밀이 보장된 그런 곳이었을 것이다. 그리고 그 센터는 부시가 대선에 나서기 훨씬 전에 문을 닫았고, 모든 기록은 말소되었을 것이다. 그래서 우선 그 당시에 이름이 나 있었던 재활 센터를 찾아보기 시작했다. 혹시 과거에 있었던 일에 대해 내부 정보를 흘려줄 만한 전 직원 같은 사람을 찾을 수 있지 않을까 기대했다. 쉽지 않은 일이었지만, 일단 뭐라도 시도해봐야 했다.

인터넷 검색과 여러 기사들을 읽어보다가 우연찮게 부시의 상대인 존 케리에 관해 제기된 의문들을 보게 되었다. 부시에 대한 조사는 진전이 없었지만, 케리에 관한 의문점은 쉽게 파고들 수 있었다. 그의 베트남전쟁 기록에 관련된 내용이었는데, 그가 자신의 영웅적 행동에 대해 과장을 하거나 허위로 진술한 부분이 있지 않나 하는 것이었다.

그래서 케리가 받은 퍼플 하트 훈장에 관해 조사를 해보았다. 이 훈장은 전투 중 부상을 당한 군인에게 수여되는 것이다. 케리의 모든 부상 내역과 그로 인해 수여된 훈장에 관련된 기록들을 찾아보았다. 그런데 케리가 부상을 입었다는 기록은 찾을 수 없었다. 군사 전문가에게 문의한 결과, 퍼플 하트 훈장은 반드시 부상을 입은 경우에만 수여된다는 답변을 들었다. 국방부가 제시한 기록을 좀 더 자세히 들여다보니, 그중 일부는 베트남전쟁 당시의 원본이 아니었다. 예를 들어, 케리의 전투 행적을 기록한 문서는 베트남전쟁이 끝나고 한참 뒤에, 발급 당시의 해군참모총장인 존 레만 제독이 결재한 것이었다. 왜일까?

국방부의 한 관계자로부터 답변을 들었다. 베트남전쟁에서 돌아온 케리가 항의의 표시로 훈장을 백악관 담벼락에 던져 버렸다는 것이다. 그래서 그가 받은 훈장에 대한 원본 문서가 유실되었다는 설명이었다. 따라서 존 케리가 문서를 신청했을 때, 다시 문서를 작성해 결재하게 되었다는 것이다. 그런데 그 설명은 말이 되지 않았다. 케리가 훈장을 백악관 담벼락에 던지면서 그와 관련된 문서까지 같이 던져 버렸다는 말인가?

이러한 시기상의 불일치를 설명해줄 만한 문서가 혹시 국방부에 남아 있지는 않을까 하는 생각이 들었다. 그래서 CBS 국방부 담당 데이비드 마틴에게 전화를 해서 혹시 국방부에 케리에 관한 기록이 더 있는지를 알아봐달라고 부탁했다. 마틴은 이에 대해 문의를 했고, 나에게 답변을 보냈다. 국방부는 케리의 베트남전쟁 복무에 관한 기록은 우리가 가지고 있는 것이 전부라고 대답했다.

부시에 관해서는 소득이 없었지만, 케리에 대한 정보는 더 많은 조사를 필요로 했다. 그 시점에서 나는 워싱턴 DC에 있는 CBS 정치부에 내가 진행하고 있는 조사에 대해 보고를 했다.

내가 몇 마디 말을 꺼내기도 전에 정치부 프로듀서들은 코웃음을 치기 시작했다.

"베트남은 옛날얘기잖아." 한 사람이 말했다.

"그 기록들은 믿을 만한 것이 못될 걸." 또 다른 사람이 말했다.

"그럴지도 모르죠." 내가 말했다. "하지만 기사가 될 만한 내용이 나올지 일단 조사는 해봐야 하지 않을까요?" 그리고 이렇게 지적했다. "만약 부시에 대한 기록이 일치하지 않았다면 단순히 '베트남은 오래

전 일이잖아'라고 치부해버리지는 않았겠지요. 더 깊은 조사를 진행했을 겁니다."

그들은 내 말을 무시했을 뿐 아니라 적개심을 보이기까지 했다. 그 시점에서 나는 그들이 케리에 대해서 조사하는 것은 지지하지 않을 것이며, 오직 부시만이 관심의 대상이라는 것을 깨달았다. 나는 크게 환멸을 느끼고 내 사무실로 돌아와 케리에 관련된 서류들을 쓰레기통에 처넣었다.

CBS 뉴스에서 근무한 이십여 년 동안 내가 겪었던 그런 경험들에 대해 깊이 생각해보게 되었다. 눈먼 채로 진정한 스토리를 외면하기보다는 내 주변에서 일어나는 진실이 무엇인지를 파악하는데 내 모든 에너지를 집중하기 시작했다. 그리고 마침내 전형적인 내러티브를 따르기보다는 진정한 기사와 견해를 보도하는 것이 내 일의 핵심이라고 확신하게 되었다.

쉬운 일은 결코 아니었지만, 많은 성공을 거두었다. 종종 고위층과 동료들의 격려와 지지를 받기도 했다. '공정하고 대담한'이란 CBS 전통을 따라 CBS 뉴스팀의 일원으로 많은 기사를 취재하는 영예를 누렸다. 그중 일부는 동료들의 인정을 받아 상을 받기도 했다. 하지만 미처 담아내지 못한 많은 이야기가 있으며, 이를 통해 뉴스의 죽음에 대해서 많은 것이 밝혀질 것이다.

## 못다 한 이야기들

모든 기자들이 종종 기사가 '사장되는' 경험을 하게 된다. 그중에는 물론 합당한 이유 때문인 경우도 있다. 대부분의 경우는 방송으로 모든 기사를 내보낼 만한 시간과 공간이 부족하기 때문이다. 어떤 기사를 잘라낼지에 대해서 매일 심사숙고가 이루어진다.

그런데 시간이 흐르면서 이런 의사결정 과정에 눈에 띄는 변화가 생겼다. 내러티브를 조장하고 싶어 하는 그룹들이 교묘한 압력과 보상책을 통해 기자들을 조종하기 시작했다. 소셜 미디어를 통한 공격 외에도 CBS 중역들이 내러티브를 지지하는 자들에게 독점적 '정보'와 인터뷰를 보장해 주는 것에 이르기까지 다양한 일들이 벌어졌다. 결국 안타깝게도 이러한 추세 때문에 내가 했던 몇몇 최고의 탐사 보도는 CBS 대표 방송에서 빛을 보지 못하고 묻혀버렸다. 어떤 경우에는, 프로듀서들 또는 고위직에 의해 기사 본래의 의미를 흐리게 하고 충격을 완화시키는 방향으로 내용이 바뀌기도 했다.

워싱턴 CBS의 많은 동료들이 이러한 추세에 대해 불만을 터뜨렸는데, 2011년경 이런 추세가 최고조에 다다랐다. 최고 경영층과 CBS 이브닝 뉴스의 간부진이 교체되면서 이런 추세가 가속화되었다. 워싱턴 DC 지국의 프로듀서들 중에서는 너무 화가 난 나머지 실제로 물건들을 집어 던지는 경우들도 있었다. 일부 기자들은 너무나 좌절한 나머지 단체로 사무실을 나와 퇴사하겠다고 시위를 하기도 했다. 하지만 그들은 결국 모두 복귀했다. '내야 할 고지서들은 쌓이고, 어디 가서 이만한 돈을 번단 말인가?'

어떻게 보면 나는 탄광 속의 카나리아(탄광 속 독성 가스 유출을 미리 알려주는 역할 -옮긴이)였다. 탐사 보도를 주로 맡았던 나는 다른 기자들보다 더욱 심각한 영향을 받기 시작했다. 말 그대로 내가 하는 모든 것이 누군가의 중요한 내러티브에 심각한 위협을 가할 수 있었기 때문이었다. 강력한 이익집단들은 어떤 홍보(선전)회사와 법률회사를 고용해야 하는지, CBS의 누구를 통해 압력을 행사해야 할지 잘 파악하고 있었다. 또한 어떻게 소셜 미디어를 활용하고, 어떤 '비영리단체', 웹사이트, 유사 기자들을 섭외해야 할지도 잘 알고 있었다. 따라서 우리 일선 기자들이 이들에 맞서 싸우고 독립성을 지켜내기란 너무나 어려운 일임이 분명해졌다.

CBS를 떠나기 수년 전, 나는 이러한 조직적인 압력의 실체를 파악하기 시작했다. 나는 나의 탐사 보도 내용이 방송되기 전에 뉴욕의 CBS 변호사들에게 먼저 검토를 받았다.

"우리 기사를 막으려는 자들은 이미 어떻게 할지 다 알고 있는데, 우리는 언제나 방어하다가 끝납니다." 내가 변호사들에게 말했다. "그들은 막대한 자금과 시간을 투자해서 우리가 말도 안 되는 고소고발에 대응하느라 꼼짝도 못 하게 하고 묶어놓고 있어요. 우리 모든 기자들은 이러한 문제점을 정식으로 제기하고 방어에만 급급할 것이 아니라 제대로 보도를 할 수 있는 전략을 강구해야 합니다."

그들은 굳이 내 말을 부정하지 않았다. 하지만 방송사 입장에서는 이런 종류의 공격과 영향력에서 우리의 보도 공간을 확보할 전략을 마련해줄 의지가 전혀 없었다. 또한 언론학회에서 이런 주제에 대해 워크숍을 개최할 것을 제안하기도 했다. 나는 이 문제가 우리가 이제껏 겪어온 수많은 도전들에 비해 절대 가볍지 않은 중대한 사안이라고 믿었다. 하지만 그것은 어둠 속의 외침에 그치고 말았다. 만약 그때 언론계가 좀 더 적극적으로 대처했다면 내러티브가 저널리즘을 휘어잡고 우리의 명성을 파괴하는 것을 멈출 수 있었을지도 모른다.

한편, 나는 그 어느 때보다 많은 뉴스를 생산하고 있었지만, CBS에서는 기사가 사장되어버리는 일이 더욱 가속화되고 있었다. 내부에서는 정직한 보도를 추구하려는 간부진과 뉴스를 편파적으로 만들기 원하는 세력 간에 치열한 투쟁이 전개되었다.

비슷한 투쟁이 다른 뉴스 방송사에서도 벌어지고 있다는 사실을 알게 되었다. 여러 방송과 언론 매체의 동료들이 비슷한 사정을 조심스레 전하곤 했다. 몇몇 취재 대상에게선 자신의 이야기가 방송국 내부에서 막혀 방송되지 못했다는 이야기를 전해 듣기도 했다. 또한 기자들이 특정 주제에 대해서는 취재나 보도가 금지되고 있다는 불평들을 하기 시작했다. 국회의원과 보좌진 그리고 국회 직원들도 의회에서 일어나고 있는 비슷한 현상을 토로했다. 손댈 수 없는 주제에 대한 청문회가 금지되고, 특정 이익집단에 대한 조사 역시 금지되었다.

한 탐사 보도 콘퍼런스에 참석했을 때의 일이었다. 한 경쟁사 방송국의 동료와 함께 잠시 음료를 마실 기회가 있었다.

"탐사한 내용을 계속 TV에 내보낼 수 있는 비결이 뭡니까?" 그가 칵테일 잔을 들고 나를 흘깃 보며 물었다.

"사실, 대부분의 경우는 TV로 나가지 않고 있어요." 내가 사실을 고백했다.

"내 경우는 TV 대신 웹뉴스에 내보내라고 합니다." 그가 말했다.

"나 역시도 마찬가지예요." 내가 말했다.

한편, CBS의 일부 간부진은 수년 동안 획기적인 탐사 보도에 쏟아부었던 나의 시간과 노력을 다른 곳으로 되돌리려고 했다. 마치 취재 기술도 필요 없고 조사도 필요하지 않은, 누구나 취재할 수 있는 평범한 이야기들이나 다루라고 하는 것 같았다. 내부고발자들의 증언을 통한 비리와 부패를 파헤치는 탐사 기사들이 먼지만 쌓인 채 보류되는 모습을 보면서 깊은 좌절감이 들었다.

수년간 이런 추세에 맞서 싸웠지만, 이길 수 없는 싸움이라는 것을 깨닫게 되었다. 결국 은퇴하는 그 날까지 일하리라고 생각했던 나의 직장 CBS에서 사직을 결심하게 되었다. 그런데, 심지어 나의 사직에 대한 소문마저 거짓 내러티브에 의해 곡해되었다.

CBS에서 안타깝게 사장되어버린, 가장 기억에 남는 나의 기사 몇 가지를 사례로 들 것이다. 내가 CBS를 떠나게 된 이유에 대해서 떠도는 소문들과는 달리, 이 사례에 나오는 기사들이 전부 진보적 내러티브에 의해 밀려난 것은 아니었다. 실상은 그보다 훨씬 더 복잡한 사정이 있었다.

## 이어마크

2007년 CBS 이브닝 뉴스는 내게 국회가 정상적인 예산의 심의 과정을 거치지 않고 세금을 여러 프로젝트와 이익집단을 위해 '이어마킹(earmarking, 선심성 지역구 예산 배정 -옮긴이)'하는 관행에 대해 취재할 것을 지시했다. 이 뉴스는 CBS 이브닝 뉴스의 가장 인기 있는 뉴스 코너가 되었다. 나는 민주당과 공화당을 가리지 않고 다양한 종류의 말도 안 되는 프로젝트를 폭로했는데, 여기에는 세금을 낭비하는 것에서 범죄 행위까지 모두 포함되었다.

이어마킹에 대한 나의 보도는 대단한 관심을 불러일으켰고, 일부 국회의원은 이어마킹 관행 근절 운동이 모두 내 덕분 또는 내 탓이라고 말하기도 했다.

한편, CBS 내부에서는 이 기사들에 대해 압력을 받기 시작했다. 이 기사들에 대한 고위층의 열기가 점점 식어가는 것을 느낄 수 있었다. 예를 들면 내가 이 과제를 처음 받았을 때는 뉴욕의 고위층이 액수가 많든 적든 모든 이어마크를 취재하는 것이 중요하다고 말했다. 수십만 달러의 '적은' 금액도 합하면 큰 액수가 될 뿐 아니라, 수천만 달러의 이어마크보다 적은 액수의 사례가 더 쉽게 공감을 얻기도 한다. 사람들이 쉽게 공감한 적은 액수의 이어마크 사례를 들자면 노스캐롤라이나주에서 찻주전자 박물관을 위해 50만 달러를 배정한 사례였다. 로비스트들이 공화당 소속의 하원의원 버지니아 폭스와 상원의원 리처드 버를 설득해서 이 금액을 따냈다.

하지만 강력한 이익집단이 CBS에 압력을 가하면서, 보도에 대한 내부 철학에 변화가 오기 시작했다. 한 간부는 내게 적어도 수백만 달러 정도는 되는 이어마크만 취재하라고 했다. 얼마 지나지 않아 다른 간부는 그 액수를 더욱 높였다. 그는 '수천만' 달러 이상의 이어마크만 보도하는 것이 좋겠다고 했다. 그리고 마침내 우리 시청자들이 그토록 좋아했던 이 뉴스는 영영 사라지고 말았다.

## 지역적 유행병, 돼지독감

2009년 10월, 나는 오늘날 내 탐사 보도 중 가장 중요하고 주목할 만한 보도로 인정받는 기사의 마무리 작업을 하고 있었다.

나는 하드데이터를 사용하여 유행 중인 H1N1 돼지독감 감염자의 숫자가 상대적으로 대단하지 않음을 밝혀냈다. 당시 질병통제예방센터(CDC)는 감염자와 사망자 숫자가 엄청나다는 경고를 보내고 있었다.

처음에는 보도국의 고위층이 내 기사를 보고 놀라움을 금치 못했다. 질병통제예방센터가 나의 요청을 거절했기 때문에, 나는 50개 주와 워싱턴 DC로부터 연구실 테스트 결과를 몇 주에 걸쳐 직접 수집했다. CBS 뉴스의 한 간부는 흥분한 목소리로 자신이 본 돼지독감에 대한 기사 중 최초의 탐사 보도라고 말했다.

그런데 알 수 없는 이유로, 영향력 있는 한 선임 프로듀서가 그 기사의 방영을 막았다. 그녀는 '모든 사태가 다 끝나고 난 뒤'에 '회고'의 형식으로 그 기사를 내보내는 것이 어떻겠냐고 제안했다. 나는 도저히 이해가 안 됐다. 그래서 그 기사를 CBS 이브닝 뉴스에 내보내는 대신에 온라인으로 내보냈다. 이후, 수백 명의 사람들이 돼지독감 백신과 관련된 죽음과 질병으로 보상 소송을 벌이게 되었을 때, 나는 우리가 돼지독감 확산의 실체에 대한 탐사 보도를 방송으로 내보냈다면 얼마간의 목숨을 구하지 않았을까라는 생각을 떨쳐버릴 수 없었다. 어떤 사람들은 실제로 돼지독감에 감염될 위험성이 그리 크지 않다는 사실을 알았더라면 실험적이고 급조된 백신을 거절했을지도 모른다.

## 뉴욕 생활보조금 스캔들

역시 2009년의 일이다. 뉴욕에서 생활보조금 수혜자들이 ATM 지급기로 쇄도하고 있다는 소식을 듣게 되었다. 현금을 뽑기 위해 사람들이 장사진을 치고 있었다. 너무나 사람이 많이 몰려서 현금지급기의 현금이 동이 나버린 상황이었다. 동시에 편의점에서는 맥주와 복권을 사는 사람들로 넘쳐났다. 월마트에서는 생활보조금 수혜자들이 생활보조금 카드를 사용하여 대형 TV와 다른 사치품 등을 사들이고 있었다. 가게 점원과 매니저들은 그런 용도로 생활보조금을 사용해도 되는 건지 혼란을 겪고 있었다.

도대체 무슨 일이 벌어진 것일까?

소란의 원인은 뉴욕주지사 데이비드 패터슨에게 있었다. 그는 진보운동가 조지 소로스에게서 3천5백만 달러를 후원받았고, 이는 연방 정부의 국고지원 기준요건을 충족시켰다. 이로써 뉴욕주는 저소득층을 위한 '경기부양 지원금' 명목으로 연방 정부에서 추가로 1억4천만 달러를 지원받았다. 이는 저소득층 아이들의 학용품 구매를 위한 명목이었으며, 복지생활금 수령자들의 계좌에 전액 현금으로 바로 지급되었다. 아이 한 명당 2백 달러였다. 그런데, 뉴욕 주 정부에서는 이러한 사실을 미리 공지하지 않았고, 수혜자들에게 지급된 돈이 무슨 용도인지도 설명하지 않았다. 그 결과, 영문도 모른 채 자기 계좌에 돈이 들어온 것을 본 많은 사람들이 학용품을 구매하지 않았다.

"사람들은 현금지급기에서 바로 돈을 인출해서는 곧장 맥주, 담배, 복권 등을 샀습니다." 한 편의점 직원이 내게 말했다.

설상가상으로, 관리대상인 마약 중독자들에게도 현금이 그대로 지급되었다. 사회복지사들은 그들 중 일부는 곧바로 불법 마약을 사는데 돈을 사용했을 것으로 우려했다.

"마약 문제가 있는 사람들의 은행 계좌에도 천 달러가 입금된 것을 봤습니다." 한 사회복지사가 내게 말했다.

나는 이 재난에 대해 CBS 이브닝 뉴스에 내보낼 기사를 쓰게 되었다. 현금지급기에 늘어선 사람들의 모습을 담은 비디오를 수집했고, 이런 사태를 최초로 목격한 편의점 직원과 인터뷰도 했다. 또한 뉴욕주의 사회복지사와도 인터뷰를 진행했다. 주지사에게도 인터뷰를 요청했지만, 허락되지 않았다. 균형 잡힌 보도를 위해 실제로 지원금을 용도에 맞게 학용품 구매에 사용한 생활보조금 수혜자 가족도 인터뷰했다.

나는 취재 내용을 기사로 작성했고, 이는 곧 상부의 승인을 받았다. 그런데 편집된 비디오가 검토를 위해 뉴욕의 본사로 보내졌는데 문제가 발생했다. 한 고위 프로듀서가 워싱턴 DC의 내 사무실로 전화를 했다. "이 기사는 방영할 수 없습니다."

"왜죠?" 어안이 벙벙해진 내가 물었다.

"영상에 나오는 사람들이 전부 한가지 피부색이기 때문입니다." 그가 대답했다. 줄을 지어 길게 늘어선 생활보조금 수혜자들은 모두 흑인이었다.

"하지만 그것은 전혀 의도가 담긴 것이 아닙니다. 그냥 있는 그대로를 담은 것입니다." 내가 반박했다.

"나도 압니다." 그가 말했다. "하지만 너무 위험 부담이 커서 안 되겠습니다."

나는 이 기사에 나오는 사람들이 모두 흑인임을 강조했다. 지원금을 잘못 사용한 사람들뿐 아니라 제대로 사용한 가족도 흑인이었고, 염려하는 사회복지사도 흑인이었으며, 이 사태를 비판했던 편의점 직원들도 흑인이었다.

"어떤 인종을 폄하하려는 것이 아닙니다." 내가 지적했다.

"나도 알아요." 그가 말했다. "하지만 지금은 어쩔 수 없습니다."

결국 다른 매체는 이에 대한 기사를 내보냈고, 우리 기사는 CBS 이브닝 뉴스에 방영되지 못했다.

## 피드 더 칠드런

2010년 2월 9일, 나는 아동 구호단체인 피드 더 칠드런이 아이티 지진 희생자들에 대한 구호 활동을 얼마나 과장해 왔는지에 대한 획기적인 탐사 보도를 했다. 피드 더 칠드런은 웹사이트를 통해 자신들이 난민 캠프에서 중요한 역할을 하고 있다고 주장했다. 자신들이 UN 기구로부터 허리케인으로 피해를 입은 수천 명에 달하는 '캠프 인원 전체에게 음식과 우유를 공급하도록' 선정되었다고 주장했다. 나는 카메라 팀과 프로듀서를 현장으로 보내 사실을 확인하도록 했다. 이미 이 구호단체의 역기능과 기만행위들에 대한 조사를 마친 상태였다.

우리 CBS 팀은 난민 캠프에서 딱 한 명의 피드 더 칠드런 직원을 볼 수 있었다. 놀랍게도, 그녀는 우리 카메라와 프로듀서를 향해 이 구호단체가 음식을 지원한 사람은 한 사람도 없으며, 애초에 캠프에 음식과 우유를 공급하도록 계약을 따지도 못했다고 말했다. 이는 피드 더 칠드런의 주장과 정면으로 상반되는 진술이었다. 우리는 이 놀라운 기사를 CBS 이브닝 뉴스에 내보냈다.

내 기사가 방영된 후, 피드 더 칠드런의 여러 내부고발자들에게서 그

동안 이루어진 여러 부실 관리와 사기에 대한 제보를 듣게 되었다. 쉬운 일은 아니었지만, 우리 프로듀서와 나는 여남은 명의 피드 더 칠드런 직원들을 설득해서 카메라 앞에서 증언토록 했다. 이는 분명히 직장을 잃을 수도 있는 위험한 일이었지만, 그들은 자신들이 직접 본 일들을 폭로하는 것이 중요한 일이라고 믿었다. 말하겠다고 나선 사람들이 너무 많아서 우리는 야외 계단에 그들을 앉히고 인터뷰를 진행했다.

피드 더 칠드런은 그동안 곪아온 내부 문제와 우리의 첫 보도 때문에 이미 붕괴 상태에 직면해 있었다. 그들은 내가 여러 내부고발자들과의 인터뷰를 바탕으로 한 2부 기사를 준비하고 있다는 사실을 알게 되었다. 이 구호단체의 대리인들이 CBS에 접촉해왔고, 영향력을 행사했다. 결국 2부 기사는 방영되지 못했다. 자기 직장을 걸었던 내부고발자들에게 그들의 이야기가 방영되지 못한다고 통보하는 것은 끔찍한 일이었다. 그들은 내부고발에 앞장선 것에 대한 책임을 지게 될 것이었다. 왜냐하면 피드 더 칠드런의 경영진은 우리와 접촉한 사람들의 명단을 분명히 접수했을 것이기 때문이었다.

외부의 압력에 굴복하는 이러한 종류의 사건은 방송사의 신뢰도에 치명적인 영향을 미친다. 강력한 이익집단이 CBS의 뉴스를 죽여버렸다는 소문이 돌게 된다. 내부고발자들은 더 이상 정보를 요청하는 우리를 신뢰하지 않게 된다. 올바른 저널리즘에 대한 치명타인 것이다.

## 피플 투 피플

2011년 7월 12일, 나는 또 다른 길고 어려운 탐사를 실시했다. 이번에는 피플 투 피플이라는 비영리단체였다. 이 단체는 고등학생들에게 미국을 대표하는 '학생 대사'로 선발되어 해외 국가를 여행하게 되었다고 말하는 속임수를 쓴다는 비난을 받고 있었다. 그런데 실상은 고객 유치를 위해 학생들 명단을 악용하는 고가의 여행사에 지나지 않는다는 사실을 알게 되었다. 이들은 학생들을 유치하기 위해 심지어 국회의원의 서명마저 도용했다. 쉬운 일은 아니었지만, 카메라를 대동하고 해당 의원을 만나 그녀의 서명이 위조되었다는 사실을 직접 확인하기도 했다. 피플 투 피플이 주선한 일부 여행은 너무나 부실해서 참가한 학생이 다치거나 사망하는 일도 있었다. 또한 피플 투 피플이 피해 가족들과 수많은 법적 분쟁을 합의했으며, 합의 사실을 비밀로 할 것을 종용했고, 이를 어기고 누설할 경우 무서운 결과가 있을 것이라고 협박한 사실도 알게 되었다.

내가 조사한 기사는 많이 순화된 버전으로 CBS 아침 프로그램에 방영되었다. 시청자들이 알지 못했던 점은 원래 이 기사는 CBS 이브닝 뉴스를 위해 작성했다는 사실이었다. 스콧 펠리가 2011년에 뉴스 앵커로 선정되었던 그 첫 주에 방영될 예정이었다. 나는 내 기사에 대한 법률 자문을 CBS 변호사들에게 의뢰했고, 이미 그들의 승인을 받았다. 상부의 프로듀서들도 승인을 했다. 그런데 방영되기 얼마 전, 아무런 설명도 없이 뉴욕의 방송 스케줄에서 밀려났다. 곧 펠리가 고쳐서 순화시킨 기사를 들고 나를 찾았다. 그가 잘라낸 중요한 내용 중 하나는 여행 중에 사망한 학생들에 관한 정보였다. 펠리는 몇 주에 걸쳐 내 기사를 수정했다. 그가 원하는 대로 기사의 중심 내용을 잘라내면 펠리는 항상 조금 더 수정할 것을 요구했다. 나중에는 너무나 많이 변경해서 원 기사의 흔적이 겨우 남아 있을 뿐이었다. 마침내 그는 제일 먼저 학생들의 사망 사실에 대한 언급을 제거할 것을 주문해 놓고도 마치 그런 사실이 없었던 것처럼, 나에게 이렇게 물었다. "그런데 그 여행 중에 사망한 사람이 있었던가요?"

"네." 내가 대답했다.

"그럼, 그 부분을 원고에 넣는 게 어떨까요?" 그가 말했다.

나는 내가 끝없이 돌아가는 회전목마에 타고 있다는 사실을 깨달았다. 명백한 거절의 말은 하지 않은 채, 마치 기사가 방영될 수도 있다는 가식을 유지하면서 서서히 기사를 죽이는 방법이었다.

나는 점점 더 흔해져 가는 이런 식의 수법에 별명을 붙였다. '뉴스 난도질.' 뉴욕 CBS 본사에서 내러티브를 만들어가는 사람들은 내 위치에서는 알 수 없는 자신들만의 이유가 있다는 식으로 기사를 대놓고 퇴짜를 놓지는 않는다. 오히려 그 반대다. 그들은 이렇게 말한다. "정말 대단한 기사인걸, 최고야!" 그리고는 마치 그 기사를 방영할 최적의 시간을 찾는 것처럼 군다. 그러면서 여기저기 조금만 손보면 될 것처럼 행동한다. 결국 영원히 방송되지 않으리라는 것을 알고 포기할 때까지 지연을 거듭한다.

## 노동조합과 그린 에너지

내가 CBS에서 취재한 좀 더 재미있는 기사 중 하나는 정치적으로 부적합하다는 죄목으로 사장되었다.

2012년 4월, CBS 탐사 보도 프로듀서가 내게 하나의 정보를 주면서 시작된 일이다. 그녀는 미시간주 노동조합이 대단히 화가 났는데, 왜냐하면 오바마 대통령 행정부가 그린 에너지 경기 부양금으로 총 3억 달러에 이르는 막대한 세금을 한국회사와 한국 노동자들에게 지급했고, 또한 미국 공장에 공급하는 한국 제품을 구매하는 데 사용했기 때문이라고 했다.

좀처럼 민주당 행정부를 비판하지 않는 노조 위원장이 외국인 근로자들 때문에 직장을 잃은 미국인 근로자들의 울분에 대해 목소리를 높이는 흔치 않은 인터뷰를 할 수 있었다. 그는 의회의 민주당 의원들과 노동부 그리고 오바마 대통령이 이러한 사태에 대한 노조의 조사 요구를 무시했다고 말했다.

처음에는 이 기사의 검토에 참여한 동료들이 모두 대단하다고 입을 모았다. 하지만 뉴욕의 CBS 이브닝 뉴스 책임프로듀서에게서 제동이 걸렸다. 그녀는 우리 프로듀서와 함께 원고를 검토했고, 우리 프로듀서는 내게 나쁜 소식을 전했다.

"그녀는 그 기사를 싫어해." 우리 프로듀서가 말했다.

"어떤 부분을 싫어하던가요?" 내가 물었다. "다시 수정해서 고치면 안 될까요?"

나는 이 책임프로듀서의 정치적 성향대로 원고와 기사의 방향을 바꾸는 데 익숙해져 있었다. 예를 들면 나는 CBS에서 수년간 국회가 세금을 허투루 쓰는 것에 대한 심층 취재를 해왔다. 그런데 이 여자가 책임프로듀서로 온 후, 내 기사에서 '세금'이라는 단어가 보일 때마다 '연방 정부 자금'이라는 말로 바꾸어 버렸다. 그리곤 아무런 설명도 없었다. 우리 프로듀서와 나는 그녀가 평소 매우 당파적이며 자신의 진보적 이상을 즐겨 방송에 삽입했기 때문에, 시청자들이 정부가 세금을 잘못 쓰고 있다고 생각하게 되기를 원치 않는 것이라고 결론을 내렸다. 그래서 나온 말이 '연방 정부 자금'이었던 것이다.

그녀의 세계관과 마찰을 빚는 부분을 들어내고 기사를 수정할 수 있었던 적도 있었다. 한국 근로자들에게 지급된 경기부양 지원금에 관한 기사도 그럴 수 있기를 희망했다. 그냥 죽이기에는 너무 아까운 기사였다.

도대체 기사의 어떤 부분이 마음에 들지 않았던 것일까? "딱 꼬집어서 말하진 않았어." 프로듀서가 말했다. "그냥 전체적으로 마음에 들지 않는 것 같아."

나중에 그 책임프로듀서와 직접 통화를 했다. 첫째, 그녀는 '외국인' 근로자라는 용어 사용을 싫어했다. 그러면 어떻게 불러야 좋을지 물었다. "'미국 시민권이 없는 근로자' 같은 식?" 그녀가 약간 화가 난 듯 쏘아붙였다. 그녀는 결론을 주지 않은 채, 대신 그 기사의 방송을 내보내고 싶지 않다는 뜻을 분명히 했다. 그녀는 그 기사가 '격분성이 부족'하다고 설명했다. 그녀의 논리는 이랬다. "그래도 누군가는 경기부양 지원금으로 직장을 구했잖아, 한국인이라고 하더라도. 그러니까 격분할만한 내용은 없는 거지."

나는 그 지원금이 미국 회사들과 근로자들을 위한 것이라고 반론했다. 또한 더욱 중요한 점은 내 기사의 목적이 누군가를 '격분시키기' 위한 것이 아니라는 사실이었다. 시청자들은 그 기사에 대해 제각각 자유로운 결론을 내릴 수 있어야 한다. 어떤 사람은 그녀와 마찬가지로 지원금이 외국인 근로자에게 쓰이는 것이 아무런 문제가 없다고 생각할 수 있다. 또 다른 이는 노동조합의 주장에 동의할 수도 있다. 나는 사람들이 그녀가 원하지 않는 결론에 도달할지도 모른다는 우려 때문에 기사를 막는 것은 옳지 않다고 반박했다.

'자신들이 정한 올바른 결론'에 이르는 데 도움이 안되는 정보는 미리 차단하는 것이 자신들의 임무라고 믿는 뉴스 경영자들의 존재를 깊이 자각하게 된 무렵이 바로 그때쯤이었던 것 같다. 그 기사는 결국 CBS 이브닝 뉴스에 나가지 못했다.

## 학교 급식 비리

한 달 후인, 2012년 5월. 나는 비정치적인 기사를 작성했다(사실 내 기사의 대부분은 비정치적인 내용이다). 학교 급식 비리를 다룬 내용으로 〈CBS 디스 모닝〉을 위한 기사였다. 우리 프로듀서와 나는 공립학교에 음식을 납품하는 대형 회사에 대한 대대적 수사가 진행 중이라는 첩보를 얻었다. 일부 회사가 학교와 납세자들을 속여 수백만 달러를 횡령한 사실에 대해 수사를 받고 있었다. 모닝쇼 프로듀서들은 우리의 제안을 적극 수용해서 재빠른 현장 취재를 제안했다. 서둘러 취재를 마치고 그들에게 원고를 넘겨주었는데, 갑자기 기사가 벽에 부딪혔다. 말 그대로 하룻밤 사이에 프로듀서들이 우리 기사를 폐기하기로 결정한 것이다. 그들은 원고를 읽어보는 것조차 거부했다.

우리 프로듀서와 나는 오후 내내 급변한 사태의 수수께끼를 풀어보려고 노력했다. 이 당시 우리는 일주일에 몇 시간씩 정치적 성향이 다른 뉴욕의 경영진이 우리가 작성한 기사를 억눌러버리는 이유에 대해서 숙고하곤 했다. 반드시 정치적인 이유 때문만은 아니었다. 내가 조사하던 기사가 CBS 최고 경영진 혹은 광고주와 연관이 있었기 때문인지도 모른다. 하지만 학교 급식 비리에 관한 기사가 누구의 심기를 거슬리게 한 것인지 도무지 감이 잡히지 않았다. 그래서 '학교 급식'이라는 검색어로 인터넷 검색을 했다. 내 질문에 대한 분명한 대답이 금방 튀어나왔다. 영부인 미셸 오바마가 학교 급식 개선을 위해 제안한 새 입법안의 기사가 검색되었다. 우리 프로듀서와 나는 CBS 디스 모닝의 누군가가 영부인의 노력에 대한 부정적인 반응으로 보일지 모른다는 우려 때문에 우리 기사를 막아버린 것으로 결론을 내렸다.

## 보잉 787 화재 사건

2013년 1월, CBS는 내게 '보잉 787 드림라이너' 화재 사건을 조사할 것을 지시했다. 방대한 조사 끝에 나는 독점 정보를 얻을 수 있었다. 수년 전 드림라이너에 사용된 배터리 시제품의 결함 때문에 발생한 대형 화재의 비디오를 입수한 것이다. 화재로 연구실 전체가 전소되었고, 디자인 결함을 폭로하려 했던 핵심 연구원이 부상을 입었다. 나는 이 내부고발자를 설득해서 카메라 인터뷰를 진행했다. 또한 전임 연방 안전부 고위 공무원은 인터뷰를 통해 내가 알아낸 정보는 '명백한 증거'에 해당한다고 말했다.

기사를 함께 준비한 CBS의 두 프로듀서들도 근거가 매우 확실한 기사라고 말했다. 나는 관례대로 이 기사에 대한 법률팀의 검토를 요청했고, 그들도 문제없음을 확인했다. 마침내 이 기사는 워싱턴 DC의 선임 프로듀서의 승인을 받았다.

하지만 뉴욕에서 벽에 부딪혔다. 첫째, 놀랍게도 CBS 이브닝 뉴스의 책임 프로듀서는 왜 이 기사에 배터리 화재 영상이 포함되어야 하는지 이해할 수 없다고 말했다. 그녀는 이 영상을 삭제하기를 원했다. 그 요청은 너무나 말이 안되는 것이었기에, 나는 곧 이것이 '뉴스 난도질'이라는 오랜 관행의 답습이라는 것을 깨달았다. 이 기사에 대해 논쟁하는 것 자체가 시간 낭비라는 것을 알았다. 아마도 내가 알지 못하는 그 어떤 이유들 때문에 책임 프로듀서는 이 기사의 방송을 원치 않았을 것이다.

그 책임 프로듀서와의 논쟁은 전화를 통해 이루어졌는데, 그녀는 뉴욕의 사무실에서 나는 워싱턴 DC의 보도국에서 통화를 했다. 기사를 승인했던 우리 쪽 선임 프로듀서가 같이 전화 연결되어 있었다. 뉴욕의 프로듀서가 언성을 높이는 동안 선임 프로듀서와 눈이 마주쳤고 나는 기사가 잘렸다는 표시를 손으로 했다. 더 이상의 논쟁은 무의미했다.

그 후, 나는 이 기사를 〈CBS 토요일 오전 뉴스〉팀에 제안했다. 한쪽 프로그램에서 거절을 당하면 취향이 다르거나 주제에 대한 갈등의 소지가 적은 다른 프로그램을 찾아보는 것은 흔히 있는 일이었다. 주말 오전 프로그램의 책임 프로듀서는 완성된 기사를 검토했고, 기꺼이 이 기사를 방송하겠다고 말했다. 나는 그 주말에 뉴욕으로 날아가서 직접 세트장에서 기사를 소개하기로 했다.

그런데 금요일 오후, 뉴욕으로 떠나기 직전, 토요일 오전 프로그램의 책임 프로듀서에게서 전화를 받았다. 그는 정말 화가 난다고 하면서, CBS의 최고 경영진이 개입해서 나의 드림라이너 탐사 보도를 중

지시켰다고 말했다. 이런 식으로 기사를 막으려는 이유는 보잉 측의 압력밖에 없다고 생각했다. 이 기사를 취재하면서 만난 많은 사람들은 보잉사가 막대한 영향력과 정치적 인맥을 통해 드림라이너 화재 사건에 대한 기사와 국회의 청문회를 막으려 했다고 말했다

나의 드림라이너 기사는 결국 방영되지 못했다. 이 사건은 내가 계약 기간이 만료되기도 전에 CBS를 떠나기로 마음먹게 된 계기가 된 사건 중 하나였다.

2019년, 두 건의 치명적인 '보잉 737 맥스기' 추락사고가 발생했다. 두 사건으로 도합 346명이 목숨을 잃었다. 이 비극적 사건에 대한 조사 보고서는 내가 6년 전 드림라이너 기사에서 다루었던 것과 같은 문제를 지적하고 있다. 737 맥스기에 관한 보잉사 내부의 이메일을 보면, 보잉사 직원들은 내부의 은폐 시도를 비판하면서 진짜 문제는 디자인과 제작 과정상의 결함이라고 지적하고 있다. 나는 이런 생각을 떨쳐버릴 수가 없었다. '만약 사고와 관련된 것으로 보이는 결함에 대한 나의 드림라이너 기사가 보도되었더라면, 737 맥스기의 비극을 방지하는 데 도움이 되지 않았을까?'

### 테드 크루즈

2013년 초, CBS 경영진이 드림라이너 기사를 죽였던 시기에 CBS 주말 뉴스는 내게 새로이 텍사스주 상원의원으로 선출된 공화당 소속 테드 크루즈 의원을 취재하라는 지시를 내렸다. 그는 당선되기도 전부터 보수적 성향 때문에 전국 뉴스 매체로부터 공격을 받았다.

그와의 인터뷰를 성사시키기 위해서 통상적 사전 작업을 진행했다. 여러 번의 통화를 통해 크루즈 측근들을 접촉했고, 그를 공격하려는 것이 아니라고 설득했다. 잠재력 있는 새로운 상원의원으로서 그에 대한 정보를 담은 기사를 쓰고 싶었다. 의원과의 인터뷰를 성사시키기 위해서는 많은 노력이 필요한데, 특별히 공화당 의원은 더욱 그러했다. 많은 공화당 의원들이 미디어를 불신했고, 나와 같은 기자들을 진보적으로 치부했으며, 특별히 CBS 뉴스를 의심하는 것처럼 보였다.

크루즈는 인터뷰에 응했고, 나는 그가 새로운 회기 시작에 앞서 다양한 이슈에 대해 어떤 견해를 가지고 있는지를 공정하게 보도했다. 주말 뉴스 책임 프로듀서는 내 기사를 검토한 후 승인했다. 하지만 그 기사 역시 방영되지 못했다. 그대로 사장된 것이다. 누구도 이유를 말해주지 않았지만, 내 추측으로는 그 기사가 크루즈를 불을 뿜는 악당으로 묘사하지 않았기 때문에 방영되지 못했던 것 같다.

## 나쿨라 배슬리 나쿨라

2013년 9월 하순, 나는 용감무쌍한 프로듀서 킴 스킨의 도움으로 단편영화 〈무슬림의 순진함〉의 제작자와 인터뷰 약속을 할 수 있었다. 오바마 행정부는 이 영화가 2012년 9월 11일, 리비아 벵가지시의 미국 대사관에서 발생한 시위대의 '우발적 시위'를 촉발시켰으며, 결국 이 때문에 네 명의 미국인이 죽임을 당했다고 주장했다. 그런데 우리가 확인한 실상은 이슬람 극단주의 테러단체가 계획적으로 공격을 감행했다는 것이다. 그것은 영화 때문에 촉발된 우발적 시위가 아니었다.

하원이 조사한 결론에 따르면 당시 미 행정부는 테러단체의 공격이 임박했다는 사실에 대해 충분히 경고를 받았으며, 미 국무부는 현지 미 외교관들의 지속적인 신변 보호 강화 요청을 거부했다. 이후 밝혀진 자료에 따르면 당시 국무장관이었던 힐러리 클린턴을 비롯한 오바마 행정부는 이러한 사실을 은폐하고, 모든 잘못이 영화 〈무슬림의 순진함〉과 그 제작자인 이집트 기독교인 나쿨라 배슬리 나쿨라에게 있다는 내러티브를 강화하는 데 모든 힘을 쏟았다. 나쿨라는 2012년 9월 대출 사기 및 신원 도용과 관련된 집행유예 위반 혐의로 구속되었다.

일 년이 지나, 나쿨라는 캘리포니아의 사회복귀훈련 시설에서 곧 출소하기로 되어 있었다. 나는 그와 전화 통화를 통해 그가 살해 위협 때문에 출소 후 안전 가옥으로 이동하는 동안 차 안에서 인터뷰를 진행하기로 약속을 잡았다. 나는 그가 무슨 말을 할지 전혀 예상하지 못했지만, 그와의 인터뷰는 당시 모든 기자들이 꿈꾸던 것이었다. 우리는 이 독점 인터뷰의 성사를 위해 몇 개월간 각고의 노력을 기울였다.

그 무렵 나는 CBS 이브닝 뉴스 간부진과 다른 최고 경영진이 중요한 탐사 보도와 기사들을 죽여버리는 관행에 익숙해져 있었다. 하지만 이 기사는 큰 건이었다. 나는 이 기사가 방영되기 위해서는 보도국 최고위층이 개입해서 문제 많은 CBS 이브닝 뉴스 책임 프로듀서를 확실히 관리해야 한다고 생각했다. 그래서 나는 CBS 뉴스 사장 데이비드 로우즈에게 전화를 했다. 우리가 이 인터뷰를 성사시켰으며, 이 기사의 방영을 위해서는 그의 도움이 절실하다고 부탁했다.

그의 대답을 듣자 갑자기 욕지기가 치밀었다. "그 사건은 너무 철 지난 뉴스 아닌가요?" 그가 물었다.

심장이 무너졌다. 그가 왜 이 인터뷰를 원하지 않는지 도무지 알 길이 없었다.

이는 족히 백 건은 넘는 방영되지 못한 기사들의 몇몇 사례에 불과하다. 이들 기사는 시간과 공간의 제약 때문이 아니라 각종 내러티브와 정치적 및 기업의 압력 또는 특별 이익집단 때문에 방영되지 못한 것이다. 이런 사례가 점점 자주 발생하고, '수용 가능한' 기사의 범위가 점차 줄어들면서 나는 이런 뉴스 환경에서는 더 이상 의미 있는 저널리즘의 실현이 어렵다고 결론을 내리게 되었다.

## CBS에서의 마지막 수상 시즌

CBS에서의 마지막 몇 년은 '좋게 말해서' 문제가 적지 않았다. 하지만 내가 취재한 최고의 기사들을 방송으로 내보내는 것이 점점 힘들어졌어도, 그중 몇몇은 방송으로 내보낼 수 있었고, 이는 나의 기자 생활 중 최고의 보도가 되었다.

이것이 어떻게 가능했을까?

CBS는 단순히 획일적인 조직은 아니었다. 탐사 보도와 심층 취재를 지지하는 사람들도 많았다. 내 기사들이 거부되는 와중에도, 일부 간부진은 내게 벵가지, 리비아, 테러 공격 그리고 드림라이너 화재와 같은 새로운 사건들의 취재를 맡겼다. 내 기사를 칭찬하고 격려하는 이들도 있었다. 단지 내 기사 중 어떤 것이 언제, 누구에 의해, 어떤 이유로 막혀버릴지 모르는 불확실성이 점점 증가하고 있을 뿐이었다.

2013년, 내가 CBS 뉴스에서 탐사 보도를 시작한 이후 처음으로, 뉴욕의 간부진은 에미상 후보로 보낼 기사를 선정하는 과정에서 나를 건너뛰어 버렸다. 보통은 나를 포함한 모든 기자들에게 전년도에 취재한 기사 중에서 수상 후보가 될 만한 기사를 선정해서 제출하라는 메시지를 보냈었다. 우리 프로듀서와 나는 우리가 이번에 제외된 이유를 둘 중 하나로 보았다. 일부 간부진이 우리를 제외함으로써 소외감을 느끼게 하려고 했거나 아니면 내러티브에 맞지 않은 나의 기사들이 대중 앞에서 상을 받는 일이 없게 하려고 작당한 것이었다.

나와 우리 프로듀서 킴은 에미상 배척 건에 대해서 논의했고, 묘안을 짜냈다. CBS를 통해 기사를 제출하는 대신에, 자체적으로 몇몇 기사를 제출하기로 했다. 기사 하나당 250달러의 참가비를 내가 직접 지불하면 됐다. 그동안은 보통 CBS를 통해 한두 개의 기사를 제출했다. 하지만 킴과 나는 세 개의 기사가 모두 유력하다고 보았고, 자체적 참가를 결정했기에 세 개 모두 제출하기로 했다. 하나는 국회의 책임을 묻는 탐사 보도였다. 공화당 초선의원의 모금 활동에 대한 심층 취재도 포함된 기사였다. 두 번째는 2012년 9월 11일, 벵가지 공격에 관한 은폐와 보안 문제에 대한 탐사 보도였다. 이 기사는 전 세계적으로 큰 관심을 끌었었다. 세 번째는 그린 에너지 정책과 관련된 비효율성, 비리와 남용에 관한 탐사 보도였다. 우리는 2013년 3월 세 기사를 모두 제출했다.

에미상 후보가 7월에 발표되었는데, 나는 깜짝 놀랐다. 세 기사 모두 에미상 후보에 오른 것이다. 나는 그해 초에 이미 〈CBS 선데이모닝〉 팀의 일원으로서 '워싱턴의 로비 문제: 굳게 문 닫힌 K스트리트'라는 기사로 우수 조간 프로그램상을 수상한 바 있었다. 또한 '납세자들 주의'라는 기사 시리즈로 명예로운 제럴드 로브 상의 최종 후보에 오르기도 했다.

가을에 2013년 에미상 수상작이 발표되었는데, 국회에 관한 나의 기사가 우수 탐사 보도상을 수상했다. 또한 그해 에미상 시상식에 초대되는 영예를 안았다. 독립적인 보도상을 수상했다는 측면에서 내 기자 생활 중 최고의 해였다.

그리고 CBS 방송국에서의 마지막 해였다.

특히 나를 둘러싼 CBS의 잘못된 방향성은 2013년 에미상 수상을 계기로 정점을 찍었다. 자비로 에미상에 기사를 제출할 경우, 그 기사가 최종 후보에 오르면 회사가 나중에 비용을 정산해주는 것은 CBS의 오래된 방침이었다. 하지만 내가 에미상 최종 후보에 오른 세 기사에 대한 정산을 요청하자, CBS는 발뺌을 했다. 정산을 처리하는 뉴욕의 담당자는 보도국 사장 로우즈가 새로운 방침을 발표했다고 말했다. CBS는 더 이상 최종 후보에 오른 기사에 대해서는 참가비 정산을 하지 않고, 오직 수상작에 대해서만 정산하기로 했다는 것이었다. 그로부터 몇 달 후, 내 기사 중 하나가 수상을 하자 나는 다시 정산을 요청했다. 이번에도 CBS는 다시 방침이 바뀌어서 여전히 정산해 줄 수 없다고 통보했다.

일련의 사건들은 내가 이 조직을 떠나야 한다는 묘한 분위기를 연출했다. 나의 계약 기간이 아직 남아 있었는데도 말이다.

## 멀고 긴 퇴사

모든 일에는 장단점이 있다. CBS에서의 일은 엄청난 압박을 요구하는 것이었다. 하지만 1980년 대학에서 언론학을 전공으로 선택한 이후 줄곧 나는 내 일을 사랑하지 않았던 적이 없다.

하지만 언론 환경의 변화라는 타격을 피할 수 없었다. 점점 더 윤리적 타락과 부적절한 압력이 횡행하는 것을 염려하게 되었다. 이 문제를 집으로 가져와서 남편과 당시 고등학생이었던 딸에게 털어놓고 조언을 구하기도 했다. 딸은 그전까지는 내가 그토록 사랑했던 일 때문에 스트레스를 받는 모습을 본 적이 전혀 없었다. 어느 날, 직장 문제로 고민하는 내 말을 듣고 있던 딸 새라가 나를 빤히 쳐다보며 말했다.

"그만두면 어때요?"

어린 딸의 입을 통해 그 말을 듣기 전까지는 CBS를 떠난다는 생각은 한 번도 해본 적이 없었다. 문득 그럴 수도 있겠다는 생각이 들었다. 한때 위대했던 보도국이 점점 나락으로 빠져가는 모습을 옆에서 지켜보며 비참함을 느끼지 않아도 되니까 말이다. 하지만 문제는 최근에 이미 재계약을 마쳤다는 점이었다. 그래서 계획을 세웠다. 만약 내가 보장된 퇴직금과 다른 뉴스 방송에서 일할 기회를 포기한다면 CBS가 나를 계약 만료 기간까지 붙잡아 둘 방법은 없으리라 생각했다.

우선, 보수가 두둑한 계약을 포기하려는 내 계획을 탐탁지 않아 하는 남편을 설득해야 했다. 남편의 동의를 얻은 후, 우리 프로듀서인 킴에게 내 계획을 말했고, 그녀는 나를 이해했다. 우리 에이전트인 리처드 리브너에겐 미리 말하지 않았는데, 그를 곤란하게 만들고 싶지 않았기 때문이다. 당시 그는 CBS의 여러 기자와 관리직의 매니지먼트

일을 보고 있었는데, 내 사퇴 계획에 대해서 입을 다물고 있게 하고 싶지는 않았다. 또한 내가 사퇴하지 않도록 나를 설득시키게 만들고 싶지도 않았다. 그리고 내 물건들을 박스 한두 개에 담아 며칠 간격으로 옮겼다. 마침내 금요일 오후, 나는 내가 계획한 대로 마지막을 마무리하려고 했다. 나는 리처드에게 전화를 해서 CBS에 내가 다음 주 월요일부터 출근하지 않을 것이라고 통보하도록 했다.

어쩌면 그렇게 쉽게 퇴사할 수 있으리라고 생각한 내가 너무 순진했던 것인지도 모른다.

난리가 났다.

격앙된 뉴욕에서 워싱턴 DC로 전화와 면담 요청이 쇄도했다. 얼마간의 논의 후, 리처드가 내게 CBS가 계약을 해지하고 나를 내보내지 않을 것이라고 말했다. 나는 이렇게 말했다, "나는 어쨌든 출근하지 않을 겁니다. 해고하라고 하세요." 모두들 내가 왜 사직하려 하는지 궁금해했다. 나는 그 이유를 설명하지 않기로 결심했는데, 관계 개선의 가능성이 있을 수도 있다는 인상을 주고 싶지 않았기 때문이다. 그들이 고칠 수 있는 문제가 아니었다. 단지 한 책임 프로듀서나 앵커 또는 CBS 방송사의 문제가 아니었다. 언론 환경 전체가 변질되고 있었다. CBS 내부에서도 나와 비슷한 항의의 목소리가 적지 않았다. 다른 방송사와 신문사의 동료들에게서도 비슷한 이야기들을 듣고 있었다. 그들과 나의 차이점은 단지, 나는 그만둘 수 있었다는 사실뿐이었다.

결국 리처드는 내가 퇴직 면담을 하지 않으면 CBS가 나의 고용 계약을 해지하지 않을 것이라고 말했다. 그는 워싱턴 지국장 크리스 이셤과의 면담에 꼭 나오라고 당부했다. 나는 그렇게 했다. 그 면담에서 나는 불의의 일격을 당했다. 내가 면담을 하러 이셤의 사무실에 들어서자 뉴욕에서 날아온 CBS 사무국장이자 변호사인 크리스 안다야가 대기하고 있었다. 나는 즉시 리처드에게 전화 연결을 해달라고 요청했다. 이셤과 안다야는 그럴 필요가 없으며, 이 면담은 '전혀 걱정할 필요'가 없는 것이라고 말했다. 나는 전화로 리처드와의 통화를 시도했지만 연결되지 않았다.

이셤과 안다야는 경영진 모두가 내가 그동안 CBS에서 불행했으며, 그래서 떠나려 한다는 소식에 깜짝 놀랐다고 말했다. 안다야는 이렇게 덧붙였다. "CBS의 모든 사람이 귀하를 존경하며, 귀하의 능력과 실적을 높게 평가합니다." 그들은 내 마음을 돌이키기 위해서 'CBS가 할 수 있는 일이 있으면 무엇이든 하겠다'고 말했다. 나는 그럴 일은 없다고 못박았다.

또한 안다야는 왜 내가 '불만을 경영진과 미리 상의해서 퇴사하지 않아도 되도록 문제 해결을 도모하지 않았는지'를 캐물었다. 이셤은 내가 왜 이 문제를 그와 미리 상의해서 해결하려고 시도하지 않았는지 이해할 수 없다고 덧붙였다.

나는 그동안 오랜 세월에 걸쳐 많은 문제에 대해 경영진과 소통을 하였지만, 점점 더 악화되었을 뿐이라고 대답했다. 나는 이셤에게 그동안 법률 자문을 해준 것에 대해 감사를 표시했고, 또한 그가 큰 도움이 되지 못했던 것도 상기시켜주었다. 그는 종종 "그들(뉴욕 본사)은 그 탐사보도를 탐탁지 않게 생각합니다"라고 말하곤 했다. 이셤은 그 문제가 내가 계약을 깨고 퇴사를 결행할 만큼 심각한 문제인지 전혀 인지하지 못했다고 말했다. 나는 그에게 CBS가 드림라이너 기사를 죽이고 난 후,

이런 환경에서는 더 이상 계약 기간을 채우지 못할 것 같다고 말했던 사실을 상기시켰다. 그는 그 일이 기억난다고 하면서도, 내 말이 그렇게 심각한 의미인지는 알지 못했다고 말했다. 안다야는 내가 오랜 기간에 걸쳐 여러 문제에 대해 불평을 했던 것은 사실이지만, 퇴사를 원할 만큼 심각하다는 것에 대해 경영진과 진지한 대화를 갖지 않음으로써 경영진이 문제를 해결할 기회를 주지 않았다고 말했다. 그는 'CBS가 귀하를 높게 평가하며 존경한다'는 말만 되풀이했다.

나는 내가 문제가 발생했을 때 '비이성적으로 행동하는' 사람은 아니며, 나의 심각한 우려를 여러 사람에게 분명히 표현해왔다고 대답했다. 나는 경영진 대부분이 이 문제를 잘 인지하고 있다고 확신한다고 말했다. 안다야는 왜 문제점들을 리스트로 만들어 제출해서 해결되도록 시도하지 않느냐고 물었다. 나는 이제 와서 그 문제들을 다시 거론해봐야 별 의미가 없을 것이라고 대답했다.

나는 단지 좋게 퇴사하고 싶을 뿐이며, 돈은 원하지 않는다고 말했다. 나에게 지급할 연봉으로 CBS 뉴욕 본사가 원하는 대로 일해줄 기자 서너 명을 대신 고용하라고 말했다. 그것이 서로를 위해 좋은 일이라고 말했다.

그다음 그들은 이전에 있었던 직장 내 성희롱 사례를 거론하며, 혹시 퇴사 이유가 그런 문제 때문이 아닌지를 물었다. 그들은 그 사건들을 제대로 처리했다고 말했다. 나는 내 퇴직 의사는 그런 문제와는 전혀 상관이 없다고 대답했다. 그들은 내가 예전의 문제들에 대해 법적 소송을 고려하는 것은 아닌지 걱정하는 눈치였다. 나는 소송 의사가 없음을 재확인시켰다.

"단지 퇴사하고 싶을 뿐입니다." 내가 말했다.

그다음 그들은 방향을 바꾸었다. 그들은 CBS가 드림라이너 기사를 죽인 후, 내가 그 기사를 〈폭스 뉴스〉에 넘겼다고 비난했다. 폭스 뉴스의 누군가가 CBS 보도국 사장 로우즈에게 그렇게 말했다고 했다. (로우즈는 이전에 폭스 뉴스에서 일한 적이 있었다.) 물론 그것은 새빨간 날조였다. 당시 나는 폭스 뉴스에 아는 사람도 없었고, 그들과 접촉한 적도 없었다. 나는 내 탐사 보도에 대해 이야기하기 위해 폭스사 빌 오라일리의 프로그램 〈빌 오라일리 팩터〉에 한두 번 출연한 적이 있을 뿐이었는데, 이 역시 로우즈가 주선한 것이었다. 나는 왜 로우즈가 내가 드림라이너 기사를 폭스 측에 넘겼다는 이야기를 날조한 것인지 알 수 없었다.

전혀 그런 일은 없었다. 나는 이셤과 안다야에게 내 변호사를 부르겠다고 말했다. 그들은 걱정이 되는 듯 나를 비난하거나 고소할 뜻은 전혀 없다고 말했다. 하지만 나는 그들이 그렇게 하고 있다고 말했다. 그들은 분위기를 진정시키기 위해 애썼다. 안다야는 자신들이 원하는 것은 내가 CBS에서 계속 일하는 것이라는 말을 반복했고, 최근에 내가 회사와의 재계약에 사인한 사실을 상기시켰다. 또한 내 기사가 CBS 이브닝 뉴스에 나오는 것을 자주 보았다고 말했다. 그는 방송을 탄 기사들도 적지 않으니까 다른 기사들이 방송에 나오지 못했다고 크게 실망할 필요는 없지 않으냐고도 했다. 나는 그 두 사람에게 내가 CBS에서 20년간 일했으며, 그동안 많은 기여를 했고, 또한 많은 보람을 느꼈다고 말했다. 실패보다는 성공을 많이 거두었고, 그곳에서 일하는 동안 즐거웠지만, 마지막 무렵에는 일하는 것이 너무 힘들어졌고 더 이상 내가 할 수 있는 일이 없다고 느끼게 되었다고 말했다. 안다야는 내가 일정 기간 CBS와 일하기로 계약을 맺었다는 사실을 인지하고 있는지를 물었다. 나는 그 사실을 인지하고 있으며, 그런데도 사직을 결심했다고 대답했다. 면담은 그렇게 끝이 났고 우리는 악수를 나누었다. 안다야는 비교적 호의적이었다. 그는 내가 계약을 깨고 싶어 하는 상황이 되어 유감이라고 말했고, CBS가 정녕 이 사태를 돌이키기 위해 할 수 있는 일이 전혀 없다면 자기는 뉴욕 본사로 돌아가서 내가 계약을 조기 종료할 수 있도록 도울 방안을 찾아보겠다고 말했다. 희망적이었다.

그 후 몇 주간, 나는 계약을 종료하기 위한 협상을 계속했고, 동시에 내가 드림라이너 기사를 폭스 뉴스에 제공했다는 허위 고발에 대한 진상 조사를 CBS 측에 요구했다. CBS는 그럴 필요가 없으며, 로우즈가 제공한 정보는 이미 잘못된 사실로 판명이 났다고 말했다. 하지만 나는 이 거짓 정보가 어디에서 시작되었는지를 알 수 있도록 조사해 달라고 거듭 요청했다. 한편, 퇴사 과정이 점점 길어지면서 나의 분노와 좌절감도 더욱 상승했다. 한 번은 리처드와 내 변호사가 만약 이후로 평생 동안 어떤 경우에도 CBS에 관한 언급을 일체 하지 않는다면 계약을 조기 종결시켜주겠다고 로우즈가 약속하더란 말을 내게 하기도 했다. 만약 이를 어길 시 방송사에 10만 달러를 지불한다는 조건이었다. 말도 안 되는 소리였다.

그리고 또 한 번은 제프 페이거가 내게 뉴욕으로 와서 면담을 하자고 했다. 내가 뉴욕 웨스트 57가에 있는 그의 사무실에 도착하자, 로우즈도 이미 와 있었다. 주로 페이거가 이야기를 이끌었다. 그는 우호적이었으며 유화적이었다. 그는 일부 CBS 간부진과 내부적으로 마찰을 빚었던 프로듀서와 기자들이 적지 않았다는 사실을 인정했고, 특히 제작진 교체가 심했던 CBS 이브닝 뉴스를 둘러싸고 잡음이 많았다고 했다. 또한 평소 불평이 거의 없었던 CBS 베테랑들이 문제를 지적하고 있기에 잘못된 부분을 바로잡으려 한다고 말했다. 그는 내게 시간을 좀 더 달라고 했다.

"얼마나요?" 내가 물었다.

6, 7개월쯤이라고 그가 말했다. 그때까지 큰 문제점들이 고쳐지지 않는다면 계약의 조기 종결을 고려해보겠다고 말했다.

나는 CBS의 문제점들이 고쳐질 수 있는 것들이 아니라고 믿었지만, 일단 그렇게 하기로 동의했다. 그때까지 계약 종결을 위해 수 주 동안 애를 썼지만, 전혀 소용이 없었다. 이후 나는 거의 일 년간 CBS에 더 머물렀다. 더 많은 부침이 있었다. 성공적인 기사들도 있었지만, 더 이상 견디기 힘든 윤리적 상황이 지속되었다. 우리는 퇴사를 협의했고, 그동안 있었던 일을 생각하면 우호적으로 퇴직을 종결할 수 있었다. 2014년 3월 10일, 마지막 날 페이거가 내게 이메일을 보냈다. '귀하와 함께 일하는 것은 즐거운 시간이었고, 떠나게 되어 아쉽습니다. 귀하는 매우 뛰어난 기자이며, 앞으로 무슨 일을 하든 잘하리라 믿습니다.'

어깨에서 무거운 짐이 떨어져 나간 것 같은 느낌이었다. 더 이상 제도권 뉴스 업계에서 일하는 일은 없으리라 생각했다. 결국, 뉴스 산업 자체가 내가 일해온 저널리즘과는 맞지 않는 쪽으로 변해버렸다고 느꼈다. 그뿐만 아니라, 나처럼 누군가를 불편하게 만드는 기사를 써재끼는 기자를 고용하려는 사람이 어디 있겠는가?

거의 즉각적으로, 내 기사에 적대적이던 CBS 내부 인사들과 내 기사를 막으려고 애쓰던 특별 이익집단들은 나의 CBS 퇴사에 대해 거짓 내러티브를 만들어냈다. 어떤 이들은 내가 보수적 편향성 때문에 해고당했다고 주장했는데, 이는 전혀 논의된 적이 없는 사안이었다. 다른 이들은 내가 CBS의 진보적 편향성 때문에 사직했다고 주장했는데, 이 역시 퇴직 논의 때 언급되지 않은 내용이었다. 물론 이러한 익명의 주장과 추측성 의견이 뉴스 웹사이트, 블로그, 소셜 미디어를 통해 키워지고, 기사화되고 확대 재생산되면, 실제 있었던 일의 가짜 버전이 여론을 지배하게 된다. 사실의 근거 여부와 상관없이, 복스, 살롱, 미디어 매터스, 마더 존스, 위키피디아 등 선전기관들이 주장하는 허위 내러티브가 진실이 된다.

한편 안타깝게도 2014년 내가 CBS 퇴사를 협상하고 있을 무렵, 우리 아버지가 뇌종양 진단을 받았다. 나는 직장을 그만두고 즉시 집에서 아버지를 돌보시는 어머니를 도울 수 있었다. 그 당시 나는 놀랍게도 엄청난 숫자의 입사 제의를 받았다. 나는 곧바로 다른 직장에 헌신할 준비가 안 되었을 뿐 아니라 또 다시 어려운 상황으로 뛰어들고 싶지 않았다. 그다음 해가 되어서야 비로소 나는 프리랜서로 기사 작성과 뉴스 방송을 조금씩 재개했다. 그리고 2015년에 싱클레어 방송 그룹에서 주간 텔레비전 뉴스 프로그램을 제안했고, 이를 수락했다. 싱클레어 보도국장 스콧 리빙스턴은 우리 프로듀서 킴과 오래전 볼티모어에서 사진 기자로서 함께 일했던 적이 있었는데, 내가 CBS에서 했던 탐사 보도 같은 프로그램을 만들고 싶어 했다. 내부고발자와 내부감시자의 이야기들, 내러티브에 반하는 이야기들, 공정한 기사들을 지향했다. 나의 일요일 프로그램 〈풀 메져(Full Measure)〉도 이때 탄생했다. 나는 운이 좋았다. 구식의 기자들 치고 현재 상황에서 자기 일에 만족하고 있는 사람은 많지 않다. 외부 환경의 부당한 압력 없이 자유롭게 언론 활동을 하는 경우가 그리 많지 않은 것이다.

오늘날의 정보 환경이 유발하는 거시적인 도전들에 대해 계속해서 검토해 나가기로 하자. 단순한 '진실의 보도'를 그토록 어렵게 만드는 것은 과연 무엇일까?

# 대리인을 통한 내러티브

2장

SLANTED

미국 정치인 중에서 도널드 J. 트럼프 대통령만큼 내러티브 연출에 능숙했던 인물은 없었다. 280자로 이루어진 트윗의 '보내기' 버튼을 누르거나 기자회견에서 유행어를 만들어냄으로써 전 세계 뉴스 미디어를 대혼란에 빠트리곤 했다. 그들은 그가 말한 내용을 분석하고, 사실을 확인하며, 비판하느라 정신이 없었다. 심지어 트럼프에 대한 비판조차 그의 목적에 도움이 되었다. 그가 제시한 이슈에 대해 모두가 관심을 갖게 되는 것이다.

내가 인터뷰를 한 언론인들은 모두 트럼프 시대에 '뉴스'가 위기 상태에 이르렀다는 데 동의했다. "보도란 사실을 밝히고, 건전한 판단을 통해, 식견을 가지고 이를 종합하는 것이다, 아무런 문맥 없이 그냥 제시하는 것이 아니다." 한 전임 보도국장이 내게 말했다. "하지만 오늘날의 보도에는 문맥이 없다. 어쩌면 조작되고 있는지도 모른다." 다른 이들과 마찬가지로 그녀도 트럼프를 비난했다. "우리의 대통령이 이런 시류를 선도하고 있다. 그는 내러티브를 제시하고 사실들을 조작하고 있다. 그런데 우리는 모든 것에 대해 불신으로 가득 차, '못 들은 척' 하는 것이 일종의 문화처럼 되어버렸다. 더 이상 무엇을 믿어야 할지 아는 사람이 없다."

그런데 트럼프가 내러티브의 힘을 온 세상에 보여준 것은 사실이지만, 실은 언론이 전파하는 내러티브가 더욱 큰 문제이다. 결국, 대부분의 정치인들은 자기 나름대로의 내러티브를 제시한다. 정치인으로서 그들의 성공 여부는 그들이 제시하는 내러티브를 우리가 믿도록 얼마나 이를 잘 포장하여 제시하는가에 달려 있다고 할 수 있다. 일반인들도 크게 다르지 않다. 우리는 모두 우리가 추구하는 것을 설명하고 싶은 것인지도 모른다. 정치인이든 일반인이든 우리는 모두 남들이 나에 대해 믿어주기를 바라는 것에 도움이 되는 정보들을 주입시키려 한다. 이는 마치 나 자신도 모르는 사이에 나 개인을 위한 홍보 캠페인을 벌이는 것과 같다. 이러한 현상은 나 자신이나 다른 이들에 대한 내러티브를 제시할 공간이 상시 준비되어 있는 인터넷과 소셜 미디어의 시대를 살아가는 현대인에게는 이미 삶의 일부가 되어버렸다.

하지만 정치인이나 일반인과 달리 언론인은 그래서는 안된다. 언론인의 목표는 맹목적인 내러티브의 보도를 거부하는 것이 되어야 한다. 사실들과 견해들을 비판적으로 바라보아야 하고, 독립적으로 뉴스를 작성해야 한다. 이는 대중 앞에 제시된 여러 내러티브를 철저히 분별하거나 아니면 아예 치워버리고, 우리의 생각과 관심사를 강요하는 자들이 누구인지, 그들의 의도가 무엇인지 그 이면의 스토리를 밝히는 것을 의미한다.

기자들은 대중의 관심사가 무엇인지를 직접 알아보고 기사를 써야 하며, 다른 사람을 따라 하거나 특별 이익집단들이 우리 귀에 속삭이는 이야기들에 의존해서는 안 된다. 오늘날 내가 취재하기 좋아하는 기사들은 강력한 특별 이익집단들이 별로 관심을 보이지 않는 이슈들이다. 홍보회사들도 관심을 보이지 않는다. 전문가들도 이를 다루지 않는다. 로비스트나 싱크탱크도 이에 대해 국회에 전혀 압력을 행사하지 않는다. 요즈음의 미디어는 우리 앞에 제시된 여러 내러티브 중에서 기사를 고르거나 스스로 내러티브를 촉진하는 경우가 많다. 심지어 일부 언론대학은 차세대 기자가 될 학생들에게 그렇게 하라고 가르치기까지 한다. 젊은 학생들이 편향적인 뉴스 보도가 바람직하다고 배우고 있는 것이다. 그것이 기자의 일이라고 배우고 있다.

비영리 언론단체에서 일했으며, 퓰리처상을 받은 적이 있는 한 언론인은 몇 년 전 사내에서 바로 이 문제에 대해 이메일을 교환했던 사례를 내게 말해주었다. 일부 고참 언론인들은 기자들이 기사에 자기의 사견을 섞는 행태가 점점 유행이 되고 있는 세태를 강하게 비판했다. 그런데 이 언론인은 오히려 이런 행태를 변호하는 동료 언론인들이 적지 않음을 보고 큰 충격을 받았다. 그들은 '기자의 사견이 사실에 기반을 두는 한' 기사에 기자의 사견을 담는 것은 아무런 문제가 없다고 주장했다.

나 같은 옛날식 기자들에겐 이런 식의 사고방식은 생각할 수도 없는 것이었다. 하지만 이제는 너무나 흔한 일이 되어버렸다.

오해는 하지 말기 바란다. 매우 훌륭한 보도를 하는 뛰어난 기자들이 여전히 많이 있다. 일부는 본서에서도 언급이 된다. 하지만 이들은 지난 수십 년간 언론계에 몸담았던 고참 기자들에게는 전혀 이질적인 환경에서 고군분투하고 있다.

많은 뉴스 매체에서 새로운 종류의 기자들이 넘쳐나고 있다. 그들은 자신들이 믿는 것을 독자들이 믿도록 설득하는 것이 자신의 사명이라고 생각한다. 그들은 스스로 기사를 취재하지 않고, 조사도 하지 않으며, 반대되는 견해에는 귀를 기울이지도 않는다. 그들은 독자들의 생각을 조종하기 위해서 뉴스를 조작한다. 또한 자신들의 주장에 모순이 되는 사실들은 무시해 버린다. 그들은 다른 기자들, 유사언론매체, 홍보(선전)회사, 정치공작원들에게서 아이디어를 얻으며, 특별 이익집단이 제시한 주장을 대변한다. 다시 말하면 이들의 기사 출처는 내러티브를 양산하는 자들인 셈이다. 그들은 자신들의 편협함을 변호하기 위해 다음과 같은 선전선동 문구를 인용한다. '지구가 둥그냐 평평하느냐와 같은 사안에 대해서는 양측의 의견을 다 보도하지 않는다.'

이러한 세태는 진정 독립적인 자세로 일하려는 언론인들을 어렵게 만든다. 클릭 수 위주의 예측 가능하고 편향된, 갈등을 조장하는 보도들에 밀려 좋은 기사들이 사장된다. 오늘날에는 좋은 기자들이 사실보다는 특정 견해를 지지하는데 더 관심을 보이는 언론사 간부진 때문에 어려움을 겪는 일이 많다.

본서 집필을 위해 인터뷰를 진행한 한 전국 뉴스 보도국장은 내게 이렇게 말했다. "기자들이 저지르는 실수의 대부분은 기사에 대한 자신의 생각을 미리 정해 놓고 그것을 증명하려고 할 때 발생합니다. 자신의 가설을 증명하려는 것이지요. 그것에 도움이 되지 않는 사실들은 폐기해 버립니다. 그것은 뉴스 저널리즘이 아니지요."

2015년 중반 이후, 언론계의 주도적 내러티브는 반트럼프였다. 어떤 독립적인 기자가 트럼프에 대해 특정 태도를 따르지 않고 객관적인 태도를 취한다면 그에게는 친트럼프라는 낙인이 찍힌다. 내 경험으로 볼 때, 버락 오바마가 대통령일 때는 전혀 그렇지 않았다. 오바마에 대해서 중립적인 기사를 쓰고, 특정 태도로 그를 비판하지 않거나 또는 긍정적인 기사를 쓰는 기자에게 동료들이나 소셜 미디어가 '친오바마'라고 비판하거나 공격하는 일은 없었다. 하지만 트럼프에 대해서 공격이 아닌 다른 태도를 취하는 기자가 있으면 마치 중죄인처럼 다룬다. 이러한 압력에 굴하지 않고 사실에 충실한 기사를 쓰는 것은 엄청난 희생과 용기를 필요로 한다.

이처럼 기자들이 명확히 반트럼프적 성향을 보이지 않으면 편향적인 것으로 비난을 받는 문제를 이 책의 앞부분에서 미리 밝히는 것이 필요한데, 왜냐하면 이 책은 트럼프 대통령에 대한 미디어의 공격에 대해 많은 이야기를 다루고 있기 때문이다. 어떤 이들은 이러한 미디어에 대한 비판을 트럼프에 대한 옹호로 곡해할 것이다. 이상하기 그지없는 요즘 상황에서는 트럼프에 대해 분명한 편견을 보이는 기자들이 스스로 공정하다고 생각한다. 반면에 트럼프에 대해 공정한 기자들에게는 편향적이라는 낙인이 찍힌다.

텍사스대학교 교수 알베르트 마르티네즈는 이러한 교훈을 뼈저리게 체험했다. 2016년에 민주당 사회주의자인 버니 샌더스를 지지했던 마르티네즈는 뉴스와 정보에 대해서 사실에 기반한 분석을 하는 분별있는 학자였다. 그는 트럼프 지지자는 확실히 아니었다. 그는 내게 도널드에 대한 미디어의 허위 내러티브가 충격적으로 도를 넘어섰다고 말했다.

마르티네즈는 2019년 《미디어 대 어프렌티스: 마왕 트럼프(The Media versus the Apprentice: The Devil Mr. Trump)》라는 제목의 책을 출간했다. 그는 이 책에서 트럼프 후보에 대한 스물한 개의 악명높은 기사들을 분석했다. 그는 내게 이렇게 말한다. "나는 모든 기사에서 기자들과 전문가들이 사실을 엄청나게 왜곡하고 과장한 것을 발견했습니다. 어떤 경우에는 백퍼센트가 거짓인 경우도 있습니다."

한 사례를 들면, 미디어는 트럼프가 처음에는 남부 국경 2천 마일 전체에 대해 장벽을 세워야 한다고 말했다가 나중에는 자연적 장애물이 있는 지역에는 장벽이 필요 없다고 말을 바꿨다고 주장했다. 하지만 사실은 미디어가 틀렸다. 트럼프는 말을 바꾼 적이 없다. 마르티네즈는 이렇게 말한다. "트럼프는 줄곧 천 마일 장벽을 주장해왔다." 트럼프는 2015년 초부터 자연적 장애물이 있는 국경 지대에는 장벽이 필요 없다고 말해왔다는 것이다.

"트럼프 후보에 대한 미디어의 내러티브는 트럼프가 위험천만한 바보이자 의문의 여지 없는 악당이라는 것이었습니다. 뉴스 전문가들은 도널드 트럼프가 그 누구보다도 소수 인종과 여성들을 모욕했다고 주장했습니다"라고 마르티네즈는 말한다. "하지만 트럼프가 정말 그 누구보다 소수 인종과 여성들을 더 심하게 모욕했을까? 그렇지 않습니다. 트럼프는 인종, 출생지, 성별, 성적 지향 등에 상관없이 누구나 공평하게 공격했습니다." 마르티네즈는 그에 대한 증거들을 분석했고, 트럼프의 가장 신랄한 모욕 대상이 '부유한 백인 남성'이었음을 밝혀냈다. 예를 들면 공화당의 칼 로브에겐 '역겨운', '실패자', '패배자', '멍청이', '떨빵이', '제도권 멍청이', '총체적 바보' 그리고 '정신 나간 광대'라고 했다. 또한 마르티네즈는 트럼프가 공화당 상원의원 랜드 폴을 '실패자', '바보', '하찮은 놈', '가벼운 놈', '좋은 유전자를 받지 못한 놈' 그리고 '뇌가 정상으로 작동하지 않는 버릇없는 놈'이라고 공격한 사실을 발견했다.

"트럼프가 저명한 백인 남성들에게 가장 심한 독설을 내뱉었다는 사실을 인정한 기사는 하나도 없었는데, 왜냐하면 이는 그들의 내러티브에 맞지 않았기 때문입니다"라고 마르티네즈는 결론을 내린다.

## '뉴스'의 퇴화

지난 수년간, 우리는 미디어의 보도 행태가 엄청나게 변화하는 모습을 지켜보았다. 트럼프가 유력한 정치적 후보로 떠오르면서 이러한 퇴화가 가속화되었다. 기자들은 더 이상 자신의 의견을 기사에서 분리하려고 노력하지 않는다. 오히려 그들의 기사에는 자기의 의견이 흥건히 녹아들어 있다. 이미 신뢰할 수 없다고 판명이 난, 의문스러운 정보들이 기사의 출처로서 계속 인용된다. '뉴스'가 반트럼프 내러티브를 지지하기만 하면 기본적 사실관계 확인은 더 이상 중요하지 않다. 지독한 오보들이 같은 매체, 같은 기자들에 의해 반복적으로 생성되지만, 어찌 된 일인지 묵과되고 만다. 트럼프를 일방적으로 더욱 공격하기 위해서 저널리즘의 윤리적 기준은 유예된다. 미디어가 이미 한목소리로 트럼프를 위험인물로 선포해버렸기 때문이다.

이러한 현상을 극적으로 잘 보여주는 증거는 2017년 6월 〈폴리티코〉에 게재된 미첼 스티븐스의 기고문이다. 스티븐스는 뉴욕대학의 언론학 교수이다. 그는 기고문에서 새로운 대통령에 대한 미디어의 객관성은 종언을 맞이하게 되었다고 대담하게 선포했다. 그 기고문의 제목은 다음과 같다. '초당파적 저널리즘은 끝났다. 속 시원하다. 객관적

보도는 과대평가되었다.'

장차 전문 언론인이 될 학생들을 가르치는 언론학 교수가 객관적 보도가 '과대평가되었다'라고 주장하는 모습은 충격적이다. 한때 객관적 보도는 올바른 저널리즘의 중추로 인식되었다. 이를 내던져 버리는 것은 의대 교수가 미래의 의사들에게 음식 섭취와 운동이 과대평가되었다고 말하는 것과 같다.

스티븐스는 매우 당파적인 그의 기고문에서 역시 대놓고 당파적인 논조로 돌아선 뉴욕타임스에 대한 찬사를 늘어놓았다.

"가장 존경받는 주류 언론사가 마침내 미적지근함, 맹점, 누락, 회피 등으로 요약되는 초당파적 논조의 실패를 자각하기 시작했다. 미국 저널리즘의 원조 뉴욕타임스가 2016년 9월 17일 트럼프의 주장에 대해 '거짓말'이란 단어를 1면 헤드라인에 사용한 것이야말로 진정한 뉴스였다."

스티븐스가 찬사를 보내는 이런 행태를 나는 무책임하다고 본다. 언론학 교수가 미래의 기자들에게 뉴스 기사에 자기의 의견을 주입하라고 가르치고 있다. 뉴스와 자기 의견을 명확히 구별하려고 했던 옛 기자들의 노력은 잊어버리라는 것이다. 예전에는 스티븐스가 찬양하는 것과 같은 식의 보도를 하는 기자가 있었다면 얼마 안 가서 해고당했을 것이다. 오늘날의 세태 속에서는 내러티브가 여론을 선도하는 것은 쉽고, 진실이 전파되는 것은 매우 어렵다.

오늘날 이런 식의 편파적 보도 사례는 너무나 많다. 예를 들어, 다음의 〈애틀랜틱〉 헤드라인을 보라. 2019년 9월에 있었던 노스캐롤라이나 보궐 선거에서 민주당과 공화당 중 어느 쪽 후보가 승리한 것처럼 보이는가?

> **노스캐롤라이나가 공화당에 경종을 울리다**
>
> 이번 보궐 선거의 결과는 공화당에게 2020년도 선거가 힘들 것이라는 적신호를 보내고 있다. ……

마치 공화당 후보가 선거에서 패배한 것처럼 보인다. 헤드라인에 따르면 선거 결과는 공화당에 '경종'을 울렸고, '공화당에 적신호'를 보냈다. 그런데 실제로는 공화당이 선거에서 이겼다는 사실을 알게 된다면 나처럼 놀라움에 빠질 것이다. 오해를 불러일으키는 헤드라인을 지나면 바로 기사 내용에 그 사실이 명시되어 있다. 국회의원 선거에서 공화당 후보가 민주당 후보를 4천 표라는 '큰 차이'로 눌렀다.

어떻게 헤드라인은 공화당이 승리했음에도 마치 패배한 것처럼 표현했을까? 마치 누군가가 실제 선거 결과와는 무관하게 특정 내러티브를 주입하려 했던 것처럼 보인다.

이런 사례를 통해, 내러티브를 밀어붙이려는 세력은 사실관계에 큰 신경을 쓰지 않는다는 것을 알 수 있다. 내러티브와 충돌하는 귀찮은 사실들은 무시해야 할 성가신 존재에 지나지 않는다. 기자들은 창조적인 방법들을 통해 사실들을 생략해버린다.

또 다른 사례는 내러티브의 모든 특징과 이를 맹목적으로 밀어붙일 때 발생하는 위험성을 잘 보여준다. 2020년 4월 25일, 폴리티코는 코로나바이러스 대전염병 문제로 중국과 맞서고 있는 트럼프 대통령이 뱅크 오브 차이나(중국은행)에 2022년까지 갚아야 하는 수백만 달러의 채무가 있다고 보도했다. 트럼프 대통령이 채무 때문에 Covid-19의 확산과 은폐 문제에 대해 중국을 강하게 압박하지 못했다는 인상을 주려

한 것이다.

이 '뉴스'는 전 세계 뉴스의 헤드라인이 되었다. 폴리티코의 헤드라인은 '트럼프가 뱅크 오브 차이나에 수백만 달러의 채무를 지고 있으며, 상환 기한이 임박하다'였다. 뉴욕타임스의 헤드라인은 '도널드 트럼프의 중국 채무'였다. 〈내셔널 리뷰〉의 경우는 '기록에 따르면 트럼프는 건설자금 대출로 뱅크 오브 차이나에 수백만 달러의 채무를 지고 있다'였다.

하지만 이는 사실이 아니었다.

이 기사가 나온 직후, 뱅크 오브 차이나는 2012년에 트럼프의 채무를 22일간 가지고 있었다가 미국의 부동산 회사에 매각했다고 공식 발표했다. 달리 말하면 트럼프가 중국에 빚지고 있다는, 상환 기한이 임박한, 수백만 달러의 채무는 그가 8년 전, 2012년에 단지 3주 동안의 채무였던 것이다.

당연히 이러한 객관적 사실은 기사에 담긴 저의를 조각하게 된다. 하지만 미디어는 실수를 인정하려 하지 않았다. 폴리티코는 헤드라인을 바꾸고 세부 내용을 수정했을 뿐, 3일이 지나도록 공식적인 기사 정정과 사과를 하지 않았다. 다른 매체는 마치 거짓 정보가 별문제가 아니라는 듯한 태도를 보였다. 내셔널 리뷰는 트럼프가 중국에 채무를 '지고 있다'를 '졌었다'로 바꾸는 데 그쳤다.

폴리티코가 19~20세 언론학 전공 대학생들이 배우는 기본적 규칙을 지켰더라면 이러한 잘못을 저지르지 않았을 것이다. '기사에 나오는 대상을 접촉해서 사실을 확인하라.' 기사 작성에 참여한 세 명의 기자 중에서 그 누구도 기사가 나가기 전에 뱅크 오브 차이나와 접촉할 생각을 하지 않았다. 편집인들 역시 그럴 필요가 없다고 생각했다.

만약 제대로 취재했다면 트럼프 대통령이 현재 중국에 채무가 없다는 것을 보도 전에 알았을 것이고, 중대한 실수를 저지르지도 않았을 것이다.

내러티브에 맞는 불확실한 주장은 기사화되고, 내러티브에 맞지 않은 근거 있는 주장은 묻혀버린다. 2017년 3월, 미디어가 트럼프 대통령이 '비밀 정보를 누설했다'고 보도했던 그달에, 법무부 감사관이 전 FBI 국장 제임스 코미가 실제로 트럼프 대통령에 대한 비밀 정보를 누설했음을 밝혀냈다. 그 감사관은 오바마 대통령이 임명했던 코미를 중범죄로 기소할 것을 권고했다. 하지만 법무부 관료들은 코미가 실제로 해를 끼칠 의도는 없었다는 이유로 기소를 거부했다. 아무리 중립적인 시각에서 본다고 해도 코미가 트럼프 대통령에 대한 비밀 정보를 정치적 목적으로 누설했다는 것은 큰 기사가 되어야 했다. 하지만 사실은 그렇지 않았다. 반면에 트럼프 대통령에 대한 근거 없는 혐의는 전 세계적 헤드라인이 되었다. 코미의 중범죄 혐의에 대한 구글 검색 '코미, 누설, 비밀'은 9만 5천 건의 결과를 보인다. 그중 주류 언론사의 기사는 거의 없다. 반면에 트럼프 대통령에 대한 비슷한 검색 '트럼프, 러시아 스파이, 비밀'은 3백 3십만 건의 결과를 보여준다. 상당수가 전 세계 주류 언론과 블로그의 특별 보도기사이다.

## '양쪽'이라는 오류

열린 마음의 뉴스 소비자들은 폭스 뉴스, CNN, 〈워싱턴 타임스〉 그리고 〈워싱턴 포스트〉 같은 다양한 언론의 뉴스를 섭렵하고, 반대 견해들에 대한 전문가들의 의견을 경청함으로써 스스로 내러티브의 희생양이 되는 것을 피할 수 있다고 생각한다. 이는 흔한 오류이다.

문제는 여러 다른 견해를 섭렵한다고 할지라도, 그 견해들은 같은 주제에 대해 반복적으로 등장한다. 결국 계속해서 내러티브가 주입되는 것이다. 수많은 언론 매체들이 내러티브의 성공적인 주입을 위해서 같은 기사들을 반복적으로 지면에 올리고 방송에 내보낸다. 즉 '내러티브를 추진하는 세력들'은 특정 기사들은 전면과 중앙에 내세우고, 경쟁 기사들은 대중의 눈에 띄지 않게 한다는 것이다. 우리는 내러티브 추진 세력들을 계속 TV 뉴스 방송에 초대함으로써 이들이 쉽게 목적을 달성하도록 돕고 말았다. 케이블 뉴스는 이들의 견해와 해설이 만연해 있다.

이들이 미국의 뉴스를 지배하고 있는 현실은 우연이 아니다. 특별 이익집단에서 이미 언제든지 방송에 참여할 수 있는 해설가들을 모집하고, 양성하고, 공급하고 있기 때문이다. 이들은 불편한 진실을 은폐하고, 껄끄러운 문제 제기들을 원하는 방향의 주제로 변환시키며, 반대 의견을 개진하는 사람들의 발표를 방해하는 방법 등에 대해 전문 교육을 받는다. 언제 눈썹을 찡그려야 하고, 언제 미소를 지으며, 언제 책상을 내리쳐야 하는지에 대해서 훈련을 받는다. 이 특사들이 저명한 뉴스 방송사의 카메라 앞을 차지하게 되는 데는 이러한 체계적 훈련들로 한몫한다. 이 책을 위해 인터뷰한 언론인 거의 모두가 오늘날 뉴스의 가장 큰 문제점으로 정치적 전문가, 패널, 분석가들의 만연을 꼽았다.

"내가 CNN에서 일했던 예전의 20년을 돌이켜보면 한 무대에 정치

평론가나 분석가가 아홉 명이나 함께 나오는 경우는 상상도 할 수 없었습니다." CNN에서 일했던 랠프 베글라이터가 오늘날의 경향에 대해서 언급하며 말했다. "아홉 명은 한 무대에서 정보를 전하기에는 너무나 많은 숫자로 생각되었기에, 그런 일은 전혀 없었죠. 하지만 이제는 상황이 바뀌었습니다. 오히려 정반대가 되었지요."

베글라이터는 언론계의 조 프라이데이(Joe Friday, 사실 추구의 형사 역할 -옮긴이)로서 사실만을 추구한다. 1981년부터 이십여 년간 CNN에서 세계정세 특파원으로 일했던 그는 7대륙 백여 개의 나라에서 아무런 곡해 없이 사건들을 보도했다. 오늘날의 뉴스 환경에 대한 그의 생각을 묻자 그는 몹시 좌절한 듯했다. "더 많은 사람들을 한꺼번에 한무대에 세워서 짧게 코멘트하게 하고, 더 신랄한 논조만 말하게 할수록 더욱 주목을 받고 성과를 내는 것이 요즘 언론계의 현실입니다. 하지만 그들이 말할 수 있는 시간은 불과 몇 분에 지나지 않기 때문에 피상적일 수밖에 없지요."

물론, 전문가와 평론가들이 의미 있는 설명과 견해를 전해주는 경우도 더러 있다. 하지만 많은 언론사가 수많은 정치적 공작원들에게 무제한적으로 무대를 허락함으로써 미디어는 스스로 선전의 도구로 전락해버렸다. 이는 논란의 여지가 없는 사실이다. '선전(propaganda)'이란 '특정 정치적 목적이나 관점을 공론화하거나 증진시키기 위해서 사용되는 정보, 특히 편향적이거나 기만적인 정보'로 정의된다. 이것이 바로 정치적 공작원들이 생산해내는 것이다. 우리가 계속해서 그들에게 마이크를 건네고, 지면의 공간을 제공할 때, 우리는 그들의 내러티브를 지지하고 있는 것이다. 시청자나 독자들이 뭔가 이상하다고 느낀다는 점을 알면서도 우리는 그들이 진정한 뉴스 가치를 제공하는 척한다.

이는 뉴스 제작 시 지켜야 할 사항들에 배치된다. 수년 전 플로리다 대학교 언론학 전공 당시, 나는 권위자, 정치평론가 그리고 각 홍보팀 대변인들의 의견이나 다양한 관점을 듣는 것은 전혀 문제없는 일이라고 배웠다. 하지만 그들의 정보가 뉴스가 될만하다고 판단이 되면, 우리 언론인의 할 일은 끝난 게 아니라 막 시작된 것이다. 그들은 대중이 알았으면 하는 정보만 제공했다. 그들은 에둘러 그들이 하고 싶은 이야기를 말했을 뿐이다. 여기서 사실관계를 파악해내는 것이 언론인의 의무이다. 그 이면에 숨겨진 이야기는 과연 무엇인가?

이런 시각에서 보면, 뉴스 방송사들이 미디어 매체를 통해 자신들의 논조를 전파하는 정치적 공작원들에게 지급하는 돈의 액수를 알게 되면 정말 깜짝 놀라게 된다. 파트타임으로 방송사나 언론사에 뉴스 해설을 제공하는 해설가, 평론가, 기고가들은 연간 6만에서 12만 달러를 지급받는다. 그들의 해악과 역기능을 생각하면, 정작 미디어에 돈을 지급해야 할 사람은 바로 그들이다. 그런데도 이 거래에서 이익을 취하는 것은 그들이다. 자신의 메시지를 대량 확산시킬 채널을 얻고, 그들의 선전에 귀를 기울여 주면서 돈까지 지급하는 것이다. 그들의 주장이 가공되고 당파에 치우칠수록 오히려 더 많은 인기를 얻게 되는데, 그래야 '양질의' 방송으로 인식되기 때문이다.

그뿐 아니라, 방송사들은 특정 해설가의 이해 충돌 상황을 충분히 고지하지 않는 경우가 매우 많다. 2013년 11월, 전 CIA 국장 대행 마이클 모렐은 힐러리 클린턴의 열성 지지자들로 가득한 홍보 전략회사

'비콘 글로벌 스트레트지'에 입사했다. 그로부터 두 달 후, 홍보 전략의 일환이기라도 한 듯, 그는 CBS 뉴스의 기고가로도 고용되었다. 그가 2016년 클린턴의 두 번째 대선 도전에 관한 해설가로 CBS 방송에 나왔을 때, CBS는 그가 클린턴과 관련된 홍보회사에서 일한다는 사실을 시청자들에게 알리지 않았다. 대선이 점차 가까워지면서 그는 일시적으로 CBS 기고가 직을 사임하였고, 뉴욕타임스에서 클린턴을 공개적으로 지지하였으며, 그녀의 선거를 도왔다. 이후 클린턴이 선거에서 패배하자 곧바로 CBS로 복귀하였다. (모렐은 공개적 인터뷰에서 자신은 항상 독립적인 해설가로 일했으며, 정치적 목적을 위해 일하지 않았다고 말했다.)

정치 평론가 더그 쇼언은 폭스 뉴스의 고정 출연진으로, 종종 러시아 및 우크라이나 관련 정치 논쟁에 대해서 해설을 한다. 그가 때때로 재미있는 관점을 제공하는 것은 사실이지만, 친러시아계 우크라이나인 억만장자 빅터 핀추크를 위해 컨설팅을 하면서 엄청난 보수를 받고 있다는 사실은 시청자에게 고지되지 않았다. 물론 이 사실이 법적으로 문제가 될 것은 없지만, 시청자들은 이러한 사실관계를 알아야만 한다. 그래야 쇼언이 자기 견해를 밝힐 때, 누가 그에게 돈을 지급하고 있는지를 알 수 있는 것이다.

전 CNN 중견 기자 랠프 베글라이터와 같은 전통적인 기자와 프로듀서들은 오늘날 언론계에 만연한 '브래디 번치(Brady Bunch, 6남매나 되는 대가족의 생활을 코믹하게 그린 TV 드라마 -옮긴이)' 원탁회의를 경멸한다. 좋은 기자는 확고한 보도를 통해 자신만의 아이디어를 발전시켜야 한다. 하지만 오늘날의 뉴스 매니저들은 정치적 공작원들이나 내뱉을 만한 논조들이 난무하는 해설진들의 출연 관리에만 온통 신경을 쏟을 뿐, 정작 원본 기사의 취재에는 관심이 거의 없다.

“만약 오늘날의 뉴스 매니저들이 일반적 뉴스와 도널드 트럼프의 트윗이나 미치 맥코넬 또는 낸시 펠로시의 정치 공격 중에서 하나를 골라야 한다면 대개 자극적인 쪽을 선택합니다.” 한 저명한 뉴스 보도국장이 내게 말했다. 그는 방송사와 케이블 뉴스에서 최고위직으로 일했으며 자신을 ‘진보적’이라고 평하는 사람이다. “오늘날 뉴스 미디어는 당파색을 띠는 것을 선택합니다.” 그가 말했다. “뉴스 방송을 켜서 화면의 그림을 지우고 내용만 듣는다면 ‘이것은 민주당 또는 공화당 기관방송이구나’라고 생각하게 될지도 모릅니다. 중립적인 입장에서 보도하는 또는 그렇게 시도하는 뉴스 방송은 정말 드문 실정입니다.”

이러한 현상에 대한 일정 책임은 뉴스 방송의 극단적인 양극화 현상에 있다고 본다. 정치 평론가들이 상시 대기하는 상황에서 모든 뉴스 토론은 사실상 우파 대 좌파의 대결로 축소된다. 그들의 해설은 어떤 이슈가 어떻게 기존의 내러티브에 잘 들어맞는지를 말하고 있을 뿐이다. 이는 시청자들의 심각한 분열을 조장하며, 중요한 이슈에 대한 사실적인 보도를 거의 불가능하게 만든다. 모든 뉴스가 자동적으로 정치적 뉴스가 되어버리는데, 왜냐하면 속보가 나올 때마다 ‘정치 전문가, 평론가들’이 즉각 등장해서 방송 시간을 채워 버리기 때문이다.

대규모 마약 단속에 대한 뉴스도 어느 정당의 잘못 때문에 이렇게 마약이 판치게 되었는지에 대한 논쟁으로 축소되어 버린다. 경제 동향? 이 역시 오바마나 트럼프의 공 또는 과에 대한 논쟁으로 변질되어 버린다.

허리케인처럼 본질적으로 비정치적인 사건조차도 지구온난화와 그에 대한 대처에 관한 정치적 논쟁이 되어버린다. 만약 트럼프 대통령이 우주군(Space Force)에 대한 계획을 발표한다면 그의 계획이 어리석다거나 오바마가 NASA의 역할을 약화시켰다는 격론으로 비화한다.

2019년 8월, 필라델피아 경관 여섯 명이 피격되는 사건이 발생했다. 즉각 정치권 예비후보자들과 전문가들이 생방송으로 등장해서 누구에게 정치적 책임이 있는지 설전을 벌였다. 모두 뻔한 내용이었고, 새로운 정보는 전혀 없었다.

2020년 초 코로나바이러스 사태 초기 무렵 매우 유익한 경험을 했다. 워싱턴 DC 지역의 WMAL 라디오 뉴스 방송에서 래리 오코너가 미디어의 보도 범위에 관해 나를 인터뷰했다. 그는 케이블 뉴스 앵커들이 미처 '자신들의 의자를 돌리기도 전에' 보건 비상사태에 대한 보도가 난무했으며, 이 사태에 대해 민주당 및 공화당 전문가들과 정치적 토론을 실시함으로써 모든 사태를 정치적 용어로 포장해버렸다고 말했다.

"뉴스 기사는 없고, 온통 패널들의 토론뿐입니다. 정말 받아들이기 힘든 현실이지요."

내러티브의 압력에서 자유로운 책임감 있는 뉴스 미디어라면 이러한 현상에 저항할 것이다. 그들은 언론이 여론의 분열을 조장하는 도구로 전락하는 것을 거부할 것이다.

이러한 이유들 때문에 뉴스 방송은 대중의 신뢰를 잃어버렸다. 2019년 가을 스콧 라스무센(Scott Rasmussen)이 실시한 여론조사의 결과는 매우 심각하다. 미국인 중 78%가 정치 기자들이 실제로 발생한 사건을 정확히 보도하기보다는 자신의 정치적 내러티브를 지지하기 위한 수단으로 뉴스 사건들을 이용하고 있다고 응답했다. 오직 14%의 응답자만이 정치 기자들이 제대로 일을 하고 있으며, 실제 발생한 사건을 보도하고 있다고 말했다. 하지만 가장 큰 문제는 언론이 몰락의 길을 걷고 있는 상황에서, 우리 스스로가 도구로 전락하는 것을 방치하고 있다는 사실이다.

## 미디어의 자기 검열

뉴스가 편파적으로 되는 또 하나의 경로는 놀랍게도 자기 검열을 통해서이다.

지난 2016년 가을, 대선 직전, 나는 이러한 이상하고도 위험한 움직임이 미디어계를 강타하는 현상을 처음 목격했다. 뉴스 미디어, 소셜 미디어 회사들, 정치인들 그리고 정부가 유례없이 독자들이 무엇을 알아야 하고 무엇을 알지 말아야 할 지를 결정하려고 들었다. 그들은 대중들이 어떤 사실과 견해는 알아야 하고, 어떤 것은 몰라도 되는지를 자기들이 결정해야만 한다고 주장했다. 그들은 대중들이 내러티브에서 벗어나지 않도록, 독자 스스로의 판단으로 잘못된 결론을 내리지 않도록 하기 위해서 즉 독자들을 위해서 그렇게 한다고 주장했다. 이들은 비독립적으로 보이는 정치적 그룹, 비영리단체, 기업 이익단체, 학술 단체 그리고 언론 협회와 같은 세력의 후원으로 빅 브라더의 역할을 자처했다.

엄선된 큐레이터와 사실 검증가들은 무엇이 진실인가를 주장하기 시작했다. 그들은 자신들에게 궁극적인 진실을 찾아낼 특별한 능력이 있다고 주장했다. 심지어는 미래에 발생할 알 수 없는 사실과 어떤 정책이 좋은지 나쁜지와 같은 논란의 대상이 되는 사실도 자신들은 판별할 수 있다고 주장했다.

'독자들이 무엇을 생각해야 할지는 그들이 결정한다. 독자 스스로에게 맡겨 둘 수는 없다.'

현재 미국의 젊은 세대들은 과거와 지금이 무슨 차이가 있는지 전혀 알 수 없을지도 모른다. 그들은 '큐레이터'와 자칭 '사실 검증가'들의 불필요한 개입이 없었던 시대, 누구나 인터넷에서 필요한 정보를 자유롭게 마음껏 찾을 수 있었던 시대를 기억하지 못할지도 모른다.

지금의 젊은이들은 우리가 최선을 다하던 시절, '뉴스'가 서로 다른 측면의 이야기들을 다루고, 기자들이 마치 모든 질문에 대한 해답을 알고 있는 것처럼 굴지 않으며, 언론인들이 뉴스 속 인물들의 속내를 다 아는 양 논평을 늘어놓지 않던 시절이 있었다고 생각하지 못할지도 모른다. 그들은 언론사가 '믿어야 할 사실'과 '사용해야 할 단어' 그리고 '금지되어야 할 사실'을 통제하지 않던 그런 시절을 알지 못할 것이다. 그들은 기자들이 정치적 영향력에 상관하지 않고 힘 있는 자들에게도 공정하게 질문을 던지던 시절을 기억하지 못할 것이다. 그들은 기자들이 뉴스의 사실과 자신의 개인적인 의견을 구별하려고 노력하던 시절 역시 알지 못할 것이다. 시청자들이 무엇을 생각해야 할지 말해주지 않는 뉴스 보도가 그들에게는 무척이나 낯설 것이다.

어느새 우리는 그런 생각에 익숙해져 버렸고, 그것을 요구하기에 이르렀다. 제삼자가 개입해서 우리가 보지 말아야 할 것을 보지 않도록 해주기를 바라게 된 것이다.

어떤 이들은 언론사와 거대 소셜 미디어가 자신들이 선택한 사실, 기사, 견해들을 우리의 시야에서 치워버리는 것은 '검열'에 해당하지 않는다고 주장한다. 그들은 '정부'가 그런 일을 할 때만 검열에 해당한다고 말한다. 하지만 나는 미디어 환경의 변화로 말미암아 '검열의 정의'가 확장되어야 한다고 생각한다. 민간단체들의 행위 역시 검열에 포함된다. 뉴스, 정치, 광고 그리고 기업 사이에 더 이상 분명한 선이 존재하지 않게 되었다. 애당초 그런 선이 있었다면 말이다. 예를 들면 소셜 미디어 회사는 정부의 규제, 세금 또는 처벌을 피하기 위해서 일부 정보에 대한 대중의 접근을 통제하기를 원하는 정부의 요구에 응할 수도 있다. 언론사는 정당에 거액을 기부하는 자회사나 광고주의 입맛에 맞는 기사를 보도할 수도 있다.

2020년 1월에 검열 과정을 잘 보여주는 사례가 있었다. 미국 의학협회의 대안인 미국 내과 및 외과 의사 협회(AAPS)가 캘리포니아주 민주당 국회의원 아담 쉬프를 고소했다. 이들은 쉬프가 공권력을 남용하였으며, 백신에 대한 온라인 정보를 검열함으로써 언론의 자유를 침해했다고 고발했다.

"누가 국회의원 아담 쉬프를 검열 책임자로 임명했단 말인가?" AAPS는 소송을 통해 이렇게 따져 물었다.

백신 정보의 통제에 관한 논란은 제약회사 이익집단들이 보건 관료 및 미디어를 이용해서 벌이고 있는 전쟁의 일환이다. 그들의 목표는 백신 제조회사의 재정적 기반을 흔들 수 있는, AAPS와 같은 기관들이 제시하는 백신의 안전성에 관한 정보, 보고서 및 연구 결과를 불신시키고 제거하는 것이다.

소장에 따르면 2019년 2월과 3월 쉬프는 구글, 페이스북 및 아마존에 자신이 부정확하다고 생각하는 반백신(anti-vaccine) 정보를 믿을 수 없는 것으로 표기하거나 제거해달라고 촉구했다. AAPS는 이 정보가 백신을 무조건 반대하는 것이 아니라 백신의 안전을 추구하기 위한 것이며, 정확한 정보라고 말했다. "쉬프가 2019년 3월 1일, 아마존에 서한을 보낸 지 24시간 안에, 아마존은 비디오 스트리밍 플랫폼에서 인기 있는 비디오 '백신 맞다(Vaxxed)'와 '주사해버려: 백신에 관한 진실'을 제거함으로써 일반 회원들이 정보에 쉽게 접근할 수 있는 권리를 박탈해버렸다"라고 주장했다.

소장에 따르면 트위터 역시 백신 안전 정보에 관한 접근성을 통제하기 위해 온라인 환경을 수정했다고 주장했다. 2019년 5월, 트위터는 AAPS의 백신과 관련된 글을 검색하는 경우, 해당 인터넷 문서 결과에 앞서 정부의 백신 관련 입장을 삽입할 계획이라고 발표했다. 정부의 주의 경고문은 다음과 같다. '진실을 알라. 백신에 관한 최고의 정보를 얻고 싶다면 미국 보건복지부의 자료를 이용할 수 있다.' AAPS는 이 경고문이 독자들에게 정부가 제공하는 정보가 아닌 다른 자료들은 신뢰성이 떨어진다는 암시를 주고 있다고 문제 삼았다.

페이스북도 이러한 검열에 동참했다. AAPS가 작성한 특정한 백신 안전에 관한 기사를 검색하면 기사 대신 국제 보건 기구, 미국 국립 의료원(NIH), 질병통제예방센터와 같은 정부 기관의 웹사이트로 연결이 된다.

"인터넷은 서로 다른 의견을 가진 사람들의 정보에 자유롭게 접근할 수 있어야 합니다"라고 말하며 AAPS 상임이사 제인 오리엔트는 이렇게 주장한다. "AAPS는 '반백신'을 주장하지 않습니다. 효용뿐 아니라 불가피하게 위험성이 따를 수 있는 백신 및 기타 의학적 처치와 관련하여 의학적, 법적 및 경제적 요인들에 대한 충분한 정보의 이해를 바탕으로 의견을 개진합니다."

AAPS는 쉬프가 도를 넘었다고 주장했다. "미 수정헌법 제1조에 따르면 미국민은 모든 이슈에 관해서 다양한 의견을 들을 권리가 있으며, 정부의 간섭이나 제한 없이 스스로 그 이슈에 대한 판단을 내릴 수 있어야 합니다. 언론의 제한은 위헌으로 추정되며, 법원은 이러한 제한을 엄격하게 판단해야 합니다."

쉬프에 대해 제기된 AAPS의 소송에 관한 언론의 태도를 보면 백신 산업의 선동이 다시 한번 승리를 거둔 것을 볼 수 있다. 좌파 성향 애틀랜틱의 올가 카잔이라는 사람은 '백신의 부작용으로 고통받은 어린이들'에게 헌정된 책에 대한 인터넷 광고가 활개치는 것은 인터넷에 도사리고 있는 반백신 위험성의 확실한 증거라고 주장했다. 또한 그녀는 AAPS가 '주류 과학이 언제나 믿을 수 있는 것은 아니라는 믿음'을 가진 집단이라고 비난했다.

웃어넘기기엔 너무나 심각한 발상이다.

애틀랜틱의 카잔이나 선동 역할을 하는 다른 이들은 우리가 언제나 '주류 과학'을 결코 의심 없이 믿어야 한다고 은근히 주장하고 있다. 그러나 바람직한 기자라면 스스로가 더 많이 경계해야 할 이유가 얼마든지 있다. 결국 임산부에게 탈리도마이드의 사용을 승인했던 것도 주류 과학이었다. 이 약제는 이후 46개국에서 선천적 기형을 유발한 것으로 밝혀졌다. 한때는 주류 의사들이 흡연은 좋은 것이라고 말하기도 했다. 주류 과학자들은 신생아들의 설사를 예방하기 위한 로타실드 백신을 승인하기도 했다. 이 약제는 일부 아기들에게 치명적 질병을 유발하는 것으로 밝혀졌다. 이 외에도 더 많은 사례들을 생각할 수 있을 것이다. 요컨대, 주류 의학이 수많은 목숨을 살리고 삶의 질을 개선하는 등 놀라운 성과를 이룬 것은 사실이지만, 결코 오류가 없다거나 이해 상충의 문제가 없다는 것은 전혀 사실이 아니다. 오늘의 주류 과학이 내일은 주류 과학이 아닐 수도 있다. 하지만 많은 미디어가 이러한 사실을 인정하는 것을 이단시하고 있다. 언론인은 이성적으로 의문을 갖는 것이 자신의 임무 중 하나라고 믿었었다. 그런데 이제는 많은 언론인이 특정 내러티브는 의심 없이 받아들여야 하고, 이를 의심하는 자들은 괴롭혀야 한다고 대중을 설득하는 것이 자신의 임무라고 생각한다.

백신 안전에 관한 보도를 '반백신'으로 잘못 낙인찍는 것은 대단히 강력한 내러티브이며, 이는 온라인 통제와 조작이 점점 강화되면서 더욱 성공을 거두고 있다. 나는 2000년 초 CBS 뉴스에서 백신 안전에 관한 주제를 취재하기 전까지는 이러한 세력의 강력한 영향력을 전혀 알지 못했다.

방송국은 내게 군대 내에서 백신으로 인한 부작용을 조사하라고 지시했다. 탄저백신으로 인한 질병, 군대의 백신 접종 실시 계획에 관한 문제 그리고 2001년 9월 11일, 이슬람 극단주의 테러범에 의한 공격 이후 일반 시민의 천연두 백신 접종 등에 관한 논란이 오랫동안 지속되어왔다. 미국에서는 천연두가 완전히 근절된 것으로 보였기 때문에

1972년 이후로 천연두 백신의 접종이 이루어지지 않았다. 하지만 9/11 이후에 테러범들이 이 바이러스를 이용해서 미국을 공격할지도 모른다는 우려가 커졌다. 나는 천연두 백신 접종 재개 프로그램을 취재했는데, 이 프로그램은 초기 접종자의 일부가 사망함으로써 결국 보류되었다.

당시에는 많은 전국 뉴스 기자들이 백신과 의약품 안전 이슈에 대해서 취재를 했다. 물론 예상대로 제약 산업의 반발이 있었지만, 우리는 이에 굴하지 않았다. 우리 중 그 누구도 수많은 미국인들의 안녕을 위해 이토록 중요한 주제들을 사실대로 보도한다고 해서 '음모론자' 또는 '반백신론자'로 낙인찍히지 않았다. 내 보도 역시 에미(Emmys)와 '탐사 기자 및 편집인(Investigative Reporters and Editors)'과 같은 독립적인 언론 그룹의 주목을 받았고, 존스홉킨스대학의 신경학자는 내 기사를 〈뉴잉글랜드 의학저널〉에 인용하기도 했다.

하지만 전국적인 뉴스 보도가 많아지면서 압박을 받기 시작한 제약업계는 국회로 로비스트들을 보내 압력을 행사하기 시작했다. 처방 의약품과 백신 이슈에 관한 청문회는 중지 또는 왜곡되었다. 또한 수억의 광고비를 통해 뉴스 산업에 직접 영향력을 행사하기도 했다. 그 결과로 탄생한 것이 우리 시대에 가장 성공적으로 만연한 거짓 내러티브 중 하나이다. 즉 백신의 안전에 관해서는 아무런 이슈가 없으며, 모든 대중은 의심 없이 모든 백신을 받아들여야 하고, 백신 피해와 자폐 사이의 연관성은 모두 부정되었으며, 백신의 안전성에 관해 보고하는 언론인과 과학자는 모두 반백신, 음모론자라는 것이다. '백신이 대부분의 자폐를 유발하지는 않는다'라는 입장과 '백신은 결코 자폐를 유발하지 않는다'라는 입장 사이에는 유의미한 차이가 있다. 이에 관해서는 여러 책이 쓰였으며, 나는 하나의 중요한 사례로 이 문제를 살펴보고자 한다.

2019년 1월, 나는 이 주제에 관해 뉴스 보도를 한 적이 있다. 그것은 놀라운 기사였으며, 만약 내러티브와 미디어의 자기 검열이 아니었다면 더 큰 기사가 되었을 것이다.

먼저 배경지식을 위해 말하자면 국회와 백신 제조업 사이에는 특별한 관계가 있다. 어린이나 성인이 백신 접종으로 피해를 입게 되면 그들은 백신 제조업자를 고소할 수 없다. 특별한 연방 백신 법정에서 미국 정부를 상대로 고소해야 한다. 이 법정에서는 미법무부가 백신 제조업자의 편에서 백신을 변호한다. 피해자가 승소할 경우 피해 보상금은 백신 제조업자가 아니라 신탁 기금에서 나오는데, 이는 우리가 백신 접종을 할 때마다 내는 세금으로 충당된다.

2019년의 내 기사를 요약하면 다음과 같다. 나는 한 최고 의학 전문가가 작성한 놀랍고도 중요한 내용의 진술서 사본을 입수했다. 여느 의학 전문가가 아니라 수년 전, 연방 백신 법정에서 '백신과 자폐' 건에 대해 전문가로서 증언을 하기 위해 법무부에 의해 소환되었던 인물이었다. 바로 저명한 소아 신경과 전문의 앤드루 짐머만 박사였다. 짐머만 박사는 백신이 자폐를 유발하지 않는다고 분명히 증언할 수 있는 사람이었다. 짐머만 박사보다 더 친백신 성향의 믿을 만한 권위자는 없을 것이었다.

바로 그런 이유 때문에 짐머만 박사의 새로운 진술서는 더욱 의미가 크다. 2019년, 그는 공식적으로 백신이 자폐를 유발할 수 있다고 말했다. 그는 자신의 진료 경험과 의학 연구의 발전을 바탕으로 2007년에 이미 그러한 결론에 도달했다고 진술했다.

하지만 그것이 전부가 아니었다.

짐머만 박사의 진술에 따르면 그는 이미 2007년에 법무부의 변호인 측에 자신은 백신이 자폐를 유발할 수 있다고 믿게 되었음을 고지했다는 것이다. 그와 같은 전문가의 증언은 정말 놀랄 만한 뉴스가 될 것이었다. 당시 이런 진술이 발표되었더라면 그동안 정부가 백신 안전에 관한 염려를 종식시키기 위해 했던 모든 노력이 물거품이 될 수도 있었다. 또한 일부 부모와 과학자들이 수년간 지속해왔던 주장의 타당성이 입증될 수도 있었다. 즉 백신과 자폐 사이에는 연관성이 있다는 것이다. 하지만 이러한 뉴스를 내보내는 대신에 법무부는 이를 은폐했고, 그를 전문가 증인에서 해고했으며, 법정에서 그의 의학적 소견을 왜곡했다. 마치 그가 백신은 결코 자폐를 유발하지 않는다고 말한 것처럼 주장했다.

2019년, 나는 이 모든 뉴스를 일요일 텔레비전 프로그램 풀 메져에서 방영했다. 또한 민주당과 공화당의 전직 국회의원들과 그 보좌관들의 독점 인터뷰를 진행했는데, 이들은 제약 업계의 국회에 대한 압력 때문에 백신 안전성과 자폐와의 연관성에 관한 조사가 수년간 저지되었던 내용을 자세히 설명했다. 나의 보도는 사실에 충실했고, 근거가 확실했으며, 내 개인적 견해나 추측은 배제된 것이었다. 이 복잡한 사안에 대해서 시청자들이 스스로 결론을 내릴 수 있도록 했다.

그런데도 내러티브가 치고 들어왔다. 인터넷에 내 기사가 유포되자, 페이스북은 내 기사에 사실이 아니라는 표시를 했다. 페이스북 이용자들이 풀 메저의 내 기사를 공유하려 하자 '거짓 정보를' 담고 있다는 딱지가 붙었다. 익명의 페이스북 '과학 사실 검증팀'의 판단이라고 했다.

두 가지 가능성이 있는데, 둘 다 문제가 심각하다. 페이스북의 사실 검증팀이 실상은 백신 산업의 선동팀이거나 아니면 잘못된 정보에 의해 전혀 사실관계를 파악하지 못하고 있는 것이다. 이는 단순히 이 기사에 국한된 문제가 아니며, 심히 염려스러운 부분이다.

2020년 1월, 등골이 서늘해지는 또 하나의 사건이 있었다. 중국에서 발생한 것으로 보도된 코로나바이러스(코로나바이러스감염증-19 또는 COVID-19)에 관해서 정부가 승인한 정보만 대중에게 공유되도록 세계보건기구(WHO)와 구글이 협력하기로 했다는 발표였다. 〈더 버지(The Verge)〉 웹사이트에 따르면, 구글 검색으로 '코로나바이러스'를 검색하면 세계보건기구, 안전 수칙, 뉴스 업데이트 등 큐레이팅 된 자료들이 검색 결과로 뜬다고 한다.

여기서 다시 '큐레이팅 된'이란 단어가 등장한다.

내가 뉴스와 정보를 통제하는 의미로서 이 용어를 처음 접한 것은 2016년 10월의 일이었다. 당시 오바마 대통령은 카네기멜론대학의 한 행사에서 이 개념을 소개했다. 오바마는 '큐레이팅' 기능이 불가피해졌다고 주장했다. 일반 대중이 그러한 것을 요구한 적은 없었다. 대신에, 여론의 호도가 필요해진 이유는 강력한 이익집단의 부상이었다. 이들은 온라인 정보전에서 밀리고 있었다.

그런데 이러한 개념은 개방된 인터넷과 자유 사회라는 본질에 반하는 것이었다. 이러한 '큐레이팅'이 필요하다고 대중을 설득하는 데는 교묘한 조작이 필요했다.

"무법천지의 정보 바다에서 모두가 동의하는 일종의 큐레이팅 기능을 재건하려고 합니다." 오바마가 말했다. "기본적인 진실 테스트를 통과하는 정보와 버려야 할 정보를 판별해주는 어떤 방법이 필요하다고 생각합니다. 현재로서는 세상에서 실제로 벌어지는 일을 판단할 근거가 부족합니다."

이것이 바로 제삼자 세력이 스스로 뉴스와 온라인에서 진실의 결정권자로 자처하게 된, 전 세계적 미디어 운동의 계기가 되었다고 생각한다.

다음과 같은 조건 아래서라면 정부가 주도하는 '큐레이팅'에 큰 문제는 없을 것이다.

- 정부의 정보는 항상 옳다.
- 정부는 항상 진실만을 말한다.
- 정부는 어느 순간에도 총체적 진실과 사실을 알고 있다.
- 정부와 관료에게는 결코 숨은 동기나 이해 상충이 없다.

하지만 이러한 조건을 충족하는 것은 불가능하다. 그렇다면 페이스북은 도대체 어떻게 온라인 정보를 조작해야 한다는 주장에 설득되었을까? 그 기원은 보수에서 진보로 돌아선 비방 전문가 데이비드 브록에게서 찾을 수 있다. 그는 친 클린턴, 친 오바마 성향의 인물로서 선동 그룹 '미디어 매터스 포 아메리카'와 이에 속한 비영리단체, 웹사이트 및 정치적 그룹의 네트워크를 주도한 인물이었다. 2017년 초, 브록은 후원자들에게 자신이 페이스북 측에 게시물을 큐레이팅하도록 압력을 행사했다고 자랑했다. '우리는 막후에서 페이스북 경영진과 접촉하여, 의미 있는 해결책을 만들어내도록 우리의 전문성을 제공하고 의견을 개진해 왔습니다.' 플로리다에 위치한 한 연수원에 있던 미디어 매터스 소개 책자에 나온 말이다.

오늘날 뉴스와 소셜 미디어의 큐레이션과 검열을 생각할 때, 가장 먼저 떠오르는 것이 바로 미디어 매터스이다. 물론 그러한 영향력을 행사한 보수적 그룹들도 있다. 하지만 우파 중에서 그만한 성과를 거둔 그룹은 없었으며, 특히 공공 정보를 검열하고 차단하도록 비밀 회동을 열어 페이스북을 설득한 그룹은 더더욱 없었다.

비방 전문가로 경력을 쌓은 공화당원들도 이러한 신세계 질서에서 힘을 쓰지 못했다. 정치자문가 로저 스톤 역시 그중 하나다. 미디어 매터스가 그의 방송 출연 금지 운동을 벌인 후, CNN, MSNBC 그리고 폭스 뉴스는 그의 방송 출연을 금지시켰다. 스톤의 적들은 그의 주장을 반박하는 것에 그치지 않았고, 마치 그가 존재하지 않는 것처럼 그를 여론전에서 완전히 배제하려 했다. '쉭~!' 하고 메모리 홀 속으로 던져 버린 것이다. 물론 트럼프 지지자로서 2019년 국회 위증 혐의로 유죄 선고를 받은 스톤은 논란의 인물임이 사실이다. 하지만 그의 언행은 언론계에서 여전히 환영을 받고 있는 이상한 인물들의 언행에 비할 바는 못 된다. 이들은 인종차별적 언행, 거짓 비방 정보를 서슴지 않으며, 중범죄 유죄 선고를 받았거나 심각한 윤리적 범죄를 저지른 자들이다. 하지만 오직 스톤만 출연 금지를 당했다. 그 결과, 그를 출연 정지시켰던 바로 그 뉴스 매체들은 그에 대해서 제기된 심대한 혐의들에 대해 제대로 소명할 공정한 기회를 그로부터 박탈했다.

'시청자는 스스로 결론을 내려서는 안 된다. 뉴스 방송이 결정해 주어야 한다. 우리가 한쪽 편의 이야기를 들려줄 것이다. 우리가 로저 스톤에 대한 진실을 말해줄 것이다. 다른 모든 것도 마찬가지다.'

2019년 10월 11일, 또 다른 미디어 검열의 사례가 있었다. NBC의 〈미트 더 프레스〉는 전 부통령 조 바이든의 아들에 관한 트럼프 대통령의 유세 발언에 대해서 시청자들이 스스로 판단하는 것을 원치 않았다. NBC는 다음과 같은 트윗을 날렸다.

> 대통령은 어젯밤 유세에서 헌터 바이든(조 바이든의 아들 -옮긴이)을 공격했다. 우리는 양심상 이를 보도할 수 없다.

그리고 이어서 NBC의 앵커이자 책임 큐레이터 척 토드의 말을 인용했다.

> 정치는 애들 장난이 아니다. 이런 식은 곤란하다. 이런 식의 정치가 통하지 않도록 하기 위해서는 우리 모두의 역할이 필요하다.

이는 단순히 정보를 손보는 수준이 아니다. 시청자를 위한다는 명분으로 정보를 아예 차단하는 것이다. '미디어가 가장 잘 알고 있다.'

내 생각에 가장 미국적이며 가장 정직한 접근법은 불법이 아닌 한 어느 특정 견해, 언론 또는 사람들을 금지하지 않는 것이다. 대중은 스스로 결정을 할 수 있어야 한다. 페이스북과 트위터도 트위터의 대안인 갭(Gab)의 정책을 수용하는 것이 좋을 것이다. 즉, 운영 정책으로써 사용자가 효과적으로 내용을 걸러내거나 반대하는 내용을 차단할 수 있는 도구들이 준비되어 있다고 명시하는 것이다. 사용자가 스스로 정보를 자세히 살펴볼 수 있도록 내버려 두어야 한다. 그렇게 함으로써 뉴스와 인터넷 회사들의 대중들이 내러티브에서 벗어나지 못하게 하는 행태를 크게 줄일 수 있을 것이다.

그런데 우리는 이미 잘못된 방향으로 너무나 많이 와버렸다.

# 내러티브의 무기화

미투 중상모략

3장

SLANTED

내러티브를 가장 사악하게 사용하는 것은 파괴의 무기로 사용하는 것이다. 내러티브의 파괴적 힘을 가장 잘 보여주는 것은 미투(#MeToo) 운동의 끔찍한 무기화이다.

미투 운동은 2006년경 특히 직장 내에서 여성에 대한 성적 괴롭힘, 성추행, 성폭력에 대항하기 위한 캠페인으로 시작되었다. 이전에는 묵과되거나 용인되었던 잘못된 행동을 학대로 고발해야 한다는 것이 기본적 아이디어이다. 미디어는 여성 고발자의 과거 행적을 들추기보다는 힘 있는 남성들과 그들에 대한 고발 내용을 조사하는 데 더 노력을 기울여야 한다고 주장한다. 그래야만 여성 피해자들이 안심하고 나설 수 있다는 것이다.

연예계, 언론계 그리고 정계의 많은 유명 인사들에 대한 미투 고발이 이어지면서 이러한 유행은 최고조에 달했다. 언론인 매트 라우어와 찰리 로즈, TV 방송국 회장 폭스의 로저 에일스와 CBS의 레스 문베스, 뉴욕타임스 기자 글렌 스러쉬, 가수 크리스 브라운, 배우 빌 코스비와 케빈 스페이시, 영화 제작자이자 영화감독 하비 와인스타인, 하원의원

패트 미한, 블레이크 파렌톨드, 존 코니어스, 트렌트 프랭크스, 상원의원 알 프랑켄, 뉴욕 검찰총장 에릭 슈나이더맨 등의 혐의를 폭로하는 데 모든 노력이 쏟아졌다.

잘못을 저지른 사람은 남자든 여자든 모두 그에 대한 책임을 져야 한다는 주장에 이의를 제기할 사람은 없을 것이다. 오랜 세월 동안 너무나 많은 비행이 묵과되었다. 비행이 도가 지나쳐서 범죄 행위가 되면 고발이 이루어져야 한다. 그런데 미투 운동이 전 세계적인 유행이 되면서, 어둡고 위험한 현상이 덩달아 발생하게 되었다. 미투 내러티브가 파괴의 수단으로 변질된 것이다. 여성은 단지 '미투'를 외치거나 증거가 없더라도 주장만 하면 되었다. 일부 사람들은 아무런 의심 없이 '그녀의 말을 믿어주라'고 주장하기 시작했다. '여성들은 그런 문제로 거짓말을 할 이유가 없다'라고 주장했다. "여성의 주장에 의문을 품거나 판단하기 전에 증거가 필요하다고 말하는 것은 피해 여성을 더욱 학대하는 것이다. 그런 질문을 하는 사람은 불감증을 의심하지 않을 수 없다."

여성은 학대, 강간, 추행에 대해서 결코 거짓말을 하지 않을 것이라는 주장에는 조소를 금할 수가 없다. 이러한 사례를 보여주는 기록은 얼마든지 있다. 1931년 앨라배마에서는 아홉 명의 흑인 청소년이 두 명의 백인 여성을 강간했다는 거짓 혐의로 고발을 당했다. 1987년, 타와나 브롤리라는 젊은 흑인 여성은 일단의 백인 남성들에게 납치, 강간당했다고 허위로 고발했다. 2014년, 〈롤링스톤〉지는 버지니아대학생의 허위 강간 고발 기사를 게재했다가 기자가 명예훼손죄로 유죄 판결을 받았다. 2019년, 플로리다의 한 여성은 이웃에게 강간을 당했다고 주장했다. 분노한 그녀의 남자 친구가 그 이웃을 살해했지만, 실은 그 이웃은 무고했고, 그 여자가 거짓말을 한 것이었다.

하지만 와인스타인의 사례는 달랐다. 유명한 영화감독의 성추행 그리고 성범죄에 대한 은밀한 루머가 주류 언론에 부상한 것은 2017년 10월의 일이었다. 제일 첫 고발인은 언론의 환대를 받았다. 점점 더 많은 고발인들이 나타났다. 다음 고발인과 또 다른 추문을 찾기 위한 기자들의 경쟁이 점점 더 심해졌다. 와인스타인 사건은 단순 명료해 보였다. 여성들의 주장은 받아들여졌다. 기자들은 찬사를 받았고, 와인스타인은 23년형을 선고받았다.

이러한 격앙된 분위기 속에서 일부 부도덕한 사람들은 미투 내러티브가 무기화될 수 있다는 것을 깨달았다.

아마도 연방대법관 후보자 브렛 캐버너에 대한 고발 사건을 들어보았을 것이다. 민주당은 그에 대한 고발인 크리스틴 블레이시 포드를 내세워 2018년 9월, 상원 인준 청문회에서 증언하게 했다. 민주당과 공화당은 모두 포드를 연민의 대상과 피해자로 보았다. 위험 부담이 컸던 만큼 상원의원들은 포드의 고발 내용이 모호하고 증거가 부족했음에도 그녀에게 옛일에 대해서 묻는 것을 주저했다.

(와인스타인을 제외한) 모든 관련자에게 성공을 안겨준 와인스타인 사건의 경험을 바탕으로 언론계는 캐버너에 대한 근거 없고 터무니없는 고발을 무분별하게 보도했다. 내러티브에 따르면 또 다른 믿을 만한 피해자들이 있어야 했다. 그러나 와인스타인의 경우와는 다르게 캐버너에 대한 고발 건은 허물어져 버렸다. 그가 포드를 가해했을 때 그 곁에 있었다는 사람들 중에는 그런 사건을 기억하는 사람이 아무도 없

었고, 포드의 오랜 친구조차 그녀의 주장에 의문을 품었다. 캐버너의 강간을 주장했던 두 번째 여성은 나중에 사실은 그를 전혀 만난 적이 없었다고 고백했다.

캐버너에 대한 고발 사건은 시간이 흐르면서 점차 신빙성을 잃어 갔고, 한때 잠깐 보였다가 홀연히 사라져 버리는 제트기의 비행운처럼 조용히 잊혀 버렸다.

오늘날의 편파적인 미디어 환경 속에서 미투 내러티브가 어떻게 왜곡되어버렸는지를 잘 보여주는, 알려지지 않은 이야기들이 더 많이 있다.

## 회색 그림자

1990년대 후반, CBS 뉴스에서 당시 클린턴 대통령의 성추문에 대한 보도를 할 때 많은 고발이 있었지만, 우리가 방송으로 내보낸 것보다 그냥 넘긴 것들이 훨씬 더 많았다. 우리가 여성 고소인들을 믿지 않아서가 아니라, '의견이 분분한' 사건 이상으로 취급할 만한 확실한 증거가 없었기 때문이었다. 우리는 좋은 언론이 되기 위해서는 잠재적 파괴력이 큰 고소에 대해서는 보도 전에 구체적인 증거를 확인해야 한다고 믿었다. 다수의 고소가 있다고 해서 그 자체가 입증되지 않은 고소에 대한 보강증거가 될 수는 없는 것이다.

하지만, 오늘날은 더 이상 그렇지 않다. 입증되지 않은 고소 한 건은 신뢰도가 약하다고 인정되지만, 만약 내러티브를 밀어붙이는 누군가가 비슷한 고소 여러 개를 모으게 되면 갑자기 이 고소는 믿을 만한 것이 되고 만다. 미디어는 이렇게 결론을 내린다. '아니 땐 굴뚝에 연기

나랴.' 하지만 그러한 결론은 논리적이지도 않고, 바람직한 언론의 접근법도 아니다. 또한 이는 나쁜 인간들에게 거짓 고소를 이용해서 목표 대상을 비방할 길을 열어주는 것이 된다. "그것은 숫자 게임입니다." 비록 직접 고소를 당하지는 않았지만 미투 스캔들에 연루되었던 한 방송사 전 보도국장이 말했다. "기자들은 입증되지 않은 사실을 똑같이 주장하는 다수의 익명 고소인을 찾아내고는, 마치 그들의 고소가 사실로 입증된 것처럼 보도합니다."

트레버 피츠기본의 이야기는 섬뜩하게 들릴 것이다. 홍보 분야의 전문가로서 그는 언제나 옛 경구를 마음 깊이 새겼었다. '두 개의 믿을 만한 이야기만 손에 쥔다면 그 누구도 쓰러트릴 수 있다.' 하지만 그가 몰랐던 것은 이런 일이 그에게도 생길 수 있다는 사실이었다. 그는 다수의 미투 고소의 타깃이 되었다. 심각한 사안이라 했던 건들은 모두 나중에 취소되었지만, 그의 삶은 이미 파괴된 뒤였다.

사건은 2015년 12월에 시작되었다. 당시 진보적 홍보회사를 운영하던 피츠기본은 부사장에게서 운명적인 전화를 받았다. "지난 이틀 사이에 인사과에서 여섯 통의 전화를 접수했는데, 사장님을 성추행으로 고소하는 내용이었습니다."

"가슴이 무너지는 것 같았습니다." 피츠기본이 그 사실을 회상하며 말했다.

피츠기본이 타깃이 된 이유를 이해하기 위해서는 우선, 그의 적에 누가 포함되었는지를 분석하는 게 도움이 될 것이다. 그들은 바로 동종업계에 종사하는 강력한 진보적 인사들이었다.

타깃이 된 이유 첫째는, 그가 2016년 대선에서 힐러리 클린턴 대신 버니 샌더스를 지지함으로써 그들의 분노를 유발했다는 점이다. 둘째, 그의 고객 중에는 위키리크스에 연루된 인물들이 있었는데, 이들은 대선 중에 파괴력이 큰 해킹 문서들을 유출함으로써 유력한 민주당 인사들과 기득권 정부 인사들의 적이 되었다. 그의 고객에는 위키리크스의 설립자 줄리언 어산지, 비밀 자료를 위키리크스에 유출한 브래들리 매닝, 위키리크스가 협조했던 정부 측 내부폭로자 에드워드 스노든 그리고 스노든이 정보를 넘겨준 기자 글렌 그린월드 등이 포함되었다. 위키리크스와의 연계가 큰 후폭풍을 초래하게 된 것이다.

어찌 됐든 피츠기본은 자신을 고소한 사람들이 누구인지를 파악하기도 전에, 고소 사건이 전국 뉴스를 타고 있음을 알게 되었다. 그 고소인들에게 꽤 영향력 있는 도움을 준 누군가가 있었던 게 틀림없다! 대부분의 사람들에겐 호소할 일이 있다 해도 접촉할 기자를 찾는데 어려움을 겪게 마련이고, 또한 기자를 접촉했다 하더라도 사실관계 조사도 거의 없이 이를 기사화하는 것은 결코 쉬운 일이 아니다. 하지만 피츠기본을 고소한 사람들은 즉각적인 관심을 끌었다. 그의 스캔들은 빛의 속도로 전국 뉴스의 헤드라인이 되었는데, 주로 같은 선동을 일삼는 그런 매체들이었다. 여기에는 이 기사를 '속보'로 전한 〈허핑턴 포스트〉와 〈가디언〉, 〈복스(Vox)〉, 〈네이션(The Nation)〉, 〈뉴욕 데일리뉴스〉, 워싱턴 포스트, 〈미디엄〉, 〈슬레이트(Slate)〉 등이 포함된다. 피츠기본를 끌어내리기 위한 내러티브를 밀고 있는 세력이 있으며, 이들에게 협조하는 언론계의 배후가 있음이 분명했다. 피츠기본은 그렇게 널리 알려진 인물이 전혀 아니었다. 그런데도 그에 대한 편파적인 기사가 세상에서 가장 중요한 사건이라도 되는 것처럼 취급되었다. 내러티브가 아니면 전혀 설명이 안 되는 현상이었다.

"허핑턴 포스트의 보도를 보면 정말 흥미롭습니다." 피츠기본은 이 고소 건에 대한 언론의 초기 보도가 어떻게 변해갔는지에 대해 설명했다. "처음에는 '추행'이라고 했습니다. 몇 시간 후에는 '폭행'이라고 했지요. 그다음에는 '강간'이라는 식으로 엮어 갔습니다."

피츠기본은 미투 운동이 어감의 미묘한 차이를 무시하였고, 자신이 그 희생자라고 말했다. 그는 자신이 함께 일했던 여성들 또는 자신의 회사에 지원한 여성들과 일부 부적절한 행동이 있었음은 인정했다. 하지만 강간과는 전혀 거리가 멀었다. 하지만 그 경계선이 희미해지는 경우가 너무 많았다. 불쾌한 또는 천박한 행동이 범죄로 치부되었다.

2주가 되기도 전에, 피츠기본의 모든 직원이 그에게 등을 돌렸고, 그의 회사는 문을 닫았다. 그의 고소인 중 세 명은 페미니스트 변호사 글로리아 알레드의 도움을 받았고, 그를 형사 고발했다. 그중에서 가장 타격이 컸던 것은 세 여자 중 한 명인 변호사 제슬린 레덱의 고소였는데, 그녀는 피츠기본이 강제로 '자신의 가슴을 만졌으며' 며칠 후 호텔에서 다시 만났을 때 그가 자신을 강간했다고 주장했다.

피츠기본은 과거에 자신이 의도치 않게 여성 동료들과 부적절한 관계가 있었음을 인정했다. 하지만 강간 혐의에 대해서는 전혀 다른 주장을 했다. "그 관계는 100% 상호 간의 합의에 의한 것이었습니다." 그는 레덱과의 성교에 대해서 이렇게 주장했다.

거짓 미투 내러티브가 악랄한 점은 누구도 '희생자를 의심한다는 비난'을 원치 않는다는 사실이다. 그런데 만약 기자들이 기자로서의 기본적 소임을 다하고 사실관계를 분석하는 노력을 했다면 레덱이 자신의 주장에 대해 어떠한 물증도 제시하지 않았다는 것을 쉽게 알 수 있었을 것이다. 물론 그것이 그녀가 틀렸다는 것을 뜻하지는 않는다. 하지만 반면에 피츠기본은 자신의 변호를 뒷받침하는 강력한 증거들을 제시했다. 그녀가 주장한 성폭력 사건 전후로 그녀가 그에게 보낸 성적인 텍스트 문자와 사진들이 있었다. 그 사진에는 그녀의 것으로 보이는 맨 가슴 그리고 검은색 시스루 레이스로 가린 가슴이 담겨 있었다. 또한 그녀가 보낸 문자 메시지에는 이런 구절도 있었다. '당신의 판타지를 먼저 말해주세요. 그리고 내게도 사진을 보내주세요.' 다른 메시지에서는 끈 팬티만 걸친 자신의 둔부가 담긴 사진과 함께 이런 문자를 보냈다. '당신이 제 둔부에 관심이 있을 것 같지는 않지만.'

사건을 심의한 검사 측이 피츠기본에 대한 '형사고발을 기각'하는 데까지는 일 년이 걸렸다. 그때까지도 그에 대한 새로운 언론의 공격들은 지속되었다. 그에 대한 고발이 기각된 후에도, 72개의 전국적 조직이 미디어를 통해 다시는 그와 일을 하지 않을 것임을 공언했다. 그때쯤 그는 자신이 조직적 비방의 타깃이 된 것이 아닌지 의심하기 시작했다. "그때 처음으로 무언가 다른 흑막이 있다는 것을 깨닫게 되었습니다." 그가 말했다.

그 당시에, 정부 계약업체들 사이에서 떠돌던 2010년쯤에 제작된 민감한 홍보 자료들 속에서 그의 의심을 뒷받침할 만한 내용이 발견되었다. 거기에는 '위키리크스의 위협'과 어떻게 전투를 벌이고, '소셜 미디어'와 '허위 정보'를 활용해 위키리크스 지지자들을 방해하고 신빙성을 낮추려는 광범위한 전략이 기술되어 있었다. 또한 그 자료에는 위키리크스와 관련된 인물들의 사진이 있었으며, 이들과 위키리크스의 관계가 다이어그램으로 표시되어 있었는데, 이들 중 일부는 피츠기본의 고객이었다. 피츠기본은 위키리크스 고객들을 위해 일하고, 힐러리 클린턴 대신 버니 샌더스를 지지함으로써 민주당 고위층의 분노를 유발했고, 그래서 비방전의 타깃이 되었던 것일까? 흥미로운 점은 그 홍보 문건에 특정지어진 두 명의 인물이 피츠기본과 마찬가지로 성폭력 피의자로서 세간의 주목을 받았지만 결코 고발을 당하지는 않았다는 사실이다. 이들은 바로 줄리언 어산지와 제이콥 아펠바움(위키리크스 대변인 출신 컴퓨터 보안전문가 -옮긴이)이다.

어산지를 고발한 두 명의 여성은 기자에게 똑같은 이야기를 했다. 그들은 각각 기자에게 그가 연설 차 스웨덴에 머물 때 그와 합의 하에 성교를 시도했는데, 성교가 강간으로 돌변했다고 말했다. 어산지에 대한 강간 혐의 조사는 고소가 취하되기까지 7년간 지속되었다.

한편, 위키리크스의 핵심 관련자인 아펠바움에 대한 성폭력 고발은 익명으로 이루어졌다. 어떤 이는 웹사이트를 개설해서 그에게 성추행과 강간을 당했다는 피해자의 진술을 게재하기도 했다. 그는 결국 직장을 잃었지만, 어산지 및 피츠기본과 마찬가지로 결코 그 어떤 성범죄로도 기소되지 않았다.

위키리크스와 관련된 세 명의 인물이 비슷한 근거 없는 성범죄 혐의로 공격을 당한 것이 단순한 우연의 일치였을까? 아니면 미투 내러티브를 무기로 삼은 잘 계획된 선전 전략의 일부였을까?

홍보전문가로서 훈련을 받은 피츠기본은 자신에 대한 내러티브에 맞서 싸우기 위해 각고의 노력을 기울였다. 하지만 이는 극도로 어려운 싸움이었다. 그는 변호사협회 징계위에 레덱의 허위 고발에 대해 징계를 요청했지만 그들은 징계를 거부했다. 그들은 레덱의 징계 여부 문제에 대해 "실제로 사석에서 무슨 일이 있었는지를 증명하는 것은 어렵다"고 답변했다. 그러자 피츠기본은 악의적 고발과 명예훼손 혐의로 레덱을 고소했다. 2019년 5월 3일, 레덱은 수그러드는 듯한 태도로 다음과 같은 트윗을 남겼다.

> 2018년 4월부터, 나는 트레버 피츠기본과의 소송에 휘말려왔다. 우리는 서로 간의 차이를 원만하게 해결했다. 합의의 일부로써 나는 트레버 피츠기본에 대한 모든 진술과 주장을 철회한다.

하지만 이미 심각한 피해가 발생했다. 다시 예전으로 돌아갈 길은 없었다. 피츠기본은 사업을 잃었고, 아내와 헤어졌으며, 다시 일을 찾을 수 없었다. 오늘날 만약 어떤 잠재적 고객이 그의 이름으로 온라인 검색을 한다면 레덱이 고소를 취하한 내용이나 그의 명예가 회복된 기사는 좀처럼 볼 수 없을 것이다. 대신 그에 대한 근거 없는 고발 기사들은 여전히 쉽게 볼 수 있다. (레덱은 나의 인터뷰 요청을 거부했다.)

"나는 언론에서 나 자신을 변호할 수 없었습니다." 피츠기본은 탄식했다. "나는 전국적 언론과 소셜 미디어에서 악인으로 낙인찍혔습니다. 나를 고소한 사람들과 배후의 정치적 세력들은 이를 이용해서 물에 독을 풀었고, 나는 다시 일을 찾을 수 없게 되었습니다."

이는 또 다른 최근의 미투 스캔들로 이어진다. 바로 내가 일했던 전 직장, CBS 뉴스에서 발생했던 사건이다.

## CBS와 알려지지 않은 미투 이야기

2017년 11월, 워싱턴 포스트는 CBS와 〈PBS〉의 오랜 방송 진행자 찰리 로즈에 대한 성추행 혐의를 보도했다. 워싱턴 포스트에서 더 자세한 추가 보도가 이뤄진 건 2018년 5월이었다. 그런 다음 2018년 7월, 전 NBC 기자 로난 패로우가 〈뉴요커〉에 초대형 폭탄 기사를 실었다. 패로우의 기사는 여러 명의 CBS 남자 직원들의 부적절하고 성차별적인 행동부터 부실 경영, 은폐, 부적절한 관계에 대한 빈정거림, 소문, 혐의 제기가 뒤섞인 것이었다. 이 보도에서 이상하게 휘말린 인물이 바로 〈60분〉의 제작 책임자였던 제프 페이거였다.

CBS 스캔들에는 지금까지 알려지지 않은 많은 숨은 이야기가 있다. 이는 페이거의 적들과 경쟁자들이 어떻게 미투 내러티브를 무기화해서 그의 경력을 파괴해버렸는지에 대한 알려지지 않은 이야기다. 이들은 미디어의 도움으로 CBS에 대한 세간의 주목을 이용해서 페이거를 비방하고 논란거리로 만들었다. 어떻게 그럴 수 있었을까? 그의 경영 방식에 대한 불만이 신기하게도 그가 직장 내 성희롱을 묵인했다는 주장으로 바뀌었고, 이는 다시 페이거 자신이 만연한 성추행에 동참했다는 비난으로 둔갑했다. 페이거에 대한 근거 없고 편파적인 주장이 전국적 뉴스거리가 된 것은 바로 내러티브의 힘 때문이었다.

본론으로 다시 돌아가자면, 뉴요커에 이전에 실은 페로우의 또 다른 미투 기사가 '영화 제작자 하비 와인스타인의 오랜 성 착취를 폭로'한 공로로 막 퓰리처상을 수상한 직후에 페로우는 이 기사를 터뜨린 것이다. CBS의 성추문에 대한 그의 이번 기사는 탄탄한 조사를 거친 것이었다. 그는 이 보도에서 다양한 미투 고소인들의 목소리를 대변했다.

요약하면 여섯 명의 여성이 CBS 사장 레스 문베스가 자신을 성적으로 협박하거나 공격했다고 주장했다. 또한 십수 명의 CBS 전·현직 직원들의 부적절한 행동들이 CBS 뉴스와 60분에서 발생했다고 주장했다. 그들은 페이거가 60분의 책임자로서 성희롱을 묵인했다고 주장했다. 더 나아가 기사는 페이거 본인의 행동에 대해서도 애매모호한 암시를 포함했다. 한 익명의 CBS 전 직원은 페이거가 '당사자가 불편하게 느끼게끔' 직원들을 접촉했다고 주장했다. 실제로 그것이 무엇을 뜻하는지는 독자들의 상상에 맡겨야 했다. 주장의 모호성과 익명성 때문에 페이거는 그 주장을 제대로 반박할 수도 없었다.

"페이거가 성추문 주장들에 휩쓸렸다는 사실에 놀랐습니다." CBS 뉴스의 오랜 여성 프로듀서가 내게 말했다. "로난 패로우의 기사가 나오기 전에는 CBS의 그 누구도 페이거에 대해 성희롱 문제를 제기한 적이 없었습니다."

성범죄 혐의에 관한 일련의 문베스 고발 사건에다가 페이거에 대한 경영 불만과 애매모호한 불평들을 엮은 것으로 보인다. 페이거에 대한 패로우의 기사 내용에는 책임감 있는 보도에 필요한 정상적인 요소들이 결여되어 있다. 먼저 고소인들이 익명이다. 고발 내용은 불특정하며, 사실이라 할지라도 그 내용이 불분명하다. 페이거는 불법은 고사하고 부적절한 행동도 한 적이 없다. 이 내용만 떼어놓고 보면 미투 운동만 아니라면 페이거에 대한 주장이 전국 뉴스가 될 이유는 전혀 없었다. 하지만 결국 거대한 미투 운동에 휩쓸려버린 것이다.

사태는 더욱 악화되었다.

그로부터 약 두 달 후인, 2018년 9월, 〈뉴요커〉와 패로우는 후속 보도를 했다. 여기에는 문베스의 성폭력 혐의에 대한 고발이 담겨 있었다. (이 보도가 나간 직후, CBS는 문베스의 사퇴를 발표했다.) 그리고 다시 한번, 페이거에 대한 언급이 이루어졌다. 역시나 어울리지 않는 내용이었다. '이 내용은 다른 것들과는 결이 다른 걸?' 나는 그 기사를 읽으며 생각했다. 이번에는 수년 전 일했던 한 인턴의 주장이 담겨 있었다. 그녀는 페이거가 직장 내 파티에서 '나의 둔부를 거머쥐었다'라고 주장했다. 그런데 그런 맥락과는 맞지 않게 '하지만 페이거가 나와의 성적 접촉을 시도한 것으로는 생각하지 않았다'라고 덧붙였다. 그녀는 그의 그러한 행동을 '60분의 팀원이 된 것을 환영합니다. 이제 당신은 우리와 한 팀이 되었습니다'라는 메시지로 받아들였다고 말했다. 또한 그녀는 우리의 혼란을 더욱 가중시키기라도 하듯, 그 사건이 있은 지 얼마 후 모든 일이 잘 풀렸다고 말했다. 그녀와 다른 인턴 동료가 페이거를 점심 식사에 초대하였는데, 그가 그 초대를 수락해서 '몹시 기뻤다'고 말했다. 다시 한번, 이 내용만 놓고 보면 페이거에 대한 주장이 전국 뉴스가 될 이유는 전혀 없었다. 하지만 그가 60분 프로그램 내에서 시시껄렁한 분위기를 만들고, 성희롱을 묵인했다는 비난과 로즈 및 문베스의 끔찍한 고발에 엮이면서 기사화되기에 적합한 내러티브가 되고 말았다.

"제프는 직장 상사로서는 가혹한 면이 있었습니다. 하지만 남자와 여자 직원에 대해서 공정한 기회를 보장했습니다." 60분의 한 여성 직원은 페이거가 미투 내러티브의 표적이 된 것에 대해 놀라움을 표시하며 말했다. "제프는 출산 및 육아 직원들의 부담도 덜어주었습니다. 여직원들을 위해 많은 도움을 주었지요. 또한 여자 직원들을 많이 승진시켰고, 많이 고용했습니다."

60분의 다른 여직원은 이렇게 말했다. "성 착취 고발에 대한 패로우와의 인터뷰에서 페이거를 옹호한 사람들이 많았다는 사실을 알고 있습니다. 그런데도 그런 기사는 보도되지 않지요. 이는 대단히 불공정한 일이라고 생각합니다."

여기에서 우리는 내러티브 열차가 일단 뉴스의 궤도에 오르면 그 방향을 바꾸기란 불가능하다는 것을 알 수 있다. 다른 기자들이 뉴요커에 실린 페이거에 대한 전 인턴의 주장을 복사, 인용, 반복 및 확대하기 시작했고, 신기하게도 그 내용은 점점 더 부풀려졌다. 검증되지 않은 하나의 주장이 '다수의 고소 중 하나'로 변신했다. 〈뉴욕 포스트〉의 헤드라인은 그 이전에 페이거에 대한 다른 고발이나 고소가 없었는데도, 그 인턴이 페이거의 성추행에 대한 또 다른 고소인이라고 선언했다. 미디에이트도 페이거에 대한 '새로운 성추행 고발'이라는 헤드라인을 뽑음으로써 과거에 그가 '동료를 움켜쥔 혐의로 고발된' 적이 있었던 것처럼 잘못 주장했다. 실제로는 피소된 적이 없었다.

페이거는 곧 CBS에서 해고되었는데, 부실 경영이나 성추행 고발 때문이 아니었다. 그를 취재하던 CBS 기자에게 보낸 신랄한 텍스트 메시지 때문이었다.

'뒷받침할 만한 증거의 제시 없이 이러한 허위 고발을 계속해서 반복한다면 내가 입는 피해에 대해서 당신이 책임을 지게 될 것입니다.' 더 나아가 페이거가 문자 메시지를 통해 위협했다. '조심하십시오. 나를 해치려다가 직장을 잃은 사람들이 많이 있습니다. 나에 대한 해로운 주장들을 당신 스스로 뒷받침할 만한 증거를 제시하지도 않고 계속해서 보도한다면 아주 심각한 문제가 될 것입니다.' 이 문자가 그의 운명을 결정했다. CBS 사장 데이비드 로우즈가 페이거를 불러 회사 정책을 위반한 텍스트 메시지 때문에 해고한다고 말했다. 결국, 페이거에 대한 비방 자체는 그를 해임하기에 충분하지 않았지만, 스스로를 방어하려 했던 시도가 그의 발목을 잡았다. 근거 없고 과장된 주장이 허접한 보도를 등에 업고 페이거를 한계점까지 몰고 갔으며, 이에 대응하기 위해 보냈던 그의 메시지가 결국 해고를 초래했다고 볼 수 있다.

페이거는 해고된 이후 성명서를 통해 자신의 메시지에 대해서 이렇게 주장했다. "그것은 그녀(CBS 기자)에게 공정한 보도를 요구한 것이었다. 비록 내 표현이 가혹하기는 했지만, 모든 언론인은 언제나 공정해야 한다는 냉혹한 요구를 받는 상황에서, CBS는 공정한 보도를 원하지 않았다. 그런 메시지 하나 때문에 36년 근속을 끝장내서는 안 되는 일이지만, 결국 그렇게 되고 말았다."

페이거가 축출된 데에는 더 많은 배경 스토리가 있다. 로우즈와 페이거 사이에는 오랜 라이벌 관계가 있었다. 물론 내 취재원 중에 그 누구도 구체적인 증거를 제시하지는 않았지만, 일부 CBS 내부자는 로우즈가 페이거를 끌어내리기 위한 일환으로 방송사에 대한 미투 고발을 도왔다는 의혹을 제기했다.

한편 페이거는 자신과 오랜 앙숙 관계에 있던 사람들이 자신을 해고하기 위해 이런 고발을 사주한 것으로 본다고 말했다. 여기에는 또 다른 흥미로운 반전이 있다. 여러 CBS 내부자는 혹시 그 일이 있기 수개월 전 60분에서의 일자리에 대한 로난 패로우의 면접 요청을 페이거가 거절한 것 때문에 패로우가 앙심을 품은 것이 아니냐는 의구심을 표시했다.

한 CBS 관계자가 이러한 사실을 확인해 주었다. "데이비드 로우즈는 제프 페이거가 당시 NBC 기자 로난 패로우를 '60분'에 뽑아서 쓰기를 원했습니다. 하지만 제프는 패로우가 준비가 부족하다고 보았으며, 따라서 가능성이 없는 사람에게 일자리를 제시하고 싶지 않았습니다. 그래서 그는 패로우를 만나지 않았습니다."

페이거와 함께 일했던 또 다른 CBS 내부자는 CBS 스캔들을 취재한 외부 기자들이 'CBS의 힘 있는 남자들은 모두 한통속'이라는 내러티브를 밀어붙이기 위해 페이거를 공격했다는 의견을 피력했다.

"사실 제프는 여성 직원의 숫자를 두세 배로 늘렸고, 선임직으로 승진을 시키기도 했다. 그러나 그 모든 사실은 CBS가 여성에게 나쁜 직장이라는 내러티브에 의해 폄하되었다. 내러티브를 지지하지 않으면 문제에 대해 무지한 사람으로 낙인찍힌다. 그들은 스스로 틀렸다는 인식도 하지 못한 채 그 어떤 사실도 내러티브의 일부로 바꾸어 버린다. 그것은 마치 에코체임버(생각이나 신념, 정치적 견해가 비슷한 사람끼리 서로 정보나 뉴스를 공유함으로써 기존의 신념이나 견해에 대한 확신이 더욱 강화되고 증폭되는 현상. 일종의 확증편향 -옮긴이)와 같다. 그들은 아무런 검증 없이 반복을 할 뿐이다."

어찌 됐든 페이거가 CBS 뉴스에서 해고되었다는 소식은 미디어에서 선풍을 일으켰다. 어떤 기자들은 그의 해고를 내러티브를 더욱 밀어붙여도 좋다는 신호로 받아들였다. 그들은 정상적인 보도 기준을 버려버리는 것을 개의치 않았다. 실제로 뉴스 취재는 정상 궤도를 벗어나 버렸다.

AP 통신도 다른 미디어처럼 페이거에 대한 고발을 하나의 '둔부 거머쥐기' 사건에서 다수의 '그가 파티에서 여러 여성들을 더듬었다'는 보도로 변질시키는데 동참했다. 또한 AP 통신은 페이거가 '성적 학대 조사'가 진행되는 가운데 해고되었다고 보도했는데, 이는 잘 모르는 사람이 볼 때는 마치 페이거 자신이 성적 학대를 저지른 것 같은 암시를 주는 것이었다. 얼마 지나지 않아서 페이거의 이름과 얼굴은 와인스타인이나 케빈 스페이시 같은 유명한 강간 범죄 피의자들의 목록에 오르기 시작했다.

여전히 60분에서 일하는 한 여직원은 이렇게 말했다. "나는 제프가 성범죄자라는 주장은 터무니없다고 생각합니다. …… 불공정하며, 사실이 아닙니다." 하지만 여러 CBS 직원들의 증언에 의하면 이런 식의 이야기는 패로우가 원하는 방향이 아니었다고 한다.

다양한 CBS의 내부자들은 '왜' 그리고 '어떻게' 페이거가 미투 내러티브라는 무기에 의해 희생이 되었는지에 대한 본인들의 분석을 들려주었다. "사람들은 매일 그를 끌어내리기 위해 노력했습니다." CBS 뉴스의 한 낯익은 방송인이 말했다. "엄청난 경쟁과 권력 다툼이 있었습니다. 미투 보도는 제프를 제거하기 위한 수단이었습니다."

페이거가 CBS에서 해고된 후 그를 처음으로 접촉했을 때, 그는 자신의 입장을 자세히 변호해본들 무슨 소용이 있겠느냐고 내게 말했다. 그는 결코 이길 수 없는 싸움이라고 보았다. 그가 자신을 변호한다면 사람들은 그가 희생자들을 괴롭히거나 미투 운동에 반대하는 것으로 오해할 것이라고 했다. 결국 맞서 싸우기에는 내러티브가 너무 강력했다. 바로 이런 점이 내러티브의 가장 큰 문제점이다. 너무나 강력한 추진력과 힘을 가지고 있기에 그것을 부정하는 것은 쓸데없는 짓처럼 느껴진다. 결국 내러티브만 더욱 강화시키는 꼴이 된다. 페이거는 CSB가 실시 중인 자체적인 내사로 인해 자신의 성희롱 혐의와 성희롱 묵인 혐의가 벗겨질 수 있으리라는 희망의 끈을 붙들고 있었다.

4개월 후, CBS가 실시한 '독립적 내사'가 종결되었다. 하지만 최종 보고서는 공식적으로 발표되지 않았다. 보고서 내용에 등장하는 당사자들에게는 사본이 전달되지도 않았고, 그 결론에 대해 대응할 기회도 주어지지 않았다. 하지만 누군가 내용의 일부를 뉴욕타임스에 유출했다. 미디어가 페이거에 대해 추측 보도했던 것과는 거리가 먼 내용이었다. 그 일부 내용은 다음과 같다.

- 미디어는 페이거를 포함한 60분 직원들에 대한 주장을 과장해서 보도했다.
- 직원들의 비행은 미디어가 보도한 것만큼 심각하지 않았고, 돈 휴이트가 이끌던 60분 시대에 있었던 성추행만큼 심각하지도 않았다.
- 페이거가 '찰리 로즈가 저지른 부적절한 행동의 심각성을 인지'하고 있었다는 증거는 발견되지 않았다.
- 페이거는 여직원들에 대한 세심함과 지지를 보여주었다.
- 페이거가 수장으로 있는 동안, 60분은 그 어느 때보다 더 많은 여성들을 프로듀서와 선임 직급으로 승진시켰다.

이 결과는 언론이 처음에 거의 미친 듯이 주장하던 고발 내용과는 전혀 다르다. 따라서 내러티브 시대에 우리가 던져보아야 할 질문은 이것이다. '처음의 충격적인 고발에 대해서는 그렇게 많던 보도였는데, 왜 몇 달 후 그에 대한 결론과 반박에 대한 보도는 거의 없는 걸까?'

"그것이 바로 내러티브의 힘입니다." 페이거를 지지하는 CBS 여직원이 말했다. "방해가 되는 것은 무엇이든 덮쳐버립니다. 사실을 바로잡으려 해도 모든 것이 등을 돌려버립니다. 내 자신이 문제의 일부가 되어버립니다. 일단 내러티브에 걸려들면 빠져나올 수가 없습니다. 특히 이런 운동에 관련이 되면 더욱 그러합니다. 전통적인 보도 지침은 폐기됩니다. 취재원에게 숨겨진 다른 동기가 있는지를 확인하는 것 따위는 신경을 쓰지 않습니다."

또 다른 CBS 내부 인사는 이렇게 말했다. "내러티브는 바로 미투였습니다. 다른 속셈이 있던 사람들이 미투라는 내러티브를 무기 삼아서 페이거를 공격한 것이지요."

# 내러티브가 충돌할 때

4장

SLANTED

2020년 3월 5일 목요일 저녁, 미디어가 스스로 신뢰를 잃어버린 매우 슬프고도 전형적인 사건이 발생했다. MSNBC의 앵커 브라이언 윌리엄스와 뉴욕타임스의 편집위원인 마라 게이가 정치권의 돈에 대해서 이야기를 하고 있었다. 정확히는, 트위터에서 읽은 한 트윗에 대해서 이야기를 했다. (이것이 첫 번째 실수다.) 트윗의 내용은 민주당 대선후보였던 마이클 블룸버그가 2020년 대선 광고에 쓴 돈 5억 달러면 미국 국민 전체를 백만장자로 만들 수 있었을 것이라는 주장이었다.

"누군가 최근에 트윗을 했는데, 블룸버그가 선거에 쓴 돈이면 모든 미국인에게 백만 달러씩 줄 수 있었을 거라는 겁니다." 게이는 윌리엄스의 프로그램 〈11시〉에서 미소를 띠며 말했다.

"저도 보았습니다. 스크린에 한 번 띄워볼게요." 윌리엄스가 신나서 말했다.

트윗을 올린 사람은 언론학과 영문학을 전공한 언론인으로서, 〈글래머〉 잡지와 워싱턴 포스트에 기고하고 있다고 밝힌 메키타 리바스라는 사람이었다. 윌리엄스는 방송에서 자신의 해설을 곁들여 트윗 내용을 읽었다. "블룸버그는 광고에 5억 달러를 썼다. 미국 인구는 3억2천7백만 명이다. 그는 그 돈으로 모든 미국 국민에게 백만 달러씩을 주고도 돈이 남았을 것이다." 리바스의 트윗은 이렇게 이어진다. "백만 달러는 대부분 사람들의 삶을 바꿀 수 있을 것 같다. 하지만 그는 그 돈을 광고에 모두 허비해버렸고, 결국 선거에서도 졌다."

윌리엄스는 이렇게 말을 맺었다. "정말 놀라운 지적입니다!"

게이 역시 이렇게 거들었다. "정말 놀라운 지적이네요. 사실입니다. 충격적이네요. 우리가 지금 이야기하는 게 바로 그거예요. 정치판에 돈이 너무 난무한다는 것이지요."

윌리엄스와 게이의 대화에는 큰 문제가 있었다. 그들이 인용한 트윗에 담긴 커다란 계산 착오를 간과했다는 점이다. 사실 블룸버그가 사용한 5억 달러는 3억 2천7백만 명이 아니라 '5백 명'을 백만장자로 만들 수 있는 금액이었다. 숫자 '0'이 여섯 개나 차이가 난다.

윌리엄스와 게이가 놓쳐버린 부분을 시청자들은 놓치지 않았다. 그 실수는 널리 놀림감이 되었고 그들은 나중에 사과를 했다.

'계산기를 사야겠어요.' 게이는 웃음거리가 된 후, 이렇게 트윗을 했다.

'내 것도 사주세요.' 윌리엄스가 대답했다.

이 사건을 단순한 실수로 치부해버릴 수도 있다. 하지만 나는 이 사건이 오늘날 미디어의 현실과 뉴스에 대한 대중의 불신에 대해 많은 시사점을 던져준다고 생각한다. 여러 가지 이슈가 담겨 있다.

첫째, 소위 '언론인'이 처음에 트윗을 통해 잘못된 주장을 했다. 둘째, 다른 언론인들은 간단한 사실 확인도 하지 않은 채 그 트윗 내용을 그대로 받아들였다. 셋째, 잠깐이면 충분한 사실 확인도 하지 않은 채,

그 정보를 전국 뉴스 프로그램에서 방송했다. 넷째, 그 과정에서 많은 사람들이 관여했는데도 아무도 그 실수를 잡아내지 못했다. 윌리엄스와 게이의 대화를 연출한 MSNBC 스태프부터 트윗 내용을 영상으로 만든 그래픽팀까지 그 누구도 그 정보가 사실이 아님을 밝혀줄 간단한 계산도 하지 않았다.

가장 큰 문제점은 이들이 바로 대중의 신뢰를 얻어야 하는 언론인이란 사실이다. 그들은 매일 뉴스를 통해 정확한 정보를 제공한다는 신뢰를 주어야 한다. 그들이 제공하는 정보가 최소한의 확인과 검증은 거친 것이라는 믿음을 줄 수 있어야 한다. 이들은 과학적 이슈나 논쟁의 진실 또는 사실확인에 대해서 언론시장을 통제해온 기자들이다. 그런 사람들이 자신들이 지지하는 편파적인 내러티브에 도움이 된다고 해서 잘못된 정보를 맹목적으로 수용하고 전파한 것이다.

뉴스 미디어 종사자들은 스스로가 신뢰성을 갉아먹는 짓을 하고 있으면서도, 그것을 깨닫지 못하고 있다는 증거가 점점 더 많아지고 있다. 내가 최근에 참석했던 워싱턴 DC에서 개최되었던 네 번의 언론인 모임을 통해 이를 더 살펴보자.

먼저 살펴볼 것은 2019년 3월 13일에 있었던 행사이다. 이 행사는 라디오 텔레비전 디지털 뉴스 재단(RTDNF)의 만찬이었다. 그 모임이 있기 열흘 전쯤, 유명한 그리다이언 클럽 만찬에 참석했었는데, 그때 민주당 대선 후보 에이미 클로버샤가 특별 연사였다. 그리다이언 클럽은 100명이 되지 않는 회원제 언론인 모임이다(나는 회원이 아니며, 초대받은 게스트로 참석했다).

나는 RTDNF 만찬에서 다시 클로버샤를 보고 깜짝 놀랐다. 권위있는 언론인 만찬에서 연이어 특별 연사로 나섰기 때문이다. 언론인들은 그녀에게 수정헌법 제1조 수호인 상을 수여했다. 나는 많은 민주당 대선 후보 중에서 어떻게 그녀가 모두가 바라는 DC 언론인 모임의 특별 연사로 연이어 나설 수 있었는지 의아했다. 이런 일은 우연히 생길 수 없다. 누군가 영향력 있는 인사가 그녀를 지지하는 것이 분명했다. 우리 언론계에도 이른바 '기득권층'이 있는 셈이다.

한편, 언론계 일부 인사가 클로버샤를 지지하는 가운데, 민주당 내 일부 세력은 그녀를 공격했다. 최근 그녀에 대한 큰 이슈가 있었는데, 내부 직원으로 추정되는 사람 또는 직원과 관련 있는 누군가의 제보에 의한 것이었다. 그녀에 대한 뉴스 내러티브의 요점은 그녀가 국회의원 중 가장 보좌진을 못살게 구는 의원이라는 것이었다. 한 번은 그녀의 직원이 점심 도시락의 포크를 챙기는 것을 깜빡한 적이 있었는데, 사악한 그녀는 포크 대신 머리 빗으로 샐러드를 먹었다. 그리고 뉴스 기사에 따르면 클로버샤는 뻔뻔하게도 그 직원에게 머리 빗을 씻어오라고 시켰다는 것이다. 이 뉴스는 일부 언론인 사이에서 마치 워터게이트 사건에 비견할 만한 탐사 보도처럼 취급되었다.

'코움게이트(Combgate)!'

클로버샤의 연설은 훌륭했다. 연설이 끝난 후 그녀는 청중을 바라보고 큰 미소를 지었다. 그리고는 자신의 빗 사건을 희화하기 시작했다. 그녀가 스스로를 비난하는 모습을 보면서 접시의 구운 감자를 만지작거리던 나는, 우리가 빗 사건과 같은 익명의 가십거리가 1면 톱뉴스처럼 취급받는 멋진 미디어 신세계에 살고 있다는 생각이 들었다. 클로버샤는 다른 중요한 이슈를 제쳐 두고 그런 얘기나 하고 있었던 것이다.

나는 만찬장을 둘러보았는데, 몇몇 낯익은 얼굴이 보였다. 엄청난 명성을 쌓은 언론인들도 있었다. 나는 에미상 심사위원으로 참여하면서, 매년 ABC와 CNN에서 PBS, 〈VICE〉 및 〈HBO〉에 이르기까지 전국적 언론사에서 해온 많은 훌륭한 보도를 지켜봐 왔다. 하지만 작금의 현실은 다르다. 다양한 주제에 대해 이루어지던 특종 탐사 보도의 경쟁은 더는 예전처럼 치열하지 않다. 시청자들이 고품격의 보도를 찾는 것은 십여 년 전에 비해 훨씬 드문 일이 되었다. 오늘날에는 트럼프 대통령에 대한 부정적인 보도들이 아니면 1면에 실리기가 힘들며, 전국적 뉴스에 나오거나 소셜 미디어의 주목을 받는 것도 매우 어렵다.

트럼프 대통령의 첫 임기가 끝나는 시점이 점점 가까워지는 요즈음, 우리 언론인이 2016년 대선 때 저지른 과오에 대한 자기 성찰에 실패한 것이 아닌가 하는 생각을 지우기 힘들다. 우리는 우리가 잘못한 것에 대해 인정을 해야 한다. 견해와 사실을 뒤섞기 시작하면서 궤도에서 이탈하게 만든 그간의 관행을 다시 생각해보아야 한다. 심지어 언론학 전공 대학생들도 저지르지 않을 과오를 일상적으로 저지르는 행태를 반성해야 한다.

RTDNF는 수정헌법 제1조의 전사들을 수상하기 시작했다. 순서대로 수여자와 수상자가 환호와 갈채 속에 자리에서 일어섰다. 팔이 빠지도록 수상자의 등을 두드려준다. 자신들이 사견이 아닌 사실만을 보도한 것에 대해 자화자찬한다. '우리는 어떠한 일이 있더라도 끝까지 취재를 포기하지 않는다'라고 떠든다. 물론 그 말이 사실인 사람도 더러 있다. 하지만 모두가 그런 것은 결코 아니다. 문제는 심각하다.

이 행사가 있기 1년 전 2018년 백악관 출입기자단 연례 만찬에서

'코미디언' 미셸 울프가 여흥을 위한 게스트로 초대되었다. 울프는 트럼프 대통령과 그의 측근 및 가족에 대한 신랄한 독설로 3천여 명 청중들의 눈살을 찌푸리게 만들었다. 심지어 대통령의 측근 일부는 그 자리에 참석 중이었다. 그녀는 백악관 대변인 새라 샌더스를 보고는 '헉' 하는 신음에 가까운 소리를 내기도 했다. 샌더스는 귀빈 테이블에 앉아 있었는데, 마음만 먹으면 포크로 감자 요리를 울프에게 날려버릴 수 있을 만큼 가까운 거리였다.

울프가 빈정거리기 시작했다. "새라가 단상에 오를 때마다 흥분을 감출 수 없습니다. 또 무슨 일이 있을지 정말 기대가 되거든요. 언론 브리핑, 거짓말 잔치 …… 사실 나는 새라를 정말 좋아합니다. 그녀는 진실을 불태워서 그 재로 스모키 눈화장을 하거든요. 타고난 것처럼 거짓말을 잘하지요. 다른 백인 여성들을 실망시키는 그런 백인 여성?"

만찬이 끝난 후, 전임 백악관 대변인 션 스파이서는 울프의 공연이 '완전히 역겨운' 것이었다고 논평했다. 하지만 일부 인사들은 울프가 대통령과 그 측근들에 대한 독설의 수위를 낮추지 않은 것을 비호하거나 두둔했다.

RTDNF 만찬 주최 측은 1년 전의 그와 같은 논란거리를 반복하지 않기 위해 조심하고 있다. 2019년의 행사에는 코미디 공연이 없다. 하지만 대부분의 연설자들이 동일한 정치적 기능을 수행하고 있다. 트럼프 대통령에 대한 공공연한 공격을 일삼는다. 그들은 트럼프가 우리에게 '공공의 적' 그리고 '가짜 뉴스'라는 꼬리표를 붙였다고 비난한다. 트럼프가 모든 언론인이 아니라 부정직한 일부 언론에 대해서만 그렇게 부른다고 재차 강조한 사실은 아무도 관심이 없다. 솔직히 말해서, 우리

중에 부정직하다고 판명이 난 언론인이 정말 없다고 할 수 있을까?

연설자는 뉴스 언론에 대한 대중의 불신이 트럼프 대통령 탓이라고 비난한다. 하지만 기차는 트럼프가 대통령이 되기 훨씬 전에 떠났다. 트럼프가 언론의 불신을 조장한 것이 아니다. 우리 스스로가 자초한 일이다. 1999년 갤럽의 조사에서 대중매체에 대한 신뢰는 55%였다. 2014년에는 그 수치가 40%로 떨어졌는데, 이는 트럼프가 2016년 대선에서 뉴스 미디어에 대해 독설을 날리기 한참 전의 일이다. 그는 이미 달리고 있던 열차에 뛰어올라, 차장의 자리로 올라선 것뿐이다.

아마도 끝에서 두 번째 연사의 연설 끝부분이었던 것으로 생각된다. 그의 낯빛이 어두워졌다. 아마도 거울을 보면서 예행 연습을 했던 것 같다. 이 청중들에게 잘 먹히리라는 것을 알고 있었다.

"나는 가짜 뉴스가 아닙니다." 그는 조심스럽게 중저음의 목소리로 외쳤다. "나는 국민의 적이 아닙니다." 그는 계속해서 트럼프 대통령은 언론의 자유와 민주주의, 우리 공화국과 자유세계의 위험이라고 비난했다. "우리는 진실을 보도합니다." 그는 얼굴을 찌푸리고 숨을 거칠게 내쉬며 주장했다. "우리는 사실을 말합니다. 진실을 말합니다!"

그의 주장을 들으며 나도 모르게 마음속에서 우리가 저지른 일련의 끔찍한 실수들이 떠올랐다. 업계의 이른바 최고 기자들이 저지른 실수들이다. 우리는 늘 진실만을 말하진 않았다. 우리가 항상 사실을 밝혀낸 것도 아니었다. 사실만을 제시하지 않은 때가 많았다. 하지만 청중은 분기탱천해서 흥분한 연사에 넋을 빼고 몰입했다. 그는 과장된 동작과 큰 목소리로 연설을 끝냈고, 청중은 모두 기립해서 환호를 보냈다.

그렇다. 이 만찬은 뉴스 매체가 스스로를 축하하는 행사이다. 하지만 우리 스스로 일말의 반성도 하지 못하는 모습은 견디기 힘들었다.

그렇다면 만찬에서 어떤 고백이 있었어야 했을까? 대략 이런 내용이었어야 하지 않을까? '우리가 우리의 일을 제대로 해낸 것에 대해서 축하하고 격려해야 할 것입니다. 하지만 우리가 그렇게 하지 못한 때도 많았음을 기억해야 합니다. 보편적 기자 윤리와 관행을 저버린 적도 있었습니다. 사견과 진실을 혼합시키기도 했습니다. 우리는 스스로 취재원과 주제에 대해 자기 검열을 실시했습니다. 사실만을 보도하는 대신에 여론 형성을 도모했습니다. 우리에게 이러한 문제점이 있다는 사실을 인정할 때에야 비로소 진중한 언론인들에 의해 문제 해결이 시작될 수 있을 것입니다.'

초콜릿 디저트를 먹으면서, 마음속으로 이런 생각을 하는 사람이 이 만찬장에서 나뿐일까 하는 생각이 들었다.

그로부터 7개월 후, 2019년 10월 24일에 라디오와 텔레비전 기자 협회가 후원하는 또 다른 만찬이 워싱턴 DC에 위치한 유명한 공연장이자 강당인 앤섬(The Anthem)에서 개최되었다. 언론인이자 작가인 존 미첨이 기조연설을 했다. 이는 또 다른 불편하고도 강렬한 장면이 되었다.

오해는 하지 말기 바란다. 미첨은 훌륭한 연설가였다. 그의 연설 전반부는 청중이 진정으로 즐겼다고 생각한다. 미국 대통령의 역사와 유머가 적절히 섞인 내용이었다. 하지만 그의 연설 후반부에서 분위기가 완전히 바뀌었다. 그는 자신이 규정하는 '무법 대통령' 범주에 트럼프 대통령을 포함했다. 그리고 트럼프의 탄핵을 지지했다. 더 나아가 행동을 촉구했다. 언론인 청중들에게 우리가 지금 궐기하여 트럼프와 그가 초래한 재난에서 우리 공화국을 구해내지 않는다면 심판을 받게 될 것이라고 말했다. "트럼프를 막는 것, 그것은 우리에게 달렸습니다." 그는 장내에 가득 찬 기자들에게 연설을 했다.

미첨은 자신의 반트럼프 견해를 피력할 권리가 있다. 다른 상황에서라면 그의 연설을 편안하게 들을 수 있었을지도 모른다. 하지만 이미 언론인들이 정치적 편향성 때문에 대중의 비난과 질타를 받고 있는 상황에서 일단의 언론인들에게 그러한 선동적이고 편파적인 정치적 견해를 호소하는 짓은 해서는 안되는 것이다.

이러한 연설 내용에 대해서 불편함을 느끼는 사람은 나뿐만이 아닌 것 같았다. 그의 연설이 계속되면서 서로 흘깃 쳐다보거나 옆 테이블의 사람과 고개를 기울이고 귓속말을 나누는 사람들이 보였다. 미첨의 연설이 끝나고 나는 화장실을 찾았는데, 처음 보는 젊은 여기자 두 명이 서로 실망감을 나누는 모습을 보았다. 그들은 나를 흘깃 쳐다보았다. 그중 한 명이 머리를 가로저으며 말했다. "부적절했어요." 우리는 잠시 이야기를 나누었고 의견이 일치했다. 최고의 언론인 만찬에서 미첨의 연설이 적절했다고 생각하는 사람들이 정치적으로 반대편에 있는 인사를 연사로 초대하는 일은 결코 없을 것이다. 트럼프 대통령을 증오하지 않는 그런 연사를 초대한다는 발상만으로도 만찬을 보이콧하겠다는 언론인들의 위협을 받게 될 것이기 때문이다.

이러한 사례는 특정 편향성이 얼마나 뉴스 미디어계에 만연해 있는지를 잘 보여준다. 특정 편향성이 마치 당연한 것처럼 보일 정도다. 뉴스 보도에 있어서 중심점은 심각하게 왼쪽으로 이동했다. 그래서 중도적 입장이 보수주의로 간주될 지경이다. 진보적이거나 또는 반트럼프적 견해는 바르고 진실을 말하는 저널리즘으로 여겨진다. 반면에 공정함에 대해 의문을 제기하거나 대안적 견해를 고려하는 사람은 편향적인 사람으로 간주된다. 심지어는 '보수주의자'라는 낙인이 찍히기도 한다. (전혀 그렇지 않음에도 불구하고!)

이러한 증상은 우리가 접근해야 할 정보와 사실들의 세계를 무너뜨리려고 부단히 노력하는 자들의 도움으로 점점 더 심해진다. 보수주의자들의 목소리는 제거되고, 진보진영의 견해만 허용된다. 중간 점에 가까운 중도파는 적어도 상대적 관점에서 보수주의자로 간주된다. 많은 '전통적' 자유주의자들이 이러한 현상에 대해 지적했다. 그들은 다양한 견해를 지지하고, 대중의 생각을 통제하기 위해 정보를 검열하는 것을 적극 반대하던 언론이 어쩌다가 이 지경이 되었는지를 개탄했다.

또 다른 워싱턴 DC의 언론인 관련 만찬 행사의 출연진을 섭외했던 한 지인이 떠오른다. 이런 행사에 초대받는 특별 연사, 여흥 담당 연예인, 귀빈들은 대개 진보진영 인사들이다. 그런데 지인이 섭외를 담당했던 그때의 경우, CBS 인기 프로그램 '노던 익스포저(Northern Exposure)'에 출연했던 배우 제니스 터너를 MC로 섭외했다. 그 지인은 그녀의 팬이었고, 그녀의 출연 결정을 몹시 기뻐했다. 그런데 갑자기 일이 틀어졌다. 누군가 터너가 독실한 기독교인이며 중도우파적 성향의 인물이라는 사실을 알게 된 것이다. 곧 행사 주최 측은 갑작스럽고 이상한 결정을 내렸다. 더 이상 만찬의 진행자와 MC가 필요 없다고 결정해 버린 것이다. 따라서 터너의 출연도 필요 없게 되었다. 그녀의 출연은 취소되었다.

우리가 스스로 우리의 편향성을 인정하지 못하면 우리의 보도에 그러한 성향이 반영되는 것은 그리 놀라운 일이 아니다.

마지막으로 언급할 언론인 만찬은 2020년 3월 5일에 있었던 RTDNF 연례 만찬이다. 미셸 울프의 재앙이 있은 지 2년이 흘렀고, 참여 인원수는 많이 축소되었다. 에이미 클로버샤의 뒤를 이어 또 다른 진보 민주당원인 상원의원 리처드 블루먼솔이 수정헌법 제1조 수호자 상을 수상했다. 블루먼솔은 수정헌법 제1조가 그 어느 때보다 도전에 직면했다고 간략히 수상 소감을 전했다. 나도 그에 동의하지만, 이유는 다르다. 블루먼솔은 언론과 기자들에 대한 '정부 관료'의 위협 때문에 자신이 국회에 기자 보호법을 발의해야 하는 상황을 개탄했다.

소감을 듣는 중에 같은 테이블에 앉아 있던, 행사에 처음 참가한 한 사람이 귓속말로 내게 물었다. 주최 측이 정치적으로 반대 성향의 인사에게 이런 상을 수여한 적이 있었는지를 궁금해했다. 그녀는 이러한 편파적 행태에 적잖이 놀란 눈치였다. 아마도 언론인 출신이 아닌 듯했다. 나는 이 행사의 연혁을 살펴보지 않아도 그 질문의 대답을 알고 있다. 이런 행사는 보수주의자 또는 자유주의적 공화당 인사가 어쩌다 한 번 나오는 경우를 제외하면 대개가 진보진영 인사들이 주를 이룬다. 연감을 훑어보니 역시나 내 생각이 옳았다. 지난 3년간 RTDNF가 주관한 수정헌법 제1조 수호자 상의 수상자는 모두 민주당 인사였다. 아마도 주최 측은 초당파적 모양새를 갖추는 것이 아무런 의미가 없다고 생각하는지도 모른다. 어쩌면 그런 생각 자체가 아예 없었을 수도 있다. 아니면 공화당 인사 중에는 수정헌법 제1조를 수호하는 인물이 없다고 믿는 것인지도 모른다. 만찬의 편파적 행태에 대한 그녀의 질문을 듣고 옛 시절이 생각났다. 나 역시 전국적 언론사들이 공공연히 당파주의를 표방하는 것을 보고 놀란 적이 있었다. 아주 오래전부터 만연해 있었고 이제는 그런 시류에 어느덧 익숙해져 버렸다. 공공연한 당파주의는 더는 논란거리나 반성의 대상이 아니다.

만찬이 끝나가면서, 한 전임 언론사 사장이 마지막 연설을 했다. 그는 이렇게 말하며 그날의 테마를 이어갔다. "우리는 우리 지도자에게서 자긍심을 얻을 수가 없습니다." 그는 미국 본토 출생자가 아니라 이민자나 귀화자에게서 자긍심을 찾으라고 충고했다. 그는 그중에서 '좋은 사람'을 찾을 수 있다고 했다. 전임 언론사 사장의 은퇴 후 중산층으로서의 새로운 삶의 얘기를 들으면서, 어쩌면 실낱같은 언론인의 자아 성찰을 들을 수 있을 지도 모르겠다는 생각을 했다. 그는 뉴스 기자들, 프로듀서들, 언론사 사장들에게 얼마나 많은 미국 중산층들이 우리의 보도를 비판적으로 보고 있는지 모른다고 말했다. 그런데 그는 우리가 어디서부터 잘못했는지를 되돌아보자고 결론을 내리는 대신에 엉뚱한 충고를 했다. 그는 우리가 대중들의 이익을 위해 일하고 있음을 대중들에게 알리기 위해 더 노력해야 한다고 주장했다. "그들은 이해를 못합니다." 그가 말했다. 그는 대중이 우리에 대해 잘못 생각하고 있는 부분을 고치기 위해 매일 캠페인을 벌여야 한다고 충고했다.

## 충돌로 가는 길

이제 많은 언론인들이 어떤 환경하에서 일을 하는지 좀 더 잘 알게 되었을 것이다. 우리의 보도가 특별 이익집단의 영향력에 취약한 배경이기도 하다. 또한 편파적인 견해가 매우 올바른 견해처럼 보이는 이유이기도 하다.

특정 내러티브와의 적합성을 기준으로 한 뉴스의 조작이 얼마나 만연해 있는지는 아무리 강조해도 지나치지 않다. 언론인이 뉴스 보도에 선동꾼의 언어를 수용하는 것은 스스로의 신뢰성을 크게 훼손하는 일이다.

선동꾼들은 자신들만의 용어를 고안해서 사용함으로써 여론에 영향을 미치려고 한다. 하지만 우리 언론인들은 그러한 격앙되고 저속한 용어들을 뉴스 보도에 사용하는 것을 자제해야 한다. 달리 말해서, 평론가들과 공작원들은 스스로 만들어낸 용어들을 일반 생활어에 편입시키기 위해 사력을 다한다. 하지만 뉴스 기자들이 그런 행태를 도와주어서는 안된다. 우리는 철저히 사실적인 서술을 고수해야 하고, 선동적인 용어를 사용할 경우에는 최소한 그 출처를 밝혀야 하며, 우리 스스로 그 용어들을 채택하지 않으려는 노력을 해야 한다. 이것이 기자로서 바람직한 행동이고, 그렇게 함으로써 더욱 정확한 보도를 할 수 있기 때문이기도 하다. 요즘에는 중립적인 기자의 눈으로 보았을 때, 기자들이 사실관계가 정확하지 않은 용어를 쓰는 경우가 많다. 성공적으로 뉴스 보도에 정착한 선동적 용어 일곱 가지를 소개한다.

1. 호모포빅(homophobic), 이슬람포빅(Islamophobic), 트랜스포빅(transphobic) 등으로 사용되는 '포빅(phobic)'. 포빅은 원래 '극심한 공포 또는 혐오를 갖는 것'으로 정의된다. 그런데 오늘날 일부 기자들은 이 용어를 특정 정책에 대해 다른 견해를 갖는 사람들 또는 특정 행동을 좋아하지 않는 사람들을 지칭하는 용어로 사용

한다. 이 사람들은 자신과 다른 견해를 가진 사람들을 전혀 '두려워하거나 무서워하지' 않는데도 말이다. 그들의 견해를 편협하다거나 혐오스럽다고 할 수는 있을지언정, 신뢰도와 밀접한 관련이 있는 정확성의 관점에서 볼 때, 이들을 포빅으로 묘사하는 것은 옳지 않다.

2. '틀렸음이 밝혀졌다(debunked)'. 이 용어는 몇 년 전까지만 해도 뉴스 보도에 거의 등장하지 않았다. 선동꾼들이 자신들이 동의하지 않는 이론이나 기사, 과학 등의 신빙성을 떨어트리기 위해 이 용어를 사용하기 시작했다. 사실, 특별 이익집단들이 이 용어를 사용하는 경우는, 실제 상황은 그 반대인 경우가 많다. 즉 그들이 타깃으로 삼은 아이디어가 전혀 틀렸다고 밝혀지지 않은 것이다. 오히려 그 아이디어가 적당한 쟁점이거나 또는 이미 사실로 밝혀진 경우도 있다. 따라서 뉴스 기자들이 이러한 용어 사용에 편승해서는 안된다. 예를 들면, 2020년 2월 17일, 워싱턴 포스트의 폴리나 피로시는 바이러스가 우한 연구소에서 유출됐다는 주장이 '틀렸음이 밝혀졌다'라고 잘못 선언했다. 그것은 틀렸다고 밝혀지지 않았다. 사실, 2020년 4월 14일 자 워싱턴 포스트 기사는 우한과의 연계성이 없음이 밝혀졌다고 했던 자사의 이전 주장을 부정했다. 즉 그러한 주장이 여전히 다양한 각도에서 고려되고 있다고 인정한 것이다. 워싱턴 포스트의 죠시 로긴은 이렇게 보도했다. '많은 국가 보안 관료들이 WIV(중국과학원 우한 바이러스 연구 센터)에서 신종 코로나바이러스의 출현이 시작된 것이 아닌가 의심해왔다.'

3. '가짜 뉴스(fake news)'. 현대적 개념으로서 이 용어가 유명해진 것은 2016년 이익집단과 뉴스 기자들이 특정 아이디어나 정보로부터 대중의 관심을 차단하기 위해 사용하면서부터다. 그런데 트럼프와 그 지지자들이 이 용어를 사용하자, 뉴스 기자들은 이 용어를 '폐기'할 때가 되었다고 선언했다. 대신 동일한 선동 목적을 달성하기 위해 '팩트체크'란 용어를 사용하여 특정 정보에 '거짓'이란 딱지를 붙이기 시작했다.
4. '반 이민(anti-immigrant)'. 불법 이민 옹호자들은 '불법적 이민(illegal immigrant)'이란 용어를 성공적으로 '이주(migrant)' 또는 '이민(immigrant)'이란 단어로 대체했다. 또한 '반 불법 이민(anti-illegal immigrant)'을 '반 이민(anti-immigrant)'으로 대체함으로써 마치 그 두 용어가 같은 뜻인 것처럼 호도했다. 실상은, 그 둘은 전혀 다른 의미를 가지고 있다. 예를 들면 〈타임〉의 쥴리사 아르세는 트럼프가 2019년 5월의 유세 때 마치 '이주자'에 대해 이야기한 것처럼 그의 말을 잘못 인용하면서, '어떻게 이들을 막을 수 있습니까? 그렇게 할 수 없습니다'라고 말했다. 하지만 트럼프는 합법적 이주자 또는 일반적 이주자가 아니라, 멕시코에서 미국으로 불법적으로 국경을 넘으려고 하는 이민자들을 특정해서 이야기한 것이었다. 뉴스 기자들은 합법적 이민은 찬성하지만 불법 이민은 반대하는 사람들에게 '반 이민'이란 딱지를 붙이는 우를 범해서는 안된다.
5. '반 과학(anti-science)'. 다양한 분야의 특별 이익집단을 위해 일하는 선동꾼들은 자신들의 주장, 이론, 조사 결과물에 이의를 제기하는 사람들에게 이러한 용어를 사용한다. 하지만 이들은 대개

용어가 의미하는 대로 '과학을 반대하는' 사람들이 아니므로 잘못된 명칭이다. 그들은 특정한 과학적 결과에 동의하지 않거나, 그 결과를 다르게 해석하는 것뿐이다. 예를 들면 2020년 5월 24일, 뉴욕타임스의 큰푸 셰이크는 마스크 착용의 코로나바이러스 예방에 대한 논쟁이 '종결'되었다고 선언했다(효과가 있다고 주장했다). 이는 그녀가 마스크 착용이 효과적이지 않다는 공중 보건 당국의 말을 인용한 기사를 쓴 지 불과 석 달이 안 되었을 때의 일이다. 한편, 세계보건기구를 포함한 여러 당국자들은 마스크 착용에 관한 논란은 아직 결론이 나지 않았다고 말했다. '반 백신(anti-vaccine)'이란 용어 역시 마찬가지 형편이다. 많은 경우에 기자들은 백신 안전 문제를 조사하는 과학자들을 폄하하거나 논란을 일으키기 위해 이 용어를 잘못 사용한다. '해결된 과학(settled science)'이란 용어 역시 마찬가지다. 과학은 좀처럼 논란이 종결되는 경우가 드물며, 제대로 된 과학자들은 이러한 표현을 거의 쓰지 않는다. 즉 선동꾼들의 용어인 것이다.

6. '부정자(denier)'. 일부 기자들은 '기후 부정자' 또는 '과학 부정자' 같은 경멸적인 용어를 사용한다. 과학이나 기후 자체를 부정하지는 않지만 과학적 이론, 증거 또는 결론에 대해서 이견을 보이는 사람들에게 이러한 용어를 사용하는 것이다. 예를 들면 2019년 10월, 국제적으로 5백 명의 과학자들이 UN 앞으로 서한을 보냈다. 그들은 '기후 비상사태'란 존재하지 않는다고 말하면서 '건전한 과학에 기초한 기후 정책'을 촉구했고, 더 많은 목소리에 귀를 기울여 달라고 호소했다. 웹사이트 쿼츠는 이를 '기후 변화 부정'

으로 규정했다. 하지만 적어도 나는 기후가 변한다는 사실을 부정하지 않으며, 내 주위에서 그런 사람은 아직 보지 못했다.

7. '반 총기류(anti-gun)'. 총기류 사용을 제한하는 모든 정책이 '반 총기류'로 정의되어서는 안된다. 사실, 총기류 규제 지지자 중에는 총기류를 소지할 권리 역시 지지하는 사람들도 많다. 다만 '총기류 소지 권리의 보장 범위'에 대해서 다른 의견을 가지고 있을 뿐이다.

여기에서 한가지 교훈을 얻을 수 있다. 기자들이 선동적인 단어나 위의 용어를 사용할 경우, 그들이 제공하는 정보를 다시 한번 살펴보고, 이런 질문을 던져보는 것이 필요하다. '과연 누가 이런 내러티브를 밀고 있는 것일까?'

이제 여러분은 언론계 내부에 만연한 문제점에 대한 기초적인 정보를 얻었을 것이다. 이를 통해 일부 언론인들의 사고방식을 엿볼 수 있다. 이들은 이데올로기와 이해관계에 너무나 많은 영향을 받은 나머지 자신들의 보도가 논리적으로 말이 되지 않는다는 사실조차 인식하지 못한다. 사실과 이성보다 선동에 휘둘린 나머지 자기모순에 빠지고 만다.

그러면 내러티브들이 서로 충돌할 때 어떤 일이 발생할까? 혼돈과 불확실성이 판치게 된다.

힘 있는 성범죄자들의 만행을 덮으려는 강력한 이익집단과 미투 내러티브가 서로 충돌했을 때가 바로 그런 경우이다.

이 사례는 부패, 부정직, 예산 낭비 및 사기 등을 파헤치는 보수 성향의 비영리단체 '프로젝트 베리타스'의 도움으로 세상에 알려지게 되었다. 제임스 오키프가 설립한 이 단체는 정치적 성향에 따라서 찬사와 비판을 동시에 받고 있는데, 이들의 잠입 취재 비디오는 미디어의 좌파적 편향성과 추문들을 폭로하는데 큰 영향을 주었다. 가족계획연맹(Planned Parenthood)의 고위직이 유산시킨 태아의 판매를 논의했다는 추문을 폭로했던 것이 대표적인 사례이다.

2019년 11월 5일, 프로젝트 베리타스는 ABC 뉴스 기자 에이미 로박의 놀라운 비디오테이프를 공개했다. 이 비디오에서 로박은 성범죄자 제프리 엡스타인이 저지른 범죄를 은폐하려는 모종의 시도에 방송사가 연루되었다고 주장했다. 엡스타인은 성매매 혐의로 뉴욕 감옥에서 복역 중, 새로운 혐의에 대한 재판을 기다리다가, 그 해 초 감옥 안에서 때 이른 죽음을 맞이했다. 그의 죽음은 공식적으로 자살로 발표되었는데, 그는 생전에 세계적인 유명 인사들의 비밀을 쥐고 있다고 알려졌었다. 여론조사에 따르면 대다수 미국인은 엡스타인이 살해된 것으로 믿고 있다.

어찌 됐든 프로젝트 베리타스에 유출된 비디오에서 로박이 화면 밖의 누군가와 대화를 나누는 장면이 등장한다. 그녀는 2015년에 엡스타인과 함께 일했던 버지니아 로버츠 쥬프레와 독점 인터뷰를 녹화했는데 ABC가 이의 방영을 막았다고 불평했다.

이 스캔들은 내가 CBS에서 일하던 때를 떠올리게 한다. 당시 일부 경영진은 공공의 이익 및 좋은 저널리즘에 반하는 결정들을 내리곤 했다. 이러한 현상은 점점 더 심화되었고, 이는 결국 내가 2014년, 계약 만료 전에 방송사를 떠나게 된 배경이 되었다.

때때로 뉴스 경영진은 자신의 이데올로기 및 세계관의 영향으로 충돌을 빚었다. 어떤 경우에는 강력한 기업 또는 정치적 인물이 CBS의 고위직을 통해 특정 내러티브는 밀고 그에 반하는 정보는 차단하도록 압력을 행사하기도 했다. 어떤 경영진은 특정 인물이나 주제에 대한 나의 신랄한 뉴스 보도가 방영될 경우, 앞으로 유명 연예인이나 정치 인사의 인터뷰를 성사시키기가 어려워질지 모른다고 걱정하기도 했다. 한 CBS 뉴스 이사는 오바마 행정부 고위 관료가 만약〈CBS 모닝 뉴스〉가 나의 탐사 보도를 방영할 경우, CBS를 다음 번 핸드아웃(handout) 인터뷰에서 제외하겠다고 위협한 사실을 내게 털어놓기도 했다. 핸드아웃 인터뷰란 정부가 뉴스 방송사에 제공하는 인터뷰를 말한다. (방송사가 뉴스가 될 만한 사안에 대해 주도적으로 인터뷰를 하는 것으로 생각한 분들에게는 의외의 사실일 수 있겠다. 그렇지 않은 경우도 많다.)

취재 대상인 뉴스 당사자들이 핸드아웃 인터뷰를 미끼로 취재 전반에 영향력을 행사하는 것이 전혀 이해가 되지 않았다. 그들이 주선한 인터뷰와 익명의 '특종'은 대개 그들이 여론을 형성하기 위해 노출시키기 원하는 편파적이고 검증 불가능한 정보였다. 하지만 핸드아웃 인터뷰를 못하거나 또는 행정부 인사에 대한 접근이 막힐지 모른다는 우려는 우리에게 큰 부담이 된 것이 사실이다. '유명인에 대한 다음 인터뷰에서 소외되는 위험을 감수할 수는 없다!'

이것은 CBS만의 문제가 아니었다. 2014년 CBS에서 퇴사한 직후, 전국적인 언론인 콘퍼런스에 참석한 적이 있다. 그곳에서 CNN, ABC 및 NBC의 고위직 임원들과 일대일로 대화를 나누었다. 그들 모두 이전 부시 행정부와 오바마 행정부로부터 비슷한 위협을 받은 적이 있음을 털어놓았다. 그들 역시 이러한 행태를 더 이상 원치 않았다. 하지만 스스로 무기력함을 토로했다. 우리가 이러한 관행을 자초한 것이다.

강력한 이익집단의 내러티브에 반하는 기사들이 나가지 못하도록 기자들과 매체에 압력을 가하는 방법은 그 외에도 무수히 많다. 2011년, 나는 취재를 위해 워싱턴 DC 외곽의 레이건 국제 공항으로 나서는 길에 케이티 쿠릭의 비서로부터 전화를 받았다. 당시 케이티는 CBS 이브닝 뉴스의 앵커였다.

'일 년 전 코펜하겐 기후 정상회의에 대해 보도한 적이 있지요?' 케이티의 비서가 물었다.

나는 그 기사를 잘 기억했다. 그 기사는 '자금 출처를 따라가라'는 격언에 따라 취재한 기사였고, 시청자들의 반응도 뜨거웠다. 2010년 1월 10일에 방영된 이 기사의 제목은 '코펜하겐 정상회의가 기후 유람으로 변질되다'였다. 후속 기사를 방영했는데, 그 제목은 '국회가 덴마크로 갔고, 그 비용은 국민이 떠안았다'였다. 그 두 기사는 많은 민주당과 공화당 의원들이 주요한 협약의 조인이 없을 것이라는 사실을 사전에 인지했는데도 기후 정상회의에 참석하기 위해 많은 혈세를 낭비했음을 폭로했다. 누가 이 회의에 참석했고, 얼마나 많은 비용이 들었는지는 공개되어야 할 정보였지만, 취재 당시 공식적인 공개가 이루어지지 않고 있었다. 내가 공개를 요청하자, 국회 측은 이를 허락하지 않았다. 그래서 나는 국회 직원들을 개별적으로 접촉해서 얻은 자료와 정보들을 취합했다. 보도의 요지는 중요하지도 않은 사안을 다룰 것으로 예상된 지구온난화 회의에 참석하기 위해 환경주의자들이 엄청난 양의 항공기 기름을 연소해버렸다는 위선의 폭로였다. 즉, 그들의 여행

경비로 얼마나 많은 국민의 세금이 사용되었는가를 밝히는 것이 주요한 내용이었다.

다음은 보도의 일부다.

> 카메라에 상원의장 낸시 펠로시가 잡혔다. …… 다수당 대표 스테니 호이어와 국회 세무위원장 찰스 랭글도 그 자리에 있었다. 또한 18명의 의원들이 함께 했는데, 민주당의 왁스맨, 밀러, 마키, 고든, 레빈, 블루미나우어, 드겟, 인슬리, 라이언, 버터필드, 클리버, 기포드 그리고 공화당의 바튼, 업튼, 무어 카피토, 설리번, 블랙번, 센젠브레너가 그들이다. …… 국회 대표단 인원이 너무 많은 바람에 737기 두 대와 걸프스트림 파이브 한 대로 삼각편대를 이루어야 했다. 총 64명의 인원이 호화스러운 여행에 참여했다. 일반 여객기로 동행한 인원까지 합치면 관련 인원은 101명에 이른다. …… 일부는 배우자까지 동행했다. 국회의원 가브리엘 기포드는 남편이 동행했다. 국회의원 셸리 무어 역시 남편이 동행했다. 국회의원 에드 마키와 짐 센젠브레너는 아내가 동행했다. 기후 변화에 회의적인 국회의원 바튼은 심지어 딸이 동행했다. …… 시간당 9,900달러가 소요되는 제트기의 운용으로 비행 경비만 16만 8천 달러가 들었다. 상업 비행기 이용에는 일 인당 2천 달러가 사용됐다. 총 321박의 숙박료가 지급되었고 그 대부분은 코펜하겐의 오성급 호텔 메리어트에서였다. 식사 비용으로 수만 불이 추가되었다. …… 그들로 인해 발생한 환경 파괴의 원흉인 일산화탄소 배출량은 1만 개의 올림픽 수영장을 채울 만한 양이었다. 국회가 국제적인 협약을 이끌어내지는 못했지만, 특기할 만한 족적은 남긴 셈이다.

CBS 보도가 있은 지 1년 후의 일이다. 코펜하겐 기후 정상회의에 참석했던 국회의원 개비 기포드에게 비극적인 일이 발생했다. 2011년 1월 8일, 애리조나주 투산에서 정신질환자가 그녀와 다른 18명에게 총격을 가했다. 6명이 사망했고, 기포드는 중상을 입었다. 이 비극적인 사건이 내가 레이건 국제 공항에서 케이티의 비서로부터 받은 전화의 원인이 되었다.

"코펜하겐 기후 정상회의에서 왜 기포드 의원을 언급했는지에 대한 해명이 필요합니다." 케이티의 비서가 내게 말했다. '해명을 하라고?' 나는 마음속으로 그녀의 질문이 무엇을 뜻하는지, 이 전화의 의도가 무엇인지를 파악하려 했다. 나는 대략 이렇게 얘기했다. "그것은 모든 세금과 관련해서 '자금의 출처를 따라간' 보도였고, 탄소 국회(carbon Congress)는 주요한 협정의 조인도 없는 환경 정상회의에 많은 인원을 동원함으로써 세금을 낭비한 것에 관한 보도였습니다."

"그런데 왜 기사에서 기포드 의원을 언급했지요?" 그녀는 집요하게 물었다.

"그녀는 그 회의에 참석한 21명의 의원 중 한 사람이었습니다. 질문의 의도를 모르겠네요?"

비서가 설명했다. "케이티는 피격 이후 개비와 인터뷰를 하기 원합니다. 그런데 그녀의 비서진은 당신의 보도에 대해 대단히 화가 나 있습니다. 이후 있었던 선거에도 영향이 컸지요. 그들은 매우 화가 나 있습니다."

"그래서요?" 내가 물었다.

"그래서 인터뷰를 성사시키기가 매우 힘듭니다."

내가 탈 비행기의 탑승 안내 방송이 나왔다. 나는 왜 일 년 전에 이미 방송된 보도 때문에 이런 압박을 받아야 하는지 이해할 수 없었다.

내가 말했다. "만약 도움이 된다면 '그것은 셰릴이 쓴 기사였고, 케이티는 그에 대해 아무런 영향력을 행사할 수 없었다'고 말해도 좋습니다."

비서가 말했다. "그렇게 단순한 문제가 아닙니다. 그 프로그램의 앵커가 케이티였으니까요."

나는 전화를 끊고 통화 내용을 내 프로듀서와 공유했다. 왜 현장 기자가 정당한 보도를 했음에도, 인터뷰의 협상 조건에 걸림돌이 된다는 이유로 사후에 비판을 받아야 하는가? 이러한 행태는 취재에 대단히 부정적 영향을 미칠 수밖에 없다. 만약 정직한 보도 때문에 인터뷰를 못하게 된다면 그것은 어쩔 수 없는 일이다. 만약 모든 방송사들이 그러한 압력에 굴복하지 않는다면 뉴스 취재 대상들이 인터뷰 허락을 미끼로 뉴스에 영향력을 행사하지는 못할 것이다.

보충 설명을 덧붙인다. 케이티의 비서에게서 온 전화가 기포드 의원의 압력 때문은 아니었던 것 같다. 이후, 살해된 국경 경비대원 브라이언 테리를 추모하기 위한 모임에서 기포드 의원 부부를 만난 적이 있다. 기포드 부부는 내게 먼저 인사를 건넸다. 우리는 악수를 했다. 그들은 친절하고 상냥했다. 내 기사에 대해 문제를 삼은 것은 아마도 기포드 의원의 비서였던 것 같다. 기포드 의원 측은 애초에 총격 사건 이후 어떤 인터뷰도 허락할 생각이 없었던 것 같다. 그런데도 내 보도가 문제라는 식의 메시지가 케이티에게 전달된 것이 아닌가 싶다.

이 일화와 ABC가 2015년에 엡스타인 기사를 포기한 것이 무슨 공통점이 있을까? 프로젝트 베리타스에 유출된 ABC의 비디오에서 로박은 고위층이 그녀에게 만약 그녀의 취재를 방송한다면 앞으로 인터뷰

기회를 놓치게 될 지 모른다고 말했다고 한다. 좀 더 구체적으로, 영국 왕족과의 인터뷰에서 제외될 지 모른다고 걱정했다고 말했다. 왜냐하면 앤드루 왕자가 엡스타인의 몇몇 범죄와 연관이 있다는 소문이 떠돌고 있었기 때문이었다.

"왕실은 우리가 …… 앤드루 왕자의 의혹에 대해 알고 있음을 알게 되었고, 수많은 경로를 통해 위협을 가했습니다." 유출된 비디오에서 로박이 말했다. "버지니아가 모든 것을 말해주었습니다." 그녀가 엡스타인의 희생자로 알려진 버지니아 쥬프레를 가리키며 말했다. "그녀에겐 사진이 있었습니다. 모든 것을 가지고 있었어요. 12년 동안 숨어 있었는데, 우리가 나서라고 설득했지요. 우리에게 모든 것을 털어놓으라고 설득했습니다. 정말 놀라운 사실들이었어요. 빌 클린턴까지. 모든 게 다 있었습니다. 3년 동안 노력했는데 소용이 없었지요. …… 이 인터뷰를 수년 동안 가지고 있었습니다. …… 이 모든 것을 다 가지고 있었습니다. 정말 화가 납니다. 우리가 입수한 것은 정말 믿기지 않는 것들이에요. 그래서 정말 화가 납니다."

프로젝트 베리타스가 로박의 비디오를 온라인으로 공개하자, ABC는 그 기사가 이전에 부적절하게 보도 금지되었다는 사실을 부인하는 성명서를 냈다. '당시 모든 내용이 방영에 적절한 기준을 충족시키지 못했다.' 이에 대해 로박도 동의하는 듯한 진술을 했다. "충분한 보강증거를 확보하지 못했다는 이유로 버지니아 쥬프레와의 중요한 인터뷰가 방영되지 않아 몹시 화가 났습니다."

우리는 엡스타인이 저지른, 관련 증거가 많은 범죄들이 보강증거가 불충분하다는 방송사의 주장을 믿어야 할 수밖에 없다. 그런데 같은 방송사는 2018년 연방대법관 후보자인 브렛 캐버너에 대한 외설 혐의를 보도할 때는 전혀 보강증거를 필요로 하지 않았다.

'내러티브가 충돌할 때!'

이런 식의 드라마는 전국의 보도국에서 꾸준히 일어나고 있다. 단지 잘 알려지지 않을 뿐이다. 내가 2014년 CBS를 떠날 때 상황과 같은 병적인 문제이다. 워싱턴 포스트의 가십 블로거 에릭 웸플이 ABC-로박 논란에 관한 기고문에서 내 기사를 인용했다. 그는 로박이 엡스타인 기사에 대해 충분한 보강증거가 부족했다고 공언한 진술에 대해 의구심을 가졌다.

"에이미 로박의 진술을 믿어야 할 것인가?" 웸플이 말했다. "솔직하게 나온 진술인가? 아니면 ABC를 통해 미리 준비한 진술인가? 전직 CBS 뉴스 특파원 셰릴 앳키슨은 2014년 그녀의 저서 《스톤월드(Stonewalled)》에서 NBC와 ABC의 행태(엡스타인에 대해 좀 더 일찍 보도하지 않은)에 대해 강력하게 비난했다. 그녀는 이렇게 진술했다. '안전한 방송을 추구하는 매니저들에 의해 많은 취재의 주제가 취사 선택된다. 안전한 방송이란 다른 주요 언론이 그 주제에 대한 기사를 먼저 보도한 뒤에 우리가 보도를 함으로써 보도에 따른 위험 요소를 차단하는 것을 말한다.'"

ABC 스캔들의 사례를 통해 내러티브가 충돌할 때 그런 소동이 발생할 수 있음을 알 수 있다. 전국적 뉴스 매체들은 힘 있는 남자들이 여자들을 성적으로 유린한다는 내러티브에 적합한 주장은 증거가 부족해도 앞다투어 방송한다. 그들은 성적으로 학대당했다는 여성들의 주장은 덮어놓고 '믿어야 한다'는 주장에 동의한다. 반면에, ABC는 왜 엡스타인과 그의 피해자에 대한 로박의 기사를 방영하지 않았는지에 대해 궁색한 변명을 하고 있다. 방송사는 자기변호를 위해 서로 상충하는 내러티브에 호소한다. 즉 로박이 기사에 대한 충분한 증거를 확보하지 못했다는 것이다. 이 특정 기사에 한해서는 피해자를 자처하는 여성의 진술을 '무조건 믿어서는' 안된다는 것이다.

내러티브가 충돌할 때 발생하는 현상의 또 다른 사례를 위해, 윈디 시티(Windy City)로 가서 총기 사고에 대한 보도를 살펴보자.

## 시카고 총기 내러티브

만약 한 번에 13명이 피격을 당한다면 총기 난사 사건으로 볼 수 있을 것이다. 다만 시카고라면 예외일지도 모른다!

일반적으로 언론은 총기 난사 때문에 더욱 엄격한 총기 규제가 필요하다는 내러티브를 수용한다. 또한 기자들은 총기 난사에 대해 총기 규제를 반대하는 측을 비난하는 경우가 많다.

그런데 스토리라인을 복잡하게 만드는 상충하는 내러티브가 있다. 이 내러티브에 따르면 일리노이주 시카고에서 총기 사고가 발생할 경우, 미비한 총기 규제 외에도 비난을 받아야 할 요인이 따로 있어야 한다(왜냐하면 시카고는 이미 강력한 총기 규제 법안이 있기 때문이다). 이 내러티브를 성립시키기 위해 뉴스 용어도 적절하게 조정되어야 한다. 시카고의 가난하고 범죄가 만연한 흑인 거주 지역에서 총기 난사가 발생할 경우, 이는 '총기 난사'로 묘사되지 않는다. 이 경우 빈곤, 인종차별 그리고 경찰에 대한 내러티브를 성립시키기 위해 '총기 폭력'이라는 용어가 사용된다.

몇 가지 사례가 있다. 먼저 2018년 시카고의 '총기 폭력'에 관한 기사다. '우리는 이 문제를 해결하기 위해 인종차별 문제를 인정해야 한다.' 〈시카고 트리뷴〉과 〈USA 투데이〉는 총기 폭력이 경찰이 범죄를 해결하지 못하기 때문이라고 비난했다. '작년에 시카고 경찰청은 살인 사건을 17% 밖에 해결하지 못했다.' 시카고 트리뷴이 말했다. USA 투데이 역시 비슷한 어조로 비난에 동참했다. '시카고 경찰은 2018년 상반기에 살인 사건 여섯 개 중 겨우 하나를 해결하는데 그쳤다.' 시카고 트리뷴은 또한 빈곤을 비난했다. '시카고의 폭력을 부추기는 것은 …… 체계적인 빈곤 문제 해결이 난관에 처해있다.' 가장 가관이었던 것은 악시오스(Axios, 뉴스 웹사이트 -옮긴이)였는데, 총기 폭력의 원인으로 총기 규제법을 제외한 모든 요인에 대해 비난을 퍼부었다. '인종차별, 부의 불평등, 폭력집단, 경찰의 무능력 등이 총기 폭력을 부채질했다.'

이러한 내러티브의 충돌이 쏟아진다는 사실은 언론이 어떤 총기 난사는 크게 보도하고, 그와 유사한 다른 총기 난사는 축소하거나 외면한다는 것을 의미한다. 2019년 12월 22일, 시카고의 한 추도 모임에서 13명이 중상을 입었다. 이상하게도 대부분의 뉴스 매체는 이를 '총기 난사'로 보도하지 않았다. 총기 난사로 보도한 곳은 시카고 트리뷴과 〈ABC7 시카고〉 같은 지역 언론뿐이었다. 〈NPR〉, CBS 뉴스, 워싱턴 포스트, CNN 같은 전국 뉴스는 그러한 표현을 쓰지 않았다. USA 투데이의 경우에는 '대규모'라는 단어를 사용했지만, '총기 난사(mass shooting)' 대신 '대규모 폭력(mass violence)'이라는 표현을 썼다.

그 몇 달 전, 8월에는 더욱 극적인 사례가 있었다. 한 주간에 네 번의 총기 난사가 있었는데, 그중 두 건이 시카고에서 발생했다. 하지만 시카고가 아닌 지역에서 발생한 총격만 전국 뉴스 매체의 관심을 받을 수 있었다. 전말은 이러하다.

2019년 8월 4일, 시카고 지역에서 두 건의 총기 난사가 있었다. 3시간의 간격을 두고 수십 명의 부상자가 발생했다. 같은 주간에 텍사스주의 엘파소와 오하이오주 데이톤에서 총기 난사가 있었다. 둘 더하기 둘은 넷이다. 그런데 CNN은 엘파소와 데이톤의 총기 난사만 보도하고 시카고의 총기 난사는 생략했다. NBC 역시 이런 기사 제목을 뽑았다. '하루 사이에 두 개의 총기 난사가 발생하다.' 역시 시카고의 사건은 제외했다. 복스와 〈포브스〉 역시 마찬가지였다. 연말에 ABC는 2019년에 발생한 전국의 총기 난사 사건 수를 합계하면서 시카고의 두 총격 사건은 제외했다.

시카고의 지역 신문 시카고 트리뷴은 이와 달리 시카고 인근 지역에서 발생한 모든 총기 난사 사건을 다 합계했다. 시카고 트리뷴에 따르면 2019년 시카고 지역에서 발생한 총기 난사는 모두 5건으로, 12월에 2건, 8월에 2건 그리고 2월에 1건이었다. 2월의 사건은 헨리 프랫 컴퍼니 공장에서 다섯 명의 직원이 한 동료에게 피격을 당해 살해된 사건이었다. 한 해에 한 도시에서 발생한 다섯 건의 총기 난사 사건은 전국적인 주목을 받을 만한 뉴스였다. 하지만 전국 언론들에게는 2019년 시카고에서 발생한 총기 난사는 오직 한 건, 헨리 프랫 직장 총격 사건뿐이었다. 그리고 많은 언론이 이 사건에 대해 트럼프 대통령을 비난했다. 전 국회의원 개비 기포드는 다음과 같은 트윗 글을 올렸다.

우리나라의 대통령 각하가 진정한 위기 상황을 인정하지 아니하신다는 사실이 정말 나를 아프게 한다. 미국인은 피격을 당할지 모른다는 두려움 없이 출근을 할 수 있어야 한다. 이것은 중지되어야 한다.

어떤 총기 난사는 합계되고, 어떤 것은 제외되는 모순을 기자들은 어떻게 합리화하는지 살펴보았다. 여러 뉴스 매체는 '총기 난사'에 대해 다양한 정의를 내리고 있었다. 어떤 매체는 부상자는 제외하고 사망자 숫자로 정의를 했다. 또 다른 매체들은 '총기 난사'를 4명 이상이 피격으로 사망한 경우로 정의한 FBI의 정의를 차용했다. 2013년에는 사망자 수를 4명 이상에서 3명 이상으로 조정했다. 그런데도 13명이 피격당한 시카고의 총격 사건을 '총기 난사'로 묘사하지 않는 미디어의 행태에는 조소를 금하기 어렵다. 하지만 내러티브가 충돌하면 그 어떤 일도 다 가능해진다.

## 내러티브가 역효과를 낳을 때

내러티브가 편파적인 보도를 통해 대중에게 효과적으로 보급되는 사례는 무수히 많다. 하지만 많은 사람들이 현명해지고 있다. 그들은 바보 취급당하는 것을 좋아하지 않는다. 뉴스를 볼 때, 사실을 직시하고, 상식을 적용하며, 육감을 사용하고, 논리를 적용하는 생각하는 사람들이 점점 더 많아지고 있다. 이들은 내러티브가 원하는 길이 아닌, 전혀 다른 길을 선택한다. 달리 말해서, 내러티브가 역효과를 낳은 것이다.

내러티브의 실체를 파악한 사람들보다 더 내러티브에 파괴적인 것은 없다. 이들은 완전히 딴사람이 된다. 이는 마치 뿌옇게 된 안경을 벗어서 깨끗하게 닦아내는 것과 같다. 갑자기 모든 것이 분명해진다. 사람들은 이런 식으로 깨달음을 얻고 전향하게 된다. 이들은 주위 다른 사람들의 눈을 띄워주고 싶은 욕망에 목소리를 드높이기도 한다.

캔디스 오웬스도 그런 전향한 인물 중 하나이다. 그녀는 도널드 트럼프에 대한 거짓 내러티브를 깨닫고 난 후, 자신이 완전히 바뀌었다고 말했다. 그녀는 이러한 변신 후, 자신에 대한 거짓 내러티브의 희생양이 되었다.

오웬스는 흑인이다. 비록 이전에 투표를 한 적은 없었지만, 늘 자신을 민주당원으로 생각했는데, 왜냐하면 '흑인은 민주당을 지지해야만 했기 때문'이었다.

그녀는 나와의 인터뷰에서 2016년 대선 기간에 '깨어났다'고 말했다. "미디어가 도널드 트럼프를 인종차별주의자로 불렀기 때문입니다. 이 단어가 특히 저에게 역효과를 불러일으켰어요. 대선 도전을 선언하기 전에는 누구나 도널드 트럼프를 사랑했고, 모두가 마라라고(Mar-a-Lago, 트럼프 소유의 리조트 -옮긴이)를 좋아했죠. 흑인들도 마라라고의 수영장에서 음료를 마시고 수영을 즐겼답니다. 그런데 백악관에 도전 의사를 밝히자마자, 갑자기 흑인들은 그를 인종주의자로 여겨야 한다? 그런 주장을 따를 만큼 나는 어수룩하지 않았습니다."

그 간단하고 논리적인 관찰의 경험을 통해 오웬스는 미디어가 또 어떤 거짓을 말하고 있는지에 대해 조사를 하기 시작했다. 그 결과 그녀는 엄청난 충격을 받았다. 그녀는 그토록 많은 흑인들이 다른 선택의 여지 없이 민주당을 지지하는 이유는 편파적인 뉴스 보도에 의한, 우리 시대의 가장 강력한 정치적 내러티브에 세뇌되었기 때문이라고 결론지었다.

"보수주의자는 인종차별주의자이고 진보주의자는 구원자라고 믿고 있다가 이러한 각성을 하게 되면 엄청난 충격을 받게 됩니다." 그녀가 말했다.

나는 그녀에게 민주당이 흑인들에게 잘못한 점이 무엇이라고 생각하는지를 물었다.

"그들은 자신들이 하고 싶어하는 것을 제대로 다 해냈습니다. 많은 무상보조를 통해서 우리가 스스로 성공하는 대신에 민주당에 의존하기를 원했고, 이를 사회보장 제도를 통해서 이루어 냈습니다."

오웬스는 '각성'을 계기로 '블렉시트(Blexit)' 운동을 주도하게 되었다. 이는 흑인들이 민주당에서 탈출하는 것을 의미한다. 그녀는 다른 흑인들에게 낡은 소파의 먼지 쌓인 커버를 들어 올려 그 아래 무엇이 있는지를 살펴보라고 격려한다. 흑인들은 민주당에 투표해야 한다는 내러티브에 대해 다시 생각해볼 것을 권장한다. 또한 보수적인 흑인은 돈이나 명예를 추구하는 속물이라는 내러티브를 배격할 것을 촉구한다.

민주당의 조 바이든은 2020년 5월의 한 대담에서, 이러한 내러티브에 초점을 맞추었다. 흑인 라디오 진행자와의 대담에서 대선 후보인 바이든은 청중에게 이렇게 말했다. "나와 트럼프 중에서 고민하는 사람이 있다면 당신은 흑인이 아닙니다." 이는 동료 민주당원들 속에서도 큰 논란을 야기했는데, 이는 마치 흑인은 스스로 판단할 수 없다는 것처럼 들렸기 때문이다.

또 다른 오랜 민주당원이었던 브랜던 스트라카 역시 오웬스와 비슷한 '각성'의 경험에 대해 이야기했다. 나와의 인터뷰에서 스트라카는 2016년 대선에서 힐러리 클린턴에게 투표했다고 말했다. "나는 도널드 트럼프가 대통령으로 당선되었을 때 완전히 충격에 빠져, 울고 몸서리치던 사람들 중의 하나였습니다. 힐러리 클린턴을 지지했기 때문이죠." 그가 말했다.

하지만 동성애자로서 뉴스를 통해 그에게 주입된 반트럼프 메시지와 그가 실제로 눈으로 보고 경험한 현실 간에는 큰 괴리가 있었다고 말했다. "미디어는 도널드 트럼프와 그 추종자들이 편협하고, 인종차별적인 반동성애자라고 말합니다. 하지만 현실은 전혀 그렇지 않았습니다. 그래서 과연 무엇이 진실인지를 알고 싶어졌습니다. 왜 사람들이 도널드 트럼프를 지지하는지, 그 타당하고도 진실된 이유를 듣기 시작했습니다."

스트라카는 자신이 한때 지지했던 정당이 언론의 자유를 수호하고 서로 다른 집단을 포용하는 전통적인 진보적 가치를 포기했다고 믿게 되었다. 그는 이제 민주당이 증오와 분열을 대표하는 정당이 되었다고 말했다. 그는 미디어에 대한 혐오와 정당에 대한 환멸로 '해시태그 떠나기(hashtag WalkAway)' 운동을 시작하게 되었다. 이는 '민주당에서 벗어나라'를 의미한다.

왜 오웬스나 스트라카를 포함한 어떤 이들은 내러티브를 인식하고 저항하며, 왜 다른 이들은 이를 아무런 문제없이 받아들이는지는 설명하기 어렵다.

한편, 오웬스와 스트라카 역시, 내러티브의 일부라고 주장하는 사람들도 있다. 조지타운대학의 사회학과 조교수 코리 필즈는 저서 《방안의 검은 코끼리들(Black Elephants in the Room)》을 통해 흑인들이 민주당을 떠나고 있다는 주장은 보수주의자들이 미는 내러티브라고 말한다. 그는 공화당이 오웬스 같은 전향자를 수용하는 이유는 자신들의 내러티브에 적합하기 때문이라고 주장한다.

그는 나와의 인터뷰에서 이렇게 말했다. "흑인들의 목소리를 통해 흑인들을 꾸짖는 것과 같은 방식으로 일종의 메시지를 전달하는 것입니다. 마치 '흑인들이여, 인종차별에 대한 불평을 그만두고 더욱 노력을 하라'고 말하는 것과 같은 것이죠. 만약 백인이 그런 메시지를 전한다면 인종차별주의자, 문제아로 거센 비난을 받을 것입니다. 하지만 캔디스 오웬스가 그런 메시지를 전한다면 인종차별주의자라고 비난할 수 있을까요? 그럴 수 없을 겁니다. 단지 흑인이 그런 말을 했기 때문에 말이죠."

이 한 사례를 통해 내러티브가 얼마나 많은 층으로 이루어진 체계인지를 알 수 있다. 오웬스는 자신을 비난하는 자들이 그들의 내러티브를 밀기 위해 거짓 정보를 사용한다고 말했다. 그녀는 가만히 앉아서 당하지 않았다. 백인우월주의에 대한 2019년의 국회 청문회에서 스탠포드대학의 케슬린 블루는 오웬스와 함께 증인석에서 자신의 지식과 경험에 대해 증언했다. 블루는 2019년 3월 15일, 뉴질랜드 크라이스트처치에서 발생한 총격 사건을 언급했다. 테러리스트가 회교 사원들을 공격해서 51명을 살해한 사건이었다. 블루는 총기범이 자신에게 가장 큰 영향을 끼친 사람으로 오웬스를 언급했다고 말했다.

오웬스는 자신의 차례가 되자 이에 대해 반격했다. 그녀는 크라이스트처치 사건의 총기범이 그의 '선언문'에서 자신 이외에도 많은 사람들의 이름을 언급했으며, 그 선언문에 언급이 되었다고 해서 그들을 인종차별주의자로 몰아붙이는 것은 부당하다고 지적했다. 또한 오웬스는 증인으로 나선 패널들이 백인 민족주의가 미국의 큰 위협이라고 주장했지만, 자신들의 주장을 뒷받침할 만한 통계 자료는 아무것도 제시하지 못했다고 말했다.

"실제 통계 자료를 요청했을 때, 아무도 그것을 제시하지 못했다는 사실은 아주 우스운 일입니다. 왜냐하면 백인 민족주의가 실제로 미국의 문제점 또는 흑인들에 대한 위협이 아니라는 것을 의미하기 때문입니다." 오웬스가 청문회에서 말했다.

블루는 마치 오웬스가 인종차별 문제를 비웃기라도 한 듯, '우습다'라는 단어를 사용한 것에 대해 공격을 퍼부었다. 블루는 오웬스가 테러리스트의 선언문에 자신의 이름이 등장한 것을 웃어넘겼다고 주장했다.

오웬스는 이에 대해 반박했다. "당신은 내가 '우습다'라고 한 말의 진의를 정확히 알고 있습니다. 당신은 미디어가 공화당과 대통령 그리고 보수주의자들에게 하는 짓을 그대로 답습하고 있습니다. 당신은 내가 말한 것을 당신의 내러티브에 맞게 조작하려고 하고 있습니다. 그렇죠? 나는 그 총격 사건이 '우습다'라고 말하지 않았습니다. 나는 우리가 지금 이 자리에 모여 있고, 두 명의 박사와 여러 전문가들이 있지만 백인 우월주의가 얼마나 큰 위협인지를 판단할 수 있도록 도와줄 실제 통계 수치를 아무도 제시하지 못한다는 사실이 우습다고 했습니다. …… 또한 당신은 뻔뻔하게도 크라이스트처치 총격 사건의 선언문을 언급함으로써 마치 내가 미치광이 살인자에 의해 희생된 사람들을 조롱한 것처럼 호도했습니다. 이는 정말 비열한 짓입니다."

청문회에서의 공방은 〈C-SPAN〉을 통해서 중계되었고, 소셜 미디어를 통한 이 비디오의 조회 수는 내가 마지막으로 확인했을 때 4백만 회를 상회했다.

오웬스와 스트라카는 인터넷과 일부 소셜 미디어에서는 꽤 영향력이 있는 인물이다. 하지만 그 외에서는 상대적으로 잘 알려지지 않았다. 한때 뉴스 언론이 그들에게 관심을 기울인 적이 있었는데, 왜냐하면 그들의 개인적 이야기가 유별나고 흥미로웠기 때문이다. 그들은 카리스마가 넘치고 말을 잘했다. 하지만 오늘날의 뉴스 환경에서 그들의 이야기는 유행하는 내러티브와 맞지 않기 때문에 대중적인 미디어의 주목을 받지 못하고 있다.

# 뉴욕타임스

인쇄하기에 적합한 모든 내러티브들

5장

SLANTED

> 인종차별은 어디에나 있다. 과학 보도에서도, 문화 보도에서도, 국내 모든 뉴스 보도에서 다뤄져야 한다. …… 개별적인 인종차별의 사례보다는, 모든 국가 체계의 기반에 자리 잡은 인종차별주의와 백인 우월주의에 주목해야 한다.
>
> -뉴욕타임스 임직원 일동, 2019년 8월

2019년 여름, 한 때는 가장 존경받는 언론사였던 뉴욕타임스의 실체가 대중에 드러났다. 일련의 내부적 논란이 뉴스와 소셜 미디어를 통해 공개되었다. 논란을 통해서 내러티브가 어떻게 그레이 레이디(Gray Lady, 뉴욕타임스의 별칭 -옮긴이)를 장악하게 되었으며, 나아가 뉴스 산업 전반을 장악하게 되었는지가 드러났다.

혼돈은 6월에 시작되었는데, 트럼프 대통령에 대한 애매모호한 강간 혐의를 보도하면서 시작되었다. 수많은 사람들이 증명되지 않은 거짓 주장을 하는 정치적 환경 속에서, 그런 이야기가 전국적 뉴스가 될 수 있을지에 대한 기자들의 충분한 논의가 당연히 있었어야 했다. 진 캐롤이란 여성이 새 책의 홍보를 위해 증거도 없이 수십 년 묵은 강간 혐의를 거론했을 때, 불과 몇 년 전이었다면 유서 깊은 신문사가 이를 활자화하지는 않았을 것이다. 증거가 뒷받침되지 않은 성적인 혐의에는 엄격한 기준이 적용되는 것이 상례였다. 기자들이 단순히 고발인의 말을 믿거나 또는 그 주장이 사실이기를 바란다고 해서 그런 심각한 혐의를 기사화할 수는 없었다.

하지만 오늘날에는 상황이 많이 바뀌었다. 미디어는 도널드 트럼프를 파괴하기 위해 모든 수단을 가리지 않게 되었다. 이러한 환경 속에서 증거도 없는 강간 주장이 세계에서 가장 중요한 신문사의 기사가 되었다. 내러티브와 잘 맞아떨어졌기 때문이다. 결국 트럼프는 학대자, 바람둥이, 악당이었다. 어떤 여성이 증거도 없이 그가 아주 오래 전에 어떤 일을 저질렀다고 하면 그것은 곧 기사화되고 믿어지게 되었다.

그런데 이러한 행태에 대한 기자로서의 윤리적 책임을 묻는 대신에, 엉뚱한 것에 대한 불만이 터져 나왔다. 신문사가 이 기사를 배치한 위치에 대한 불만이었다.

반트럼프 운동가들은 타임스가 강간 기사를 웹사이트의 머리기사로 내지 않고 속지에 배치함으로써 이를 대수롭지 않게 처리했다고 비난했다. 이들 운동가들은 반트럼프 기사가 전면의 최상단에 위치하기를 원했다. 이들은 타임스의 전면 기사가 전세계 언론사를 통해 확대, 재생산된다는 것을 잘 알았다. 이들에게 뉴스의 목적이란 정보 전달이 아니라 영향력을 행사하는 것이다. 즉 내러티브를 확립하는 것이다. 당신이 누구 편에 서야 하는지를 말해주는 것이다. 특정 이슈나 논란에 대해 어떤 견해를 취해야 하는지를 말해주는 것이다. 즉 사람들이 무엇을 생각해야 하는지를 결정해주는 것이다.

트럼프 비평가들은 뉴욕타임스 같은 영향력 있는 기관들이 트럼프 대통령을 정상적으로 보도하지 않도록 압력을 행사한다. 그래서 기사 원고를 수정하게 하여 원하는 목소리를 낼 수 있게 된다.

그래서 트럼프 강간 혐의 기사가 나간 후, 비평가들은 소셜 미디어를 통해 불만을 쏟아냈다. 뉴욕타임스의 편집장 딘 바켓은 신속히 찌그러졌다. 그는 강간 기사를 전면으로 옮겼고, 진작에 그렇게 하지 못한 점을 사과했다. '인기 경쟁이 뉴스 편집을 결정한 것이다.'

'잘 알려진 인사가 현직 대통령을 향해 공개적으로 혐의를 고발했을 때는 이를 좀 더 심각하게 보도해야 했다.' 바켓은 신문의 사과문에서 이렇게 설명했다. 또한 바켓은 신문사가 '과도하게 신중을 기했기 때문에' 이 기사를 전면에 내보내지 않았던 것이라고 말했다.

이러한 상황에서, 기자로서 '과도하게 신중한' 것은 바람직한 접근이다. 고발인이 '잘 알려진' 인물이며, 피고발인이 대통령이라 해서 뉴욕타임스 보도의 정상적인 기준이 바뀌어야 한다는 바켓의 주장은 이해하기 어렵다. 주장을 검증하고 보도 지침을 엄수하는 것이 관련 당사자의 유명세에 따라 바뀌어서는 안된다. 유명인을 파괴하는 주장에 대해서는 더욱더 언론사가 보도 기준을 엄수해야 한다.

그런데 상황은 점점 더 미궁 속으로 빠져든다. 바켓은 그 기사를 더욱 전면에 내세우지 않은 실수를 저질렀다고 했지만, 정작 뉴욕타임스의 보도 지침에 따르면 이 기사는 애초에 보도가 되지 않았어야 했다.

뉴욕타임스는 트럼프 대통령에 대한 혐의와 같은 '성폭행 혐의'에 대해 비공식 보도 지침을 세운 바 있다. 이 지침에 따르면 이러한 혐의를 기사화하기 위해서는 세 가지 조건이 충족되어야 한다.

1. 타임스는 고발인이 언급한 사람들과 증거와는 별도의 다른 출처를 확인해야 한다.
2. 이러한 별도의 출처에서 나온 증언이나 증인은 최초 고발인의 주장을 뒷받침해야 한다.
3. 이들은 공식적으로 자신의 신원을 밝힐 수 있어야 한다.

뉴욕타임스는 트럼프 대통령에 대한 기사가 이 세 가지 조건을 하나도 충족시키지 않았다고 인정했다. 신문사는 다른 독립적인 출처를 찾을 수 없었고, 당연히 고발인의 주장에 대한 그 어떤 추가적인 증언도 확보하지 못하게 되었다. 또한 피해자가 자신의 주장을 뒷받침해줄 증인으로 내세운 두 명의 여성은 실명을 밝히기를 거부했다.

신문사는 처음에 기사를 전면에 내세우지 않은 것에 대해 사과를 하면서 동시에 이 기사가 애초에 기사화되지 말았어야 함을 드러냈다. 이것이야말로 조지 오웰이 묘사한 이중사고의 전형적인 예이다. '알면서 동시에 알지 못하는 것, 온전한 진실을 인지하면서 동시에 주의 깊게 조작된 거짓을 말하는 것, 서로 모순되는 두 개의 의견을 동시에 수용하는 것, 서로 모순인 것을 알면서 둘 다 믿는 것.'

이러한 혼란을 통해 내러티브가 언론인의 역할을 어떻게 변화시켰는지를 알 수 있다. 수많은 기자들이 자신의 역할을 단순히 사실과 정보를 보도하는 것이 아니라 기사의 스토리라인을 더욱 심화시키는 것이라고 믿게 되었다. 그래서 사람들은 내게 왜 다른 기자들이 쓴 이야기나 혐의들을 기사화하지 않느냐고 묻곤 한다. 그들은 내가 다른 사람들과 같은 뉴스를 보도함으로써 그들에게 동조한다는 것을 보여주어야 한다고 생각한다. 그들은 이에 대한 내 대답을 의아하게 여긴다. 나는 이렇게 되묻는다. "왜 이미 널리 보도되었고, 잘 알려진 것을 내게 보도하라고 다그치는 것입니까?"

나의 목표는 보도되지 않은, 잘 알려지지 않은 정보를 밝히는 것이다. 내게 다른 사람들과 같은 보도를 요구하는 사람들은 사실과 정보를 추구하지 않는다. 그들은 내가 자신들이 지지하는 내러티브를 밀어주기를 바라는 것이다.

〈컬럼비아 저널리즘 리뷰(CJR)〉 역시 트럼프 강간 기사에 대해서 이러한 함정에 빠졌다. 이들은 뉴욕타임스와 다른 언론들이 이 기사에 대해 적절한 보도를 하지 않았다는 편파적인 주장을 했다. 이들은 미디어 매터스를 증거의 출처로 내세웠는데, 이 단체가 반트럼프 성향의 힐러리 클린턴 추종자 데이비드 브록이 만든 당파적 단체라는 사실은 밝히지 않았다. 이 단체는 진보 운동가 조지 소로스 및 여러 익명의 후원자들의 지원을 받아왔다.

CJR은 이렇게 힐난했다. '미디어 매터스의 케이티 설리번이 지적했듯이, 트럼프에 대한 피해자의 주장은 토요일 자 뉴욕타임스, 〈월스트리트 저널〉, 〈LA타임스〉 그리고 시카고 트리뷴의 1면에 실리지 못했다. 워싱턴 포스트는 1면에 내보내긴 했지만, 헤드라인으로 뽑지는 않았다.'

이런 주장을 통해 CJR은 뉴스를 사실을 전달하기보다는 어젠다를 보급하는 수단으로 여긴다는 것을 보여주었다. 결국, 거의 모든 언론이 강간 혐의를 보도했다. CJR과 반트럼프 운동가들은 그 기사를 더욱 크게 광고하고 싶었던 것이다. 그들이 원하는 것은 정보가 아니었다.

그들은 내러티브를 통해 여론을 형성하고 싶었던 것이다.

여담으로, 기사에서 트럼프 대통령을 고발했던 캐롤은 CNN 앵커 앤더슨 쿠퍼와 이상한 인터뷰를 했다. 그녀는 트럼프의 행동이 '성적인 것이 아니었다'고 했고, 강간은 일반적으로 '섹시하게' 여겨진다는 말을 덧붙였다. CNN은 급히 광고를 내보냈지만, 광고가 나가기 전에 그녀가 쿠퍼에게 낮고 음흉한 목소리로 말하는 것이 방송을 탔다. 그녀는 그에게 몸을 기울인 채로 그의 눈을 빤히 쳐다보며 이렇게 말했다. "당신과 이야기하는 것은 정말 '짜아아아릿' 하군요."

언론은 그 고발자의 이상한 행동에 대해 별다른 반응을 내놓지 않았다. 캐롤의 언행에 대한 신뢰성에 의문이 생기자, 내러티브에 대한 그녀의 역할은 곧 소멸되었다. 전국 언론은 그 사건에 대한 관심을 즉시 거두어 버렸다. 마치 그런 일이 없었다는 듯 메모리 홀 속으로 던져진 것이다.

뉴욕타임스는 소셜 미디어의 압력으로 중요한 뉴스를 결정하는 것은 운동가들에 의한 더 큰 압력을 초래할 뿐이라는 교훈을 얻게 된다.

## 헤드라인 소동

뉴욕타임스의 두 번째 큰 사건은 몇 번의 총기 난사 사건이 발생한 이후에 촉발됐다. 2019년 8월 6일 자 1면 헤드라인과 관련된 소동이었다. '트럼프가 인종차별에 대항해 통합을 촉구하다'라는 정확하고 객관적인 헤드라인이었다. 실제로 트럼프 대통령은 인종차별 대신 통합을 촉구했다.

트럼프가 말했다. "우리나라는 한 목소리로 인종차별, 편견과 백인 우월주의를 규탄해야 합니다. 이러한 사악한 이데올로기는 격퇴되어야 합니다. 미국에서 증오는 설 자리가 없습니다."

하지만 기사가 나간 지 얼마 지나지 않아 여러 민주당원들이 공개적으로 뉴욕타임스가 트럼프의 말을 그대로 활자화하지 말았어야 했다고 비난했다. 그들은 신문사가 '트럼프가 한 말이 그의 진심은 아니었다'라는 결론을 내려야 했다고 주장했다. 또한, 신문사가 대신 총기 규제 내러티브를 강조해야 했다고 말했다.

달리 말하면 트럼프를 반대하는 사람들은 그가 인종차별을 규탄하지 않는다고 비난하면서, 실제로 그가 인종차별을 규탄하는 말을 하면, 그것이 그의 진심은 아니라고 주장하는 것이다.

대통령 선거 후보인 뉴저지주 상원의원 코리 부커는 트위터에서 공개적으로 사실에 기반한 뉴욕타임스의 헤드라인을 비판한 민주당 인사 중 한 명이다. 그는 이렇게 트윗했다. '뉴욕타임스는 정말 분발해야 합니다. 제발.'

다시 한번, 편집장 바켓은 비난 여론에 굴복했다. 그는 헤드라인을 트럼프를 공격하고 총기 규제 내러티브를 증진하는 쪽으로 바꾸었다. 대체된 헤드라인은 이랬다. '총기보다 더 공격적인 것은 증오였다.'

오늘날의 미디어 환경에 대한 대담 중에 뉴욕타임스의 헤드라인 변경에 대해서 진보적 성향의 전국 뉴스 언론사 회장이 이렇게 말했다. "오늘날에는 누가 왜 헤드라인을 클릭하는지에 대한 분석이 뉴욕타임스나 다른 언론사의 편집 결정에 지대한 영향을 미치고 있습니다. 헤드라인을 보노라면 이런 탄식이 절로 나옵니다. '어이쿠, 이 사람들 보게.' 얼마나 깊이 잘못된 길로 빠져들었는지, 내부적으로 이에 대한 반대의 목소리조차 나오지 않는 상황입니다."

한편 뉴욕타임스가 내부적인 악몽을 경험하고 있는 동안에, 워싱턴 포스트 역시 진통을 겪고 있었다. 2019년 10월에 있었던 헤드라인 소동이 그 가장 좋은 예이다.

워싱턴 포스트의 헤드라인은 이슬람 극단주의 테러 조직 ISIS의 수장으로 알려진 '알바그다디'를 추적하여 잡아낸 미 특전단에 관한 기사였다. 미 특전단은 알바그다디를 시리아에서 잡았다. 그는 자폭 조끼를 터뜨렸고, 세 명의 자녀와 함께 폭사했다.

일요일 자 워싱턴 포스트의 원래 헤드라인은 이랬다. '아부 바크르 알바그다디, 이슬람국가(Islamic State, IS)의 테러리스트 수장, 48세를 일기로 사망하다.'

이에 대해서는 별다른 이견이 없어 보인다. 혹은 그렇게 생각할 수 있겠다.

그런데 이렇게 헤드라인이 나간 후, 신문사의 누군가가 이를 변경했다. 워싱턴 포스트의 새로운 헤드라인은 놀랍게도 '테러리스트'를 '학자'로 바꾸었다. 새 헤드라인은 다음과 같다. '아부 바크르 알바그다디, 이슬람국가를 이끄는 소박한 종교적 학자, 48세로 사망.'

헤드라인 외에도, 기사에는 출처가 불분명한 내용이 담겨 있었다. 이에 따르면 알바그다디는 조용한 목소리에, 학자다운 안경을 쓴 온화한 성품의 인물이다. (세상에서 가장 위험한 테러리스트가 되기 전에.)

신문사의 알바그다디 부고는 엄청난 공분을 불러일으켰고, 이에 대해 많은 냉소적인 반응들이 쏟아졌다. 나는 최근 감옥에서 목을 매어

자살한 것으로 알려진 성범죄자 제프리 엡스타인에 대해서 다음과 같은 트위터 메시지를 보낸다.

> 제프리 엡스타인, 어린 소녀 숭배자이자 보호자, 목의 통증이 악화하여 66세로 사망.

소동 중에 워싱턴 포스트는 헤드라인을 다시 바꾸었다. 이번에는 이랬다. '아부 바크르 알바그다디, 이슬람국가의 극단주의 지도자, 48세로 사망.' 워싱턴 포스트의 중역 크리스틴 코래티 캘리는 이슬람국가의 지도자에 대해 호의적이었던 지난번 기사에 대해 트윗으로 사과문을 올렸지만 별다른 해명은 하지 않았다.

> 알바그다디의 부고와 관련하여, 헤드라인이 오해의 소지가 있었기에 즉시 수정하였습니다.

다시 뉴욕타임스의 얘기로 돌아가자. 그레이 레이디의 세 번째 사건은 트럼프 헤드라인에 대한 논란이 있은 지 이틀 후인, 2019년 8월 8일에 발생했다. 이 사건은 뉴욕타임스의 워싱턴 지국 부편집장 조나단 와이스먼과 뉴욕타임스의 기고가 록산 게이 사이에 전개된 치열한 트위터 다툼이다. 나는 이 트위터 전쟁과 관련된 여러 계정을 읽어보았고, 해당 트윗들을 검토했다.

사건의 발단은 와이스먼이 두 명의 국회의원을 중서부 출신으로 표현한 기사에 반발하는 트윗을 올림으로써 시작되었다.

> 러시다 털리브(민주당-디트로이트)와 일한 오마(민주당-미니애폴리스)를 중서부 출신이라고 하는 것은 로이드 도겟(민주당-오스틴)을 텍사스 출신이라고 부르거나 존 루이스(민주당-애틀랜타)를 최남부 출신이라고 하는 것과 마찬가지다.

그의 주장 자체는 그리 논란거리가 아니었다. 많은 공화당 성향의 주 안에 민주당 성향의 도시들이 자리해 있는 것이 사실이다. 다만 문제가 된 것은 뉴욕타임스의 진보적 독자들이 와이스먼의 발언을 인종차별적이며, 해당 국회의원과 중서부 도시들을 모욕하는 것으로 보았다는 사실이다. 그들은 와이스먼이 어떤 사람들은 '진짜 미국인'이고 어떤 이들은 그렇지 않은 것처럼 암시했다고 생각했다. 이는 흔히 논쟁거리가 되는 내러티브인데 와이스먼이 딱히 이를 언급한 것은 아니었다. 그런데도 와이스먼은 그들의 타깃이 되었다. 게이는 트위터로 그를 조롱했다. 와이스먼은 그녀에게 이메일을 보내서 '엄중한 사과'를 요구했다. 그녀는 이에 대해 인종차별적 응대를 했다. '백인 남성의 뻔뻔함과 특권 의식은 정말 어처구니가 없다.' 결국 와이스먼은 뉴욕타임스의 품위를 손상한 것에 대해 사과를 했고, 바켓은 그를 좌천시켰다.

이후에, 뉴욕타임스 전직 직원은 이 사건이 심각한 위선을 보여준다고 말했다. 뉴욕타임스의 경영진은 일부 직원들의 행동은 눈감아주고, 다른 직원들에게는 엄격한 잣대를 들이댄다. 그 기자는 이렇게 말했다. "뉴욕타임스는 이중잣대를 가지고 있다. 지난 4년간 뉴욕타임스 직원들은 반트럼프 성향이 뚜렷했고, 이들의 행동이 보도 지침과 맞지 않더라도 이들은 제재를 받지 않았다. 그런데 편집자가 진보진영의 마음에 들지 않는 트윗 하나를 올렸다고 해서 그에게 엄청난 징계를 내렸다."

## 회의

뉴욕타임스의 잔인한 8월이 지속되었다. 일련의 공개적인 망신을 이어가던 중에 있었던 직원회의의 녹취록이 내부고발자에 의해 유출되었다. 8월 12일의 회의는 뉴욕타임스의 편집 직원들이 자기반성은 하면서도 자기 인식은 하지 못하고 있었다는 사실을 보여준다.

75분에 이르는 회의는 신문사가 좀 더 좌편향으로 나아가야 한다는 일부 직원들의 거친 불만을 잠재우기 위한 목적으로 소집되었다. 회의 내용은 비공개가 원칙이었다. 그런데 누군가가 녹취록을 웹사이트 슬레이트에 제공하였고, 이들은 '축약된 편집본'을 공개했다(왜 축약된 편집본이 필요했는지에 대한 설명은 없었다). 비록 축약된 편집본이었지만 이를 통해 주요 신문사가 어떻게 정치적 내러티브를 만들어내는지를 엿볼 수 있었다.

뉴욕타임스의 회의에서 트럼프 대통령이 실제로 인종차별주의자이고 거짓말쟁이인지에 대한 논의는 전혀 없었다. 단지 트럼프가 얼마나 과격한 인종차별주의자이고 나쁜 거짓말쟁이인지를 뉴욕타임스가 어떻게, 얼마나 자주 보도할 것인지에 대한 논의만 있었다. 그들의 문제점은 뉴욕타임스가 독자들의 요구에 부응할 만큼 트럼프를 거칠게 공격하지 못하고 있다는 점이었다. 정신병원 환자들에게 병원 운영을 맡기는 꼴이었다.

이 회의를 통해서 뉴욕타임스의 향후 2년간 최우선 내러티브는 실제 발생할 뉴스 사건과 상관없이 이미 결정되어 있음이 분명해졌다. 이를 통해 뉴욕타임스의 경영진과 직원들은 뉴스 보도가 아니라 여론 호도를 목적으로 하고 있음을 드러냈다. 이들의 계획에 따르면 객관적이고 진정한 뉴스는 환영받지 못할 것이다. 결국에는 그들이 지지하는 내러티브에 맞도록 조정될 것이다. 바켓 편집장은 최근에 거짓으로 판명된 트럼프와 러시아 연계설에 대한 보도를 대통령에 관한 '스토리'의 '제1장'이라고 불렀다. 제2장은 인종 문제에 초점을 맞춘 내러티브가 될 것이라고 말했다.

그는 예상과 달리 트럼프와 그 측근이 러시아와 공모가 전혀 없었다고 결론을 내린 로버트 뮬러 특검의 보고서를 언급했다. "도널드 트럼프와 러시아 사이에 불미스러운 관계가 있었는가? 공무집행방해가 있었는가? …… 우리는 이에 대해 취재를 해야 한다. …… 누구보다도 이에 대해 철저히 취재를 해야 한다." 바켓은 직원들에게 이렇게 주문했다.

뉴욕타임스가 어떻게 잘못된 길로 빠져들어 주요 기사에 대한 실수를 저질렀는지에 대해서는 전혀 반성의 기미가 없었다. '기자들이 혹시 편견에 빠져서 사실들을 외면했던 것은 아니었던가?' 아무도 이러한 질문을 던지지 않았다.

바켓은 '트럼프가 인종차별주의에 대항해 통합을 촉구하다'라는 헤드라인과 관련된 논란에 대해서도 언급하면서, 직원들에게 트위터에 휘둘리지 말라고 했다. "독립적이 된다는 것은 트위터를 위해서 뉴욕타임스를 편집하지 말라는 것입니다. 이는 아주 잘못된 것입니다." 이렇게 말하고는 다른 한편으로는, 반대되는 주장을 했다. 트위터를 위해 편집을 하고, 소셜 미디어의 정치적 압력을 수용해야 하는 것처럼 말이다. "부편집장 레베카 블루멘스타인이 이메일을 보냈습니다. '헤드라인에 대해서 소셜 미디어 광풍이 몰아치고 있습니다.' 그에 대한 나의 반응은 기본적으로 이랬지요. 'XX라고 해. 이미 손쓰고 있다니까.'"

'소셜 미디어 광풍'이 언론사를 쇠락하게 만든다는 사실은 큰 우려를 자아낸다. 이에 대한 직접적 원인에 대해서는 나의 저서 《중상모략(The Smear)》에서 자세히 다룬 바 있다. 대기업과 정치적 이익집단이 강압적 선동 전술을 통해 언론사에 영향력을 행사하는 것이다. 이들은 공공정책과 여론에 영향을 미치기 위해서는 트위터에 적절한 자금만 투입하면 된다는 사실을 잘 알고 있다(흔히 조작된 여론, 공학 기술, 가짜 계정 등을 이용). 세상에서 가장 잘 알려진 언론사의 경우에서 볼 수 있듯이 말이다.

뉴욕타임스 회의가 계속되면서, 한 직원이 '트럼프가 인종차별주의에 대항해 통합을 촉구하다'라는 원 헤드라인이 자신의 개인적 견해를 잘 반영하지 않았다고 불평을 했다. "그 헤드라인은 우리가 눈으로 보고 귀로 듣고 있는 사실을 부정하고 있습니다. …… 그 헤드라인은 아무런 비평 없이 이 나라에서 가장 힘 있는 자가 원하는 내러티브를 그대로 반영하고 있습니다." 그 직원은 이렇게 불평했다. "뉴욕타임스의 소임이 가장 힘 있는 자의 주장을 그대로 반복하는 것이라면 정말 실망이 아닐 수 없습니다. 이로 인한 우리 명성에 끼칠 손해에 대해 경영진이 어떤 반응을 보일지 모르겠습니다." 이 직원은 마치 내러티브를 거부해야 한다고 주장하는 것처럼 보인다. 단, 내러티브가 '트럼프는 인종차별주의자이다'와 같이 자신이 또는 뉴욕타임스가 지지하는 내러티브일 경우는 제외하고 말이다. 트럼프가 인종차별주의자 내러티브와 부합하지 않는 발언을 할 경우, 그의 발언은 부정되거나 수정되어야 한다. 이런 행태에 의해 신문사의 평판이 입게 될 손해에 대해서는 그 직원이 무슨 생각을 할지 궁금하다.

독자들에겐 이 녹취록에서 공개된 토의 내용이 충격적으로 보일지 모른다. 하지만 내부자들에겐 늘상 있는 일이다. 이 회의에 나오는 언론인들은 자신들이 심각하게 객관성을 결여하고 있으며, 공정하게 사실에 기반한 중립적 기사를 보도하지 않는다는 사실을 인지하지 못하고 있다.

오늘날 많은 기자들이 사실을 확인하고 힘 있는 자들의 책임을 추궁하는 기자의 본분을 오해하고 있다. 만약 어떤 회사가 자신들이 전자레인지를 누구보다 가장 많이 생산한다고 주장하지만, 사실이 그렇지 않다는 증거가 있을 경우에는 상반된 정보를 포함하는 것이 중요하다. 만약 어떤 정치인이 70명의 상원의원이 법안을 지지한다고 주장했지만 사실은 68명 만이 지지했다면 그 기록은 수정되어야 한다. 그것이 확인된 사실이다. 하지만 기사를 작성하면서 어떠한 연설을 '가슴을 울리는' 또는 '무덤덤한' 것으로 묘사하거나, 앞으로 부정 투표가 있을지 또는 없을지에 대해서 미리 안다고 주장하는 식으로 변질되면, 이는 더 이상 뉴스가 아니다. 이는 개인적 견해 또는 미래에 대한 개인적 예측일 뿐이다. 이런 식의 글은 견해를 드러내는 칼럼에나 어울린다.

다시 뉴욕타임스 회의로 돌아가자. 녹취록에 따르면 뉴욕타임스가 트럼프에 관한 헤드라인 문제에 있어서 트럼프에게 너무 관대하다는 비판에 대해서 내부적인 반발이 있었던 것으로 보인다. 부편집장 필립 코벳은 꽤 용감한 입장을 취하고 있다. (참석자들을 고려할 때.) "우리가 지난 일이 년간 헤드라인에 대해 저질렀던 실수들이 일관된 방향으로만 흘렀다는 주장에 대해 동의하지 않습니다. 즉 우리가 도널드 트럼프에 대해 너무 관대했다는 주장에 대해서 말이죠. 물론 정말 그런 실수가 있었던 것도 사실입니다. 하지만 솔직히 말해서 우리가 헤드라인에 대해서 정말 염려하고 토의를 해야 하는 문제는 그 반대입니다. 즉 반트럼프적 편향으로 보일 수 있는 헤드라인이 많았던 것입니다. 오히려 트럼프에게 가혹한 방향으로 치우친 것이 아닌가 싶습니다."

하지만 반트럼프적 성향을 보이는 참석자들이 훨씬 더 많았다. 이러한 배경 속에서 뉴욕타임스는 향후 2년간 트럼프를 인종차별주의자로 모는 내러티브를 밀기로 방침을 정한 것이다.

바켓이 직원들에게 말했다. "내년에는 인종 문제가 미국의 주요 화두가 될 것입니다. 솔직히 말해서 오늘 토론의 결론이 그것입니다. 단지 흑인 뿐 아니라, 라티노와 이민자들 문제까지 공론화해야 합니다. 도널드 트럼프에 의해 분열된 미국을 어떻게 보도할 것인가? …… 다음 2년 동안 우리가 고민해야 할 문제라고 생각합니다. …… 다음 몇 주 동안 우리는 어떤 방향을 잡아야 할지 알아내야 할 것입니다."

이 시점에서 정직한 뉴욕타임스 직원이라면 던져보아야 했을 공정하고 이성적인 질문이 많았을 것이다. 도널드 트럼프에 의해 미국이 분열된 것이 사실일 수도 있지만, 정말 트럼프가 분열을 일으킨 것일까? 어쩌면 언론과 그의 정적들이 그런 쪽으로 몰아간 것은 아닐까? 소셜 미디어와 뉴스 그리고 뉴욕, DC, LA에서의 과장된 분위기와 달리 대부분의 미국인은 인종 및 다른 문제에 있어서 잘 공존하고 있는 것은 아닐까? 누군가는 이렇게 질문할 수 있었을 것이다. "대다수의 미국인은 인종차별주의자가 아니며 대통령이 인종차별주의자라고 생각하지 않는다. 균형과 형평성을 위해서, 이들의 견해와 입장도 기사에서 다루어야 하지 않을까요?" 이렇게 말할 수도 있었을 것이다. "우리가 트럼프 대통령을 미워하는 것은 자유지만, 개인적 감정과 정치적 신념은 뉴스 보도에서 배제해야 하지 않을까요? 그것은 사설에나 어울리지 뉴스 보도에는 적합하지 않으니까요."

하지만 대신 뉴욕타임스 직원들은 경영진에게 이런 식의 질문을 던졌다. "대통령의 행동에 대해서 '인종차별주의자'라는 단어를 보다 더 자주 사용하지 않기로 한 결정에 대해서 설명해주십시오?" 또한 한 직원의 발언에는 심각한 문제점이 담겨 있었다. "인종차별주의와 백인우월주의가 이 나라의 기저에 흐르고 있다는 사실을 어느 정도까지 보도에 반영해야 할지 모르겠습니다. 제가 보기에는 이 점이 확실히 정해져야 할 것 같습니다. 지금 우리가 무엇이 인종차별주의이고 무엇이 아닌지에 대해서 논의하고 있는 것처럼 말이죠. 인종차별주의는 모든 사안에 들어 있습니다. 과학 보도에서도, 문화 보도에서도, 국내 뉴스 보도에서도 다뤄져야 합니다. 또한 개별적 인종차별주의 사례보다는, 모든 국가 체계의 근간에 자리 잡은 인종차별주의와 백인우월주의에 주목해야 합니다."

백인들이 잘 주목하지 못했던 과거의 이슈들에 대해서 파헤쳐보는 것은 기자로서 당연히 해야 할 일이다. 하지만 처음부터 대놓고 '미국은 인종차별주의 국가다'라는 내러티브에 맞도록 모든 스토리를 편향적으로 제시하려 한다면 이는 올바른 기자의 태도라고 볼 수 없다. 단지 편향적인 이슈를 제시하려는 것뿐이다.

물론 뉴욕타임스의 모든 기자가 이러한 편향적 태도를 보이는 것은 아니다. 훌륭한 기사를 보도하는 이들도 여전히 있다. 하지만 녹취록에서 볼 수 있듯이 이런 환경 속에서 다른 견해를 자유롭게 말할 수 있는 사람이 얼마나 될 것인가?

이 녹취록이 공개된 후, 뉴욕타임스에서 오래 일했던 한 전직 직원이 이렇게 말했다. "언론은 재정적으로 또한 심리적으로 점점 더 특정 독자층에 의존하는 경향을 보이고 있습니다. 뉴욕타임스의 독자층은 대다수가 반트럼프 성향이죠. 이는 보도 순위, 전문가 견해, 기사의 어조 및 방향, 헤드라인, 기사 배치 등의 선택 전반에 큰 영향을 미칩니다. 소셜 미디어의 파급력은 이러한 경향을 더욱 심화시키지요. 물론 예외는 있지만 전체적 경향은 그렇습니다. 우리 신문사에 꼭 맞는 독자층이 곧 돈줄입니다. 뉴스 가치는 포기할 수밖에 없지요."

## 항공기가 공격할 때

뉴욕타임스의 실체가 대중에게 드러난 또 다른 특기할 만한 사건은 2019년 9월 11일에 발생했다. 뉴욕타임스는 2001년 9월 11일에 발생한 테러 공격에 대해 외국의 테러리스트가 아니라 항공기에 책임을 묻는 듯한 트윗을 올림으로써 논란을 불러일으켰다.

항공기가 세계무역센터에 날아들어 건물을 붕괴시킨 지 18년이 흘렀다.

이제 뉴욕타임스의 보도 → 대중의 압력 → 그에 따른 수정 보도의 사이클은 거의 일상적인 일이 되어버렸다. 소셜 미디어계의 거물이 분노를 표시한 뒤, 뉴욕타임스는 다음의 메시지와 함께 원 트윗을 삭제했다.

> 우리는 이 기사에 관한 원 트윗을 삭제했고, 보다 명확한 보도를 위해 내용을 편집하였다. 그 기사는 새로이 업데이트되었다.

뉴욕타임스는 새로운 트윗에서 '항공기'를 테러 공격으로 바꾸었지만, 진정한 범죄자들인 이슬람 극단주의 테러리스트를 언급하지는 않았다. 새로운 트윗은 다음과 같다.

> 거의 3천 명이 목숨을 잃은 지 18년 후, 테러 공격에 의한 사망자의 가족들은 9/11 기념비에 모일 예정이다. 오전 8시 46분에 묵념이 있을 예정이며, 사망자의 이름이 한 명씩 호명될 것이다.

그림자가 더욱 길어지고 나뭇잎의 색깔이 변하면서, 뉴욕타임스는 2019년 여름 또 하나의 추문에 휩싸인다. 9월 14일 토요일, 신문사는 하나의 기사를 게재하는데 이는 다시 보도 윤리의 심판대에 오르게 된다.

이 기사는 연방대법관 브렛 캐버너가 수십 년 전 기숙사 파티에서 성추행을 저질렀다고 고발했다. 이 기사는 뉴욕타임스의 문화부 기자 로빈 포그레빈과 그녀의 동료 케이트 켈리가 작성했는데, 그들이 쓴 책 《브렛 캐버너의 교육(The Education of Brett Kavanaugh)》을 홍보하기 위한 것이었다. 책과 기사에서 캐버너의 학창 시절 급우라고 밝힌 맥스 스티어는 캐버너가 옷을 벗고 여자 급우에게 자신의 음경을 만지게 강요하는 것을 보았다고 주장했다. 상원의원 카멀라 해리스, 엘리자베스 워런을 포함한 민주당 대선 후보들은 즉각 캐버너의 탄핵을 주장했다.

하지만 이 기사에는 심각한 문제가 있었다. 우선, 뉴욕타임스 측에서 아무도 피해자와 직접 접촉하지 않았다. 더 심각한 문제는 따로 있었다. 피해자로 알려진 여성은 그 사건의 발생 자체를 전혀 기억하지 못했다. 달리 말하면 '성추행을 입증할 만한 피해자'가 없었던 것이다.

정상적인 보도 기준에 따르면 이러한 기사는 보도될 수가 없을 것이었다.

하지만 이 모든 사실은 뉴욕타임스가 기사를 이미 보도하고 난 뒤에야 밝혀졌다. 외부 기자가 홍보용 증정본을 구입하고 난 뒤에야 밝혀진 것이다. 책에서 저자들은 '희생자'가 캐버너의 노출 또는 그 어떤 불미스러운 일에 대해 전혀 기억이 없다는 사실을 밝히고 있다. 뉴욕타임스의 과실이 너무나 저질이었기에, 진보와 보수 측 양쪽의 미디어에서 모두 비난을 받는 상황이 발생했다. 데이비드 프렌치 기자는 내셔널 리뷰에서 뉴욕타임스가 피해자가 성추행을 전혀 기억하지 못한다는 사실을 기사에서 생략한 것은 비양심적인 일이라고 비난했다. 프렌치는 이렇게 말했다. "이 기사는 내가 이제껏 본 내러티브를 위한 부실한 기사 중 가장 최악의 경우였다. 감춰진 진실이 뉴욕타임스의 독자들과 직원들이 굳게 믿고 있는 내러티브에 강한 의문을 드리운다. 결국 뉴욕타임스는 독자들에게 내러티브를 주입한 것이다."

심지어 뉴욕타임스와 같은 성향의 CNN도 이렇게 말했다. "뉴욕타임스가 월요일 자 오피니언란에 연방대법관 브렛 캐버너의 성추문 혐의 기사를 내보낸 후 엄청난 비판과 비난을 받고 있다. 이는 2016년, 제임스 베넷이 뉴욕타임스 오피니언란의 편집 책임자로 선임된 이후 초래한 일련의 유명 인사와 관련한 구설수 중 가장 최신판이다."

예일대학의 진보적 법학 교수 스캇 샤피로는 뉴욕타임스의 기사에 대해 '너무나 충격적'이라고 트윗을 올렸다. '평소에 뉴욕타임스 구독을 취소하겠다고 위협해온 동료 진보주의자들에게 지금이 바로 적기라고 말하고 싶다.' 한편, NPR 뉴스의 데이비드 폴켄플릭은 이상한 논리를 폈다. 그는 기자가 고발성 기사를 쓸 때는 반드시 실제 피해자의 진술이나 기억을 필요로 하는 것은 아니라고 주장했다. 그는 이렇게 트윗을 올렸다. '술에 취해 정신이 없었다는 상황을 생각하면 피해자가 성추행 행위를 기억하지 못한다는 사실이 결정적인 것은 아니라고 할 수 있다.' 하지만 그 역시 뉴욕타임스의 실수엔 선을 그었다. '하지만 그러한 사실을 캐버너 기사에서 아예 빼 버린 것이 적절했다고 볼 수는 없다.'

일련의 사건들에 비해 더 격렬한 반발을 초래하자 뉴욕타임스는 편집자의 글을 통해 정정 보도를 냈다. '출간하는 책에서 발췌된 원 기사에는 책에 나오는 주요 진술 하나가 빠졌습니다. 책에 따르면 여학생은 인터뷰를 거절하였으며, 그녀는 그 사건을 기억하지 못한다고 합니다. 이러한 사실을 수정된 기사에 첨부하였습니다.'

퀴니피악대학에서 언론학을 가르쳤던, 전 신문 편집자 폴 제이넌스크는 USA 투데이의 기고문에서 뉴욕타임스의 정정 보도가 불충분하다고 말했다. '뉴욕타임스의 원 기사는 애초에 보도가 되지 말았어야 했습니다.'

이후 인터뷰에서 뉴욕타임스 기자는 피해자에 관한 진술이 생략된 것에 대해 이렇게 설명을 했다. "편집 과정에서 실수가 있었습니다. 그 여성이 친구들에게 그 사건에 관해서 기억이 나지 않으며 그에 관해서 말하고 싶지 않다고 한 중요한 사실이 잘려버렸습니다. 그것은 실수였으며, 뉴욕타임스는 이를 바로잡았습니다. 대단히 죄송하게 생각합니다."

하지만 이 기사에 관련된 문제들은 여전히 남아 있었다.

성추문 주장에 대한 뉴욕타임스의 보강증거는 저널리즘적 의미에서 전혀 증거가 아니었다. 기자들은 피해자의 진술을 직접 들었거나 그 사건을 직접 본 사람을 한 명도 만나지 못했다. 그들이 확인한 것은 '목격자'인 스티어가 그런 말을 하는 것을 들었다는 두 사람을 만난 것이 전부였다. 그런데 뉴욕타임스는 스티어의 정치적 배경을 다 공개하지 않았다. 뉴욕타임스 기자 포그레빈과 켈리는 그를 '워싱턴에서 비영리단체를 운영하는 인물'로 소개했다. 그들은 책에서 그를 이렇게 묘사했다. '그는 워싱턴에서 연방 정부 운영에 관련된 이슈에서 존경받는 리더이며, 파트너십 포 퍼블릭 서비스의 창립자이자 총재이다.' 하지만 그들은 그에 관한 중요한 사실 하나를 생략했다. 스티어가 빌 클린턴 탄핵의 변호인단에서 일했다는 사실이다.

이후 〈더 힐〉의 웹 방송 '라이징'에서 진행자 사가 엔제티는 스티어에 관한 선택적 진술에 관해서 뉴욕타임스 기자들에게 따져 물었다. "내가 알기로, 그는 클린턴 탄핵 당시 캐버너의 반대편에 있었고, 그의 아내는 공화당에 의해서 연방 판사 인준이 거부된 것으로 알고 있습니다. 이러한 사실을 책에 포함했습니까? 이는 브렛 캐버너에 대해서 앙심을 품을 만한 명백한 증거로 보입니다만."

포그레빈이 대답했다. "그 사실을 책에 포함하지 않았습니다. 그의 경력 대부분이 비당파적 활동이었다는 것에 대해서 이야기했습니다." 그녀는 의도적으로 스티어를 비당파적 인물로 진술했다는 것을 인정하는 것처럼 보였다.

엔제티가 물었다. "그러한 사실이 밀접한 관련이 있다고 생각하지 않습니까? 그런 사람이 이런 인물을 고발한다는 것이…"

"그 사실이… 관련이 있나요?" 포그레빈이 엔제티의 질문을 반복하며 대답했다.

엔제티가 말했다. "…… 피해자는 그 사건을 기억조차 못합니다. 그런데도 이러한 세부적 내용이 관련이 없다고 생각하나요?"

포그레빈은 대답 대신에 이렇게 쏘아붙였다. "그러면 브렛 캐버너가 클린턴 대통령 탄핵 당시 스타 보고서(Starr Report)를 작성했다는 사실은 관련이 있다고 생각합니까?"

"당연히 관련이 있고 말고요!" 엔제티가 대답했다. 그리고 스티어의 경우, 그의 정치적 배경에 대해서 뉴욕타임스 기자들이 전혀 언급조차 하지 않은 것에 반해서, 캐버너의 경우에는 뉴욕타임스와 여러 언론이 광범위하게 보도를 하였고, 청문회 인준 과정에서 집중적인 질문을 받았던 사실도 상기시켰다.

뉴욕타임스 기사와 관련한 세 번째 문제는 포그레빈과 뉴욕타임스 오피니언란의 공식적 트위터 계정이 올린 요상한 소셜 미디어 포스팅에서 비롯되었다. 이는 캐버너의 또 다른 고발인 데보라 라미레즈에 관한 것이었다.

> 술 취한 기숙사 파티에서 면전에 음경을 들이미는 것은 악의 없는 장난으로 보일 수 있다. 하지만 브렛 캐버너가 그녀에게 그런 짓을 했을 때, 데보라 라미레즈는 예일대학에 애초에 들어오지 말았어야 했다고 생각했다.

이 트윗은 '악의 없는 장난'이라는 무신경한 표현으로 공분을 불러일으켰고, 뉴욕타임스는 이를 곧 삭제했다.

며칠 뒤, 네 번째 문제가 뒤따랐다. 책 출간 홍보와 보도에 대한 변호를 겸한 인터뷰에서 뉴욕타임스 기자들은 캐버너가 그들과 비공개 인터뷰에 동의했지만 자신들이 거절한 사실을 인정했다. 문제는 그들이 캐버너의 고발인 및 반대자들과는 익명의 인터뷰에 동의했다는 사실이다. 공평함과 윤리적인 측면에서 고발인과 피고발인에게 서로 다른 인터뷰 조건을 제시한다는 것은 분명 문제가 아닐 수 없다.

그러나 보도에서 밝힌 주요 혐의가 결딴나고, 많은 비난이 뒤따랐어도 내러티브 기관차의 폭주는 멈추지 않았다. 기사와 관련된 많은 문제들은 마치 그런 일이 없었던 것처럼 메모리 홀 속으로 던져졌다. 억만장자 환경 운동가 톰 스타이어는 공개적으로 캐버너의 탄핵을 촉구하는 트윗을 올렸다.

> 공화당은 보수적 대법원을 확보하기 위해 심각한 성추문과 위증 혐의를 무시하려 한다. 시스템이 망가졌다.

카멀라 해리스 상원의원은 뉴욕타임스가 원 기사를 정정하고, 확인된 피해자가 없었음을 밝힌 후에도 수일 동안 자신의 홈페이지에 자신의 트윗을 게시해 두었다.

> 브렛 캐버너는 미국 상원과 국민에게 거짓말을 했다. 그는 허위 검증으로 대법관이 되었고, 이는 진실과 정의의 추구에 대한 모욕이다. 그는 탄핵되어야 한다.

다른 편파적인 기고가와 기자들은 뉴욕타임스의 기사를 이용해서 자신들의 반 캐버너 내러티브를 심화시키기 위해 혈안이 되었다. 엘리시아 콘이라는 기고가는 캐버너에 대한 검증되지 않은 비방을 반복하기 위한 수단으로 뉴욕타임스의 정정 보도를 언급했다. 그녀는 〈더 힐〉에서 이렇게 썼다. '캐버너는 작년에 있었던 대법관 인준 청문회에서 이전의 성폭행 혐의를 부인했다. 그 사건 관련자인 크리스틴 블레이시 포드는 국회 앞에서 그 혐의에 대해서 증언을 했다.' 하지만 콘은 뉴욕타임스와 마찬가지로, 포드의 진술이 입증되지 않았다는 사실을 생략했다. 다른 증인들은 그러한 사건이 있었음을 기억하지 못한다고 했다. 그들 중에는 포드의 친구인 리랜드 카이서도 있었다. "나는 포드의 증언에 아무런 확신이 없습니다." 그녀는 그런 사건이 있었다는 사실조차 의심스럽다고 말했다.

콘은 이 모든 사실을 자신의 글에서 생략했을 뿐 아니라, 오히려 증명되지 않은 혐의들을 계속해서 반복했다. '또 다른 여성인 데보라 라미레즈는 예일대학교 신입생 시절이던 1983-84년 학기에 캐버너가 성기를 노출하고 자신에게 만지도록 강요했다고 주장했다.' 하지만 콘은 그 사건과 관련된 그 어떤 증인도 라미레즈의 주장을 입증하지 못했다는 사실은 언급하지 않았다. '세 번째 여성인 줄리 스웨트닉은 캐버너가 고등학교 시절 하우스 파티에서 어린 여성들의 집단 강간을 모의한 무리의 일원이었다고 고발했다.' 콘은 이후 스웨트닉이 NBC 뉴스와의 파렴치한 인터뷰에서 자신의 증언을 번복하고 철회한 사실은 생략했다. 또한 콘은 스웨트닉과 그녀의 변호인이자 트럼프의 적인 마이클

아베나티가 '여러 모순과 증거의 부족 그리고 이러한 고발에 대한 심각한 신뢰성의 문제 등에 대해서' FBI의 조사를 받았다는 사실을 공개하지 않았다.

아베나티는 이후 금융 범죄, 직무상 부당 취득, 고객에 대한 부정행위 등의 혐의로 체포되었다.

## 공공 편집자의 해고

나는 뉴욕타임스의 경영진이 공공 편집자가 직무를 제대로 수행하도록 허용했다면 보도국이 집중포화를 모면하기 위해 그토록 동분서주하지 않아도 되었을 것이란 생각을 지울 수 없다. 공공 편집자(public editor)는 내부의 옴부즈맨으로서 '점점 상업화, 정치화되어가는 뉴스 환경 속에서 뉴욕타임스와 그 보도를 정직하게 유지하는' 임무를 수행하는 직책이다. 이 직책의 임무는 독자나 대중의 주요 비평을 제시하고, 어느 정도까지는 보도국이 너무 논란에 깊숙이 빠지지 않도록 사전에 예방을 하는 것이다.

뉴욕타임스의 공공 편집자 직책은 제이슨 블레어 스캔들 이후 처음으로 창설되었다. 블레어는 뉴욕타임스의 기자로서 2003년 불명예스럽게 퇴사하였는데, 1면에 실리기도 했던 그의 기사들이 조작과 표절로 점철된 사실이 밝혀졌기 때문이었다. 이 논란으로 인해 뉴욕타임스의 주필 하웰 레이니스와 편집국장 제럴드 보이드가 사임하였다. 새로 신설된 공공 편집자는 기자들의 비행을 사전에 파악하고 바로잡기 위해 견제와 균형을 담당하는 임무를 부여받았다.

2016년 5월, 엘리자베스 스페이드가 뉴욕타임스의 마지막 공공 편집자가 되었다. 그녀는 짧은 임기 동안 뉴욕타임스의 '네이티브 광고' 증가 추세 논란에 대한 비판을 방어했다. 네이티브 광고란 뉴스 기사에 광고를 교묘하게 삽입해서 마치 뉴스처럼 보이게 하는 것을 의미한다. 스페이드는 수익 창출의 측면에서는 광고와 보도의 불편한 결합이 결국은 승자일 수 밖에 없다고 말했다. "대부분의 독자들이 그것에 대해 받아들이는 것으로 보입니다." 그녀는 그러한 결론을 내린 이유 중에 하나는 그에 대한 불평이 거의 없었기 때문이라고 했다. 불평이 없었다는 것은 실제로 독자들이 네이티브 광고를 인지하지 못했기 때문일 수도 있다. 바로 그것이 문제다. 광고가 뉴스로 위장한 것이다.

어쨌든, 임기 중에 스페이드는 종종 자사의 뉴스 보도를 비판했다. 반대로 그녀 역시 뉴욕타임스의 직원들과 사외 기자들로부터 비판을 받기도 했다. 이는 당연한 일이었다. 스페이드에 대한 일부 비판은 애틀랜틱과 같은 좌편향 매체를 통해서 오기도 했다. 이는 그녀의 일을 위축시키고 논란거리로 만들었다. 애틀랜틱은 그녀가 '일을 제대로 하지 못한다'고 비난했고, 그녀의 일이 '쓸모없는 자기 풍자'가 되어버렸으며, 그녀가 '언론의 감시 임무를 낭비하고 있다'고 비판했다.

2017년 5월, 뉴욕타임스의 발행인 아서 옥스 슐츠버거 주니어는 돌연히 공공 편집자 직책을 말소해버렸다. 스페이드의 해고를 설명하는 글에서 그는 인터넷이 미디어의 감시자가 되었기 때문에 그 직책이 불필요해졌다고 주장했다. '소셜 미디어의 구독자와 인터넷 독자들이 한 사람이 감당할 수 있는 것 이상으로 치열하고 강력한 감시자 역할을 하고 있습니다. 우리의 역할은 그들에게 더 많은 힘을 실어주고, 그들

의 말을 경청하는 것이지, 그들의 목소리를 단 하나의 직책을 통해서 듣는 것이 아닙니다.'

2020년 대선 캠페인이 열기를 더해가는 이 시점에서, 뉴욕타임스의 재앙이었던 2019년 여름은 자연스럽게 마무리 되었다. 이 글을 읽는 독자들은 뉴스와 인터넷의 주요 내러티브가 '트럼프 대통령이 인종차별주의자이며 미국의 분열을 조장하는 리더'라는 것이었음을 기억할 것이다. 여기에 뉴욕타임스의 계획이 어느 정도 일조했음을 알 수 있다. '망해가는 뉴욕타임스'라는 트럼프의 일갈이 더욱 가슴에 와 닿는다.

## 깨어나야 할 타임스

뉴욕타임스가 세간의 이목을 끈 망신살 때문에 스스로의 편향성에 대해 이성적인 재고를 할지도 모른다는 희망은 실현되지 않았다. 2020년 6월, 특기할 만한 일이 발생했는데, 이는 가장 이상한 사건이었다. 신문사는 뉴스 자체가 아니라 신문사 자신에 대한 뉴스에 시간과 지면을 할애하고 말았다.

아칸소주의 공화당 상원의원 톰 코튼이 뉴욕타임스 칼럼에 '군대를 투입하라'라는 제목으로 기고한 논평이 재앙의 발단이었다. 그는 경찰의 무자비함에 대한 항의시위 중에 발생한 폭력으로 만신창이가 된 도시들에 대한 군대 투입을 옹호하였다. 군대 투입에 대해서는 찬성과 반대 세력이 팽팽했다. 이는 칼럼 기사가 다루는 전형적인 주제에 해당했다. 대부분의 사람들은 서로 다른 견해들을 제시하는 것이 중요하다는데 동의할 것이다.

하지만 뉴욕타임스의 많은 직원들은 그렇게 생각하지 않았다. 그 논평이 기사화되자, 그들은 내부 폭동을 일으켰고, 소셜 미디어를 통해 신문사가 코튼의 논평을 게재한 것에 대해 비난을 했다. 이들은 트위터를 통해 한 목소리로 '이 논평을 보도한 것은 뉴욕타임스에서 근무하는 흑인 직원들의 안전을 위협하는 것'이라고 주장했다.

그다음 뉴욕타임스의 직원들은 경영진에게 서한을 보내 신문사가 코튼의 입장을 반박하는 성명을 내도록 요구했다. 이 서한은 사설란의 편집장 제임스 베넷과 두 명의 부편집장, 마크 톰슨 사장, 운영 책임자 메러디스 코핏 레빈, 편집장 바켓 그리고 당시 아버지에게서 신문사를 물려받은 발행인 A. G. 슐츠버거 앞으로 보내졌다. 베넷은 코튼의 논평을 발행 전에 읽어보지 않았으며, 부편집장에게 그 일을 맡겼음을 시인했다.

직원들의 항의에 못 이겨 뉴욕타임스는 코튼의 칼럼에 대해서 편집자 주를 달았다. 이에 따르면 칼럼 기사면은 편집 과정에서 '성급하게' 승인을 받았고, 이는 편집 기준을 충족하지 못한 것이었다. 슐츠버거는 이메일을 통해 직원들에게 이렇게 말했다. '지난주 우리는 편집 과정에서 심대한 과오가 있었는데, 이는 최근 들어 처음 있는 일은 아니었습니다.'

수일 후에, 편집장 베넷이 물러났다. 뉴욕타임스는 그의 사임을 발표했다. 2013년 러시아 대통령 블라디미르 푸틴이 서명했던 논란이 많은 논평도 방어했고, 아무의 서명도 없는 익명의 반트럼프 논평도 발표했던 신문사가 저명한 미국 상원의원의 논평을 지나치게 선동적이라고 판결한 것이다. 기자들은 사견을 낼 수 있지만, 객원 논평가들은 그럴 수 없는 신문이라니 정말 이상하기 짝이 없다.

2020년 6월 1일, 트럼프 대통령이 전국적인 시위와 폭동 와중에 워싱턴 DC의 공원을 가로질러 근처의 불타버린 교회당으로 걸어간 후, 뉴욕타임스의 백악관 담당 선임기자 피터 베이커는 이런 트윗을 올렸다.

> 트럼프는 단지 교회당 앞에 서서 성경책을 든 채로 사진을 찍고 있다. 피해를 살펴보기 위해 건물 안으로 들어가지도 않고, 단지 사진만을 위해 그곳에 간 것이 아니라는 어떤 행동도 보여주지 않고 있다.

이 마지막 사례를 통해 뉴욕타임스가 자신의 사명을 어떻게 생각하는지는 의심의 여지 없이 분명해 보인다. 좌편향적인 직원들과 뉴스 및 소셜 미디어에서 막강한 영향력을 행사하는 진보적 운동가들을 만족시키는 것이다. 2017년 5월, 아서 옥스 슐츠버거가 신문사의 공공 편집자를 해고하면서 내뱉었던 말이 끔찍하게 실현되고 만 것이다. 그는 당시 '소셜 미디어의 구독자와 인터넷 독자들이 한 사람이 감당할 수 있는 것 이상으로 치열하고 강력한 감시자 역할을 하고 있습니다'라고 선언했다.

뉴욕타임스는 스스로 편파적이 되어버렸다. 조직적인 소셜 미디어의 압력에 굴복했다. 조직원들의 갈등에 휘둘리게 되었고, 내부의 악마에게 먹혀버렸다.

다른 언론 매체도 이 사건을 눈여겨 보고 있다. 이를 통해, 그들은 뉴스와 정보의 자기 검열을 서두른다. 성난 군중의 분노를 사지 않기 위해서다. 익명을 요구한 한 국제적 언론사의 편집자는 조직적인 반발에 대한 두려움 때문에 사장시킨 기사가 적지 않았다고 고백했다.

그는 이렇게 말했다. "그들은 우리를 파산시킬 수 있습니다. 페이스북, 트위터, 구글 등은 당신을 순식간에 파멸시킬 수 있습니다. 우리 같은 사람은 쉽게 매장될 수 있어요. 그러면 어떻게 해야겠습니까? 어떤 이슈를 제기하는 것은 자살 행위와 같습니다. 내 안의 기자는 '진실을 말하라'고 합니다. 좋은 얘기이지요. 하지만 그렇게 했다간 우리 회사가 망합니다. 그러면 무슨 소용이 있겠습니까?"

정보의 환경은 갈수록 편협해지고 있으며, 사고의 다양성과 진실을 짓누르고 있다. 조만간 우리는 무엇을 모르는지도 모르게 될 것이다. 그것으로 끝이다.

베넷이 사임한 후, 한 내부자는 내게 쓴 편지에서 뉴욕타임스를 '깨어나야 할 타임스'라고 말했다. '뉴욕타임스는 여전히 미국에서 뉴스 어젠다를 형성하는데 중요한 역할을 하고 있습니다. 뉴스 업계는 경쟁이 치열합니다. 선도적인 언론사가 스스로 보도 기준과 공정한 보도를 포기한다면 다른 언론사는 말해서 무엇 하겠습니까?'

# 내러티브의 장황함

거짓말, 증거 그리고 충격속보

6장

SLANTED

취재차 노스캐롤라이나주 랠리에 갔다. 동네 바에서 전국 뉴스 기자로 일하는 동료들과 이야기를 나누고 있었다. 바의 TV 화면에서 뉴스가 나오고 있었다. 진행자가 뉴스를 전하는 화면 하단에 '충격속보!'라는 자막이 나오고 있었다. 요새는 뉴스 기자가 어떤 정보에 대해서 '충격속보'라고 부르는 일이 얼마나 흔해졌는지에 대해 의견을 나누었다. 요즘은 거의 모든 것이 충격속보인데, 실상은 대부분이 별거 아니다. 최근 일이 년 전까지는 기자들이 이런 표현을 쓰는 경우가 거의 없었고, 나 역시 이런 표현을 쓴 적이 없다. 이제는 사실 여부와 상관없이 언론이 중요하다고 여기거나 시청자들이 믿어야 한다고 생각하는 것은 무엇이든 충격속보로 둔갑한다.

내가 동료 기자들에게 말했다. "진정한 '충격속보'인 뉴스는 그런 표현을 쓰지 않아도 시청자들이 이미 그러한 사실을 잘 인지하고 있지요. 그걸 굳이 말할 필요가 없습니다." 동료들 역시 동의했다. 전국 뉴스 방송 두 군데서 일한 경력이 있는 친구가 이에 대한 자신의 이론을 설명했다. "뉴스 방송사가 '뉴스속보(breaking news)'로 부르던 관행이 자연스럽게 발전한 것이 '충격속보'라고 생각해요. 평범한 사건을 포함한 모든 것이 '긴급, 뉴스속보'라면 정말 뉴스속보에 해당하는 뉴스는 뭐라고 불러야 할까요? '충격속보'죠."

우리는 모두 고개를 끄덕이며 동의를 표했다. 그가 계속 말을 이었다. "이제 뉴스속보가 보통 뉴스의 기준점입니다. 보통 이상의 뉴스가 발생하면 뉴스속보 그 이상이 되어야 하죠. 그래서 충격속보가 되는 겁니다. 이제 충격속보가 흔해지면 무언가 다른 용어가 필요하게 될 겁니다. '슈퍼 충격 폭탄 뉴스'라고 부르게 되겠지요!" 그가 신이 나서 얘기했다.

뉴스 산업의 용어 사용 유행이 내러티브와 직접적 관련이 있다는 것은 의심의 여지가 없다. 이 장에서는 도널드 트럼프에 대한 내러티브와 관련된 측면을 살펴볼 것이다.

왜 도널드 트럼프에 초점을 맞추는가? 왜냐하면 그가 오늘날의 언론이 처한 현실에 가장 큰 영향을 미친 인물이기 때문이다. 지난 수년간 그는 전국 뉴스에서 가장 많이 다루어진 인물이다. 언론계는 트럼프의 결점과 취약성을 핑계 삼아 자신들의 언어와 행동을 정당화해왔다. 그들은 이렇게 주장했다. '결국 그는 거짓말쟁이기 때문에 그런 취급을 받아 마땅합니다.'

이런 언론의 트럼프에 대한 일방적 매도는 정파성을 떠나서 시시비비를 정확히 가려보아야 한다고 생각한다. 따라서 언론의 편파적인 보도를 다루는 이 책에서 그와 관련된 사건들을 살펴보는 것은 당연한 일이다. 그가 모든 것을 잘한 것도 아니며, 임기 동안 과오도 적지 않다. 그렇기에 트럼프에 대한 정당한 비판 기사는 언론으로써 당연한 책무이다. 하지만 워낙 많은 트럼프에 대한 기사가 쏟아지다 보니 옥석, 옳고 그름은 분명히 가려야 하지 않을까 한다.

뉴스 언론계는 트럼프를 취재하면서 전통적인 언론의 역할을 바꾸어 버렸다. 이는 특히 진실의 추구와 언론의 신뢰성에 큰 타격을 주었다. 일반 대중은 트럼프 또는 그 누구라도 원하는 대로 비판할 수 있다. 하지만 언론인의 역할과 책임은 다르다. 우리는 트럼프 또는 그 누구에 대헤 어떤 개인적 감정을 가지고 있다 하더라도, 그들에 대해서 과장을 하거나 근거 없는 보도를 해서는 안된다. 그들이 '그런 취급을 받아도 싸다'라는 이유로 그들을 불공정하게 다룰 수는 없다.

트럼프를 핑계로 언론계는 광기를 쏟아냈고, 저널리즘의 의미를 재정의했다. 그래서 대부분의 언론이 트럼프가 러시아와 공모를 했다고 보도를 했지만 사실 이는 거짓으로 드러났다. 하지만 이런 사실을 공정하게 충분히 보도한 언론은 거의 없다. 그들은 결국 트럼프가 거짓말쟁이라서 그에 대한 혐의를 그냥 포기하기에는 너무 아까웠다고 주장했다. '증거 없이 그를 러시아 스파이로 몰고 싶으면 그렇게 하면 된다. 왜 그에게 공정해야 하는가?'

기자들이 트럼프에 대해 사견이 담긴 편파적인 보도를 하고 퓰리처상을 수상하게 되자, 그들은 언론의 자유를 더욱 과용하게 되었다. 그럼으로써 트럼프 관련 보도는 뉴스 취재의 전반에 악영향을 미치기 시작했고, 언론계 전체의 명성을 갉아먹게 된 것이다.

텍사스대학의 알베르토 마르티네스 교수는 언론의 내러티브의 경향성을 기록하고 분석하고 있다. 참고로 그는 2016년 대선에서 트럼프를 반대했다. 그는 트럼프에 대한 언론계의 만연한 내러티브에 많은 문제가 있으며, 이로 인해 언론에 대한 대중의 신뢰도가 큰 타격을 입었다고 말했다. 나는 그에게 단도직입적으로 언론의 신뢰도 하락이 트럼프의 잘못인지 아니면 언론계의 잘못인지를 물었다. 그는 답변을 통해, 트럼프가 대선 경쟁에 뛰어들면서 그에 대한 언론의 묘사가 얼마나 과격하게 변했는지를 상기시켰다.

마르티네스가 말했다. "2004년의 CNN 다큐멘터리는 트럼프를 '사랑받는 인물', '세상에서 가장 유명한 사업가', '전국적인 스타'로 묘사했으며, '트럼프는 언제나 열심히 일했고 깨끗하게 살았다', '그는 정말 총명하고, 멋지며, 강인하면서 따뜻하고 정이 많은 사내이다'라고 했습니다." 그런데 2016년이 되면서, 뉴스 전문가들은 대선 후보인 트럼프를 '무능력, 사기, 실패, 파산, 괴롭힘(장애인을 비하하기도 했음), 저속함, 간통, 동성애 혐오, 성차별, 인종차별, 외국인 혐오, 이슬람 혐오, 권위주의, 파시즘, 성추행, 위험한 전쟁도발자의 전형이라고 매도했다. 이러한 범상치 않은 변환이 발생한 것은 뉴스 전문가들이 끊임없이 트럼프의 부주의한 발언을 가장 끔찍한 방식으로 매도했기 때문이다. 이들의 기사 중에 몇몇 사실인 기사가 있다 쳐도, 그 모든 기사가 다 사실일 수는 없을 것이다. 언론이 신뢰성을 잃은 것은 당파적인 과장과 매도 때문이었다고 생각한다.

보수주의적 라디오 진행자 크리스 플랜트의 말처럼, 트럼프의 적들은 트럼프의 말을 진지하게 받아들일 수 없다고 하면서도 동시에, 그를 비판하기에 좋은 말들은 문자 그대로 받아들인다.

마르티네스는 이어서 대선 후보 트럼프에 대한 주요 언론의 내러티브를 분석한다. "그들은 트럼프가 소수자들, 특히 히스패닉, 흑인 그리고 무슬림에게 위험하다고 말합니다. 이에 대해 CNN, MSNBC, 뉴욕 타임스, 워싱턴 포스트 등은 뉴스 기사를 통해 끊임없이 경고음을 날립니다. 만약 이들 뉴스의 분석이 정확한 것이라면 트럼프는 소수 집단의 심기를 건드려서 그들의 지지를 잃고 대신 백인들(특히 불법 이민에 관심이 많은) 그리고 백인 우월주의자들의 지지를 받았을 겁니다. 하지만 놀랍게도, 투표자들의 지지는 정반대였죠. 트럼프와 전 공화당 대선 후보 밋 롬니를 비교해 보면 트럼프가 히스패닉, 흑인 그리고 무슬림에게서 더 많은 지지를 얻었고, 백인에게서는 더 적은 지지를 얻었습니다. 하지만 거의 모든 언론은 이에 대해서는 별 말이 없었는데, 이는 그들의 내러티브에 맞지 않았기 때문입니다. 예를 들어, CNN의 반 존스는 트럼프의 선거 운동이 '흑인 대통령에 대한 백인의 반발'이라고 부르짖었습니다."

결국 이런 식의 보도는 언론의 명성을 훼손하고, 대중이 피해를 입게 된다.

보도의 기준이 존재하는 데는 그럴 만한 이유가 있다. 단지 우리가 좋아하는 사람들만 공정하게 대하려는 것이 아니다. 우리가 좋아하지 않거나 동의하지 않는 사람들, 심지어 거짓말쟁이라고 믿는 사람들조차 공정하고 정확하게 상대하기 위함이다. 사실 그러한 경우에 우리의 기준이 더욱 중요한 의미를 갖는다. 이는 어느 면에서 언론의 자유와 비슷하다. 반대를 불러일으키지 않을 만한 발언은 방어가 거의 필요 없다. 언론의 자유를 필요로 하는 것은 논란이 되거나 해결하기 어려운 문제를 다루는 발언들이다. 트럼프는 우리가 얼마나 언론인으로서 임무에 충실하느냐를 증명하는 하나의 시금석이 되었다.

언론이 유례없이 트럼프에 대해 늘어놓는 장광설은 딱 두 개의 표현으로 요약될 수 있다. 하나는 '거짓말'이고 다른 하나는 '증거 없이'이다.

## 거짓말

트럼프 시대 이전에는 뉴스 대상의 진술이 상충할 때, 기자들은 보통 '불일치' 또는 '모순'이라는 표현을 썼다. 진술이 서로 '불일치'하거나 또는 '부정확한 것' 또는 '틀린 것'으로 드러났다고 보도했다. 반면에 뉴스 대상의 진술을 '거짓말'이라고 부르지는 않았다.

나 자신의 수많은 사례를 살펴보아도 마찬가지다. 기자로서 일한 40여 년 동안, 거짓말이라고 생각된 경우가 적지 않았지만 보도에서 누군가를 '거짓말쟁이'라고 부른 적은 없었다.

1999년, FBI는 스파이 혐의를 받고 있는 로스 앨러모스 국립 연구소의 대만 출신 과학자 웬호리(Wen Ho Lee)가 거짓말 탐지기 조사를 통과하지 못했다고 발표했다. 당시 CBS 기자였던 나는 거짓말 탐지기 테스트 결과를 입수했고, FBI가 그에게 누명을 씌웠다는 것을 알게 되었다. 하지만 나는 FBI 요원들이 '거짓말'을 했다고 비난하지 않았다. 나는 웬호리가 FBI의 주장과는 달리 거짓말 탐지기 조사를 무난히 통과했다고 보도했다.

2000년, 나는 파이어스톤 타이어를 장착한 포드 익스플로러의 치명적인 전복사고에 대한 속보를 보도하기 시작했는데, 이는 곧 국제적인 뉴스가 되었다. 회사 측은 불량 파이어스톤 타이어와 포드 차량의 조합이 타이어 펑크를 촉발해 치명적인 전복사고를 유발한다는 것을 보여주는 그 어떤 자료나 시험 결과도 없다고 지속적으로 주장했다. 그들의 주장은 틀린 것으로 밝혀졌다. 나는 수년 전부터 위험성을 지속적으로 경고해 준 문서, 증언 그리고 시험 결과를 입수했다. 하지만 나는 포드나 파이어스톤의 경영자가 '거짓말을 했다'고 보도하지 않았다. 대신 그들의 진술이 그들의 문서가 보여주는 것과 상반된다고 보도했다.

2001년 9월 11일, 이슬람 극단주의자 테러 공격 이후 적십자사의 비리를 취재할 때, 적십자사의 고위 관계자들은 내부적으로 아무런 비리가 없다고 주장했다. 나는 적십자사 성금과 관련한 절도 및 비행의 만연에 대한 내부 감사 자료를 입수했다. 하지만 나는 뉴스 보도에서 적십자사 임원들이 '거짓말을 했다'고 하지 않았다. 단지 그들의 진술에서 모순되는 점들을 지적했다.

2009년에 공화당 하원의원 스티븐 바이어의 미심쩍은 '자선단체'에 대해서 그와 인터뷰를 했는데, 그 자선단체는 제약회사 및 담배회사 로비 단체의 지원을 받았었고, 당시 그는 이들 회사에 유리한 연설과 입안을 했었다. 나는 그의 주장과 기록이 정면으로 배치된다고 지적했지만 그를 '거짓말쟁이'라고 몰아붙이지는 않았다.

2013년, 오바마 대통령은 국민들에게 건강보험 개혁법 또는 '오바마케어' 하에서도 기존의 건강보험과 주치의를 유지할 수 있다고 말했다. 그 후에, 나는 그의 주장이 사실은 수백만 명의 국민에게는 해당하지 않는다는 사실을 행정부가 사전에 인지하고 있었다는 내부 문서를 입수했다. 정치 관련 발언이나 성명의 신빙성을 팩트체크하는 사이트 '폴리티팩트'는 오바마의 주장을 '2013년 올해의 거짓말'로 선정했다.

하지만 나는 오바마 행정부의 분석은 그의 주장과 상반되는 결과를 예측했다고 지적했을 뿐이다.

왜 뉴스 보도에서 '거짓말'이라는 단어를 사용하지 말아야 할까?

거짓말은 매우 구체적이고 내면의 문제인 것이다. 당사자의 자백이 없는 경우, 기자가 그런 말을 쓰려면 거짓말하는 사람의 마음속을 들여다볼 수 있어야 한다. 사실 누군가 모순적인 정보를 제공하거나 틀린 진술을 할 때에는 여러 다른 이유가 있을 수 있다. 2000년에 타이어의 안전에 대해서 부정확한 진술을 한 포드와 파이어스톤의 사장은 예전의 문서를 본 적이 없다고 주장할 수 있다. 부하 직원들이 제대로 보고를 하지 않거나 자료를 누락했을 수도 있다. 또는 자료를 보았지만 잘못 해석했거나 잊어버렸을 수도 있다. 물론 이런 변명들 또한 '거짓'일 가능성이 높은 것은 사실이지만, 기자가 그 사람의 마음속을 확실히 알 수 있다고 주장할 수는 없다. 기자가 뉴스 취재원이 '거짓말을 했다'고 확신할 수 있을 만한 경우를 거의 떠올리기 힘들다.

내 경우에 가장 힘들었던 사례는 2008년 힐러리 클린턴의 거짓 주장이었다. 그녀는 1996년 영부인 시절, 보스니아 방문 중에 저격수의 총격을 피한 적이 있다고 말했다. 나는 그 말이 사실이 아님을 알고 있었다. 당시 CBS 뉴스 기자로서 내가 그녀의 방문에 직접 동행했었기 때문이다. 우리는 결코 총격을 받은 적이 없었다. 나는 심지어 내 말을 증명해 줄, 1996년 당시의 비디오도 가지고 있다(클린턴은 이후 자신의 진술을 번복하고 사과를 했다). 하지만 나는 그 논란에 대한 보도에서 클린턴의 진술을 '거짓말'이라 부르지도, 그녀를 '거짓말쟁이'라 부르지도 않았다. 믿기는 어렵지만, 다른 가능성이 없는 것은 아니다. 엄밀히 말해서, 그녀가 정말 총격을 받은 적이 있다고 믿고 있었을 수도 있다. 그런 얘기를 하도 많이 하다 보니까 스스로 사실이라고 믿게 된 것일 수도 있다. 어쩌면 현실 감각이 무디어진 것일 수도 있다. 어찌 됐든 비록 그녀가 거짓말을 하고 있는 것처럼 보이기는 하지만, 뉴스에서 마치 내가 그녀의 마음속을 들여다보고 있는 것처럼 보도를 할 수는 없었다.

뉴스 기자로서 누군가가 거짓말을 하고 있다고 비난하지 말아야 할 중요한 이유가 또 있다. 기자가 그런 언어를 사용할 경우, 뉴스 소비자의 입장에서는 기자가 편향적이거나 경멸적이라고 생각할 수 있다. 마치 매우 개인적인 언행으로 들리기 시작한다. 공정한 사실의 보도로 보이기 위해 지켜져야 할 중립성이 훼손되는 것이다. 기자는 사실에 집중하고 대중이 스스로 결론을 내릴 수 있도록 하는 것이 최선이다.

예전에는 보도 대상의 생각을 들여다보는 것처럼 보도하지 않는 것이 저널리즘의 규범으로 인식되었다. 하지만 이제는 그 모든 것이 폐기되었다. 기자들은 비일비재하게 한 쪽 편을 들고, 어떤 뉴스 대상은 사실을 말하고 다른 뉴스 대상은 거짓말을 하고 있다고 대놓고 선언한다. 진실이 밝혀지지 않았거나 진실을 알 수 없을 때도, 해석의 문제이거나 의견의 충돌일 경우에도, '거짓말'이 사실은 단순한 과장이거나 말실수일 때도 그들은 거침이 없다. 뉴욕타임스가 트럼프의 '거짓말'을 보도하는 일을 선도했다. 이미 살펴본 것처럼, 다른 매체들이 곧 그 뒤를 이었고 편향적인 뉴스 수용자들은 이를 용기 있는 일이라고 칭송했다.

트럼프가 대통령이 된 지 18개월이 지났을 때, 나는 '오바마 거짓말'이라는 검색어로 구글 검색을 했다. 그 결과 5천6백만 건이 검색되었다. 그다음 '트럼프 거짓말'로 검색을 했다. 6억 3천만 건이 검색되었다. 달리 말하면 대통령 재임 1년 반 만에 트럼프는 8년간 재임한 오바마에 비해 열한 배나 많은 '거짓말' 검색 결과를 얻었다. '트럼프 거짓말'의 검색 결과는 당연히 그의 거짓말에 관한 블로그나 뉴스 보도로 연결되는 경우가 많다. 반면 오바마의 경우에는, 그의 거짓말과 관련한 비난을 변호하는 블로그나 기사로 연결되는 경우가 많았고, 종종 트럼프의 거짓말을 비난하는 오바마 행정부의 기사로 연결되기도 한다.

## 트럼프는 '거짓말'을 더 많이 할까?

'트럼프가 가장 큰 거짓말쟁이다'라는 내러티브가 틀린 것인지 아니면 사실인지에 의문을 품어보는 건 타당한 일이다. 하지만 그것을 객관적으로 알 수 있는 길이 있는지는 확실치 않다. 우선 누군가의 거짓말을 측정하는 것은 흔히 매우 주관적인 일이 되기 쉽다. 단순히 추측이나 가정이 아니라 누군가의 생각과 의도를 알 수 있어야만 가능하다. 다음으로 진실을 밝히기가 너무나 어려운 이유는 일부 언론이 사상 유례없이 트럼프를 공격하고 파멸시키려고 작심을 했기 때문이다.

이는 좌편향 웹사이트 폴리티코의 전 편집자 수잔 글래서와의 인터뷰에서 가장 잘 드러난다. 2017년, 나는 '가짜 뉴스'의 유행에 대해서 그녀와 대화를 나누고 있었다. 특별히 트럼프에 대해 질문을 하지 않았는데도 글래서는 자주 대답 중에 트럼프에 대한 비판을 끼워 넣었다. 한 번은 그녀가 내게 폴리티코가 일단의 기자들에게 2016년 대선 기간 동안 '트럼프가 한 모든 말에 대한 사실 확인'을 맡긴 적이 있었다고 말했다. 그녀는 이들이 '도널드 트럼프가 5분마다 거짓말 또는 과장 또는 허위사실을 말했음'을 밝혀냈다고 말했다.

비교를 위해서, 나는 당연한 질문을 글래서에게 던졌다. "트럼프의 상대편인 힐러리 클린턴에 대한 폴리티코의 사실 확인 결과는 어떻습니까? 그녀의 거짓말은 몇 분당 한 번으로 나왔나요?" 놀랍게도 글래서는 힐러리에 대해서는 사실 확인을 할 재원이 마련되지 않았다고 대답했다.

그 문제는 인터뷰의 주제가 아니었기에, 그 불공평에 대해서는 더는 글래서를 추궁하지 않았지만, 그녀의 대답에 대한 놀라움이 내 표정에 드러나는 것은 막을 수가 없었다.

트럼프 시대 이전에는, 대선 후보 한 쪽에 대해서만 사실 확인을 하는 것이 정당한 뉴스 보도라고 생각한 언론은 하나도 없었을 것이다. 하지만 작금의 이런 행태에 대해서 누구도 아무런 이의를 제기하지 않고 있다.

선거 전인, 2016년 9월 17일에 뉴욕타임스가 최초로 1면에 트럼프를 '거짓말쟁이'로 묘사했음을 밝힌 바 있다. 그 기사는 언론인들이 사람의 마음을 알 수 있다고 주장하는 것의 문제점을 잘 보여준다. 그 기사는 트럼프가 오바마 대통령의 출생지가 미국인지 아니면 케냐인지, 오바마 부친의 출생지가 어디인지를 질문한 사실을 비판했다. 오바마 지지자들은 트럼프가 오바마의 출생지를 질문한 것이 잘못된 일이라고 주장할 수 있을 것이다. 하지만 만약 트럼프가 그 질문이 정당한 질문이라고 믿었다면 그의 질문을 '거짓말'이라고 할 필요는 없다. 오바마는 논란이 지속된 수년 동안 자신의 출생증명서 제시를 거부했다가,

2011년에야 그가 하와이에서 출생했다는 출생증명서의 사본을 제시했다. 대부분의 사람이 그것을 오바마의 출생을 증명하는 진본이라고 받아들였다. 하지만 출생증명서의 원본이 아니었고, 하와이주가 아니라 백악관이 제시한 문서였으며, 하와이에서 오바마의 출생을 목격한 증인으로 나선 사람이 아무도 없었기 때문에, 트럼프가 그런 질문을 하였다고 해서 기자들이 한 목소리로 그를 '거짓말쟁이'로 몰아붙이는 것은 합당치 않은 일이다. 기자들의 개인적인 감정과 편향성이 압도하는 기사는 어떤 이들에게는 쉽게 받아들여지지 않는다.

뉴욕타임스의 편집장 딘 바켓은 사실의 분석에서 비껴간 사람들 중 하나였다. 그는 이렇게 말했다. "트럼프가 오바마의 출생지를 질문한 것은 진실을 호도하려는 행위이다. 그런 그를 거짓말쟁이라고 말하지 않는 것은 거의 무지한 일이라고 본다."

컬럼비아 저널리즘 리뷰(CJR)는 자신들이 적으로 여기는 사람들의 의견 또는 자신들이 동의하지 않는 의견을 '거짓말'이라고 부르는 기자들의 잘못된 행태를 비판하는 대신에 오히려 이에 편승하였고, 트럼프를 거짓말쟁이라고 부른 뉴욕타임스를 칭찬하였다. 그들은 이렇게 선언했다. '선례가 세워졌다. 대단한 일이다.'

그들은 또 이렇게 말했다. '광고의 어휘를 사용함으로써 뉴욕타임스와 여타 언론사들은 뉴스 산업계의 진실 선언을 한 단계 높은 수준으로 끌어올렸다. 트럼프 이전에는, 흉악 범죄와 표절 사례 및 공문서위조 등의 경우에만 언론이 뉴스에서 '거짓말'과 같은 어휘를 사용했었다.'

저널리즘 리뷰 잡지가 대놓고 언론이 뉴스 보도에서 '광고 어휘'를 사용한 것을 칭찬한 것에 대해 깜짝 놀랐다. 언론계에서는 처음 듣는 이야기다.

작가이자 전직 뉴욕타임스 기자이며 퓰리처상 수상자인 데이비드 케이 존스턴은 뉴욕타임스가 트럼프를 거짓말쟁이라고 부른 것을 보고 "깜짝 놀랐으며 감격했다"고 말했다. 왜 감격하였을까? 사실을 보도하기보다는 편향성에 빠져서 내러티브의 진전을 추구하기 때문이 아닐까?

2018년 11월, 〈토론토 스타〉의 워싱턴 특파원 다니엘 데일 역시 반 트럼프 운동에 동참했다. 그는 동료 기자들에게 함께 대통령을 '거짓말쟁이'로 부르자고 촉구했다. '언론에 대한 신뢰를 회복하고 싶다면 우리는 독자들에게 눈높이를 맞추어야 합니다. 우리는 정직한 언론으로 대중에게 각인되어야 하며, 이 경우에 합당한 어휘는 거짓말이라고 생각합니다.'

완전히 요점을 놓쳤다! 전통적인 언론이 말끝마다 '거짓말'이라고 비난하는 상황은 언론에 대한 대중의 신뢰를 오히려 잠식할 뿐이다. 사실 데일은 그가 취재한 정치인 중 한 명인 트럼프에 대한 비열한 편향성을 표현함으로써 스스로 객관적인 언론인으로서의 신뢰성을 훼손했다. 그런데도 그는 곧 CNN에서 일자리를 얻었으며, 프로필에서 이렇게 자랑했다. '그는 트럼프의 거짓 진술들을 '모두' 사실 확인한 최초의 기자이다.' 자신의 자랑을 확인시켜 주려는 듯 그는 트럼프의 거짓말을 캐는데 열심이다. 그의 트윗 하나를 보자.

> 지난주 트럼프의 '부정직'에 관한 몇 가지 주제: 이란. 암. 에티오피아. AOC. 볼튼. 나토. 고속도로 허가서. 캐나다. 그의 청중. 그의 승인. 그의 골프. 2016년.

재향 군인. 한국. 이라크. 비자 추첨. 중국. 공기. 오바마.

생각해보라. 전국의 유능한 기자들이 뉴스 기사를 보도하기보다는 트럼프가 거짓말쟁이라는 한 가지 내러티브를 미는 일에만 매달리고 있는 오늘날의 현실을. 제발, '미국과 저널리즘'을 위해 하루에 하나씩 사실 확인을 하라!

## '거짓말'의 재정의

우리는 좀처럼 뉴스 대상을 '거짓말쟁이'로 부르지 않던 언론이 어떻게 마치 아무런 주저 없이 단체로 그런 어휘를 쓰게 되었는지를 살펴보았다. 언론 그룹과 동료들의 전폭적 지지 속에서 기자들은 점점 더 대담해져 갈 것임이 분명하다. 그들은 목표가 된 뉴스 대상들이 과장 또는 농담을 하거나 말실수를 할 때, 심지어 진술의 진위를 가릴 수 없을 때에도 '거짓말'이라는 딱지를 붙이기 시작했다.

트럼프가 2016년 대선 당시 많은 불법 이민자들이 투표를 했다고 말했을 때, 뉴스 보도들이 그가 거짓말을 한다고 선언한 것이 좋은 사례다. 물론 기자들이 그 문제에 대한 증거를 확인하지 못했기 때문이라고 주장할 수 있다. 그렇다 하더라도 그들이 트럼프의 주장이 거짓말이라고 한 것은 정확한 표현이 될 수 없다.

트럼프를 거짓말쟁이로 본 기사들은 실제 부정 투표자로 확인된 숫자가 작기 때문에, '많은' 불법 이민자가 투표했다는 진술이 거짓말이라고 주장한다. 이는 과속을 적발당해서 실제로 딱지를 뗀 운전자만이 과속 운전자라고 주장하는 것과 비슷하다. 실제로 많은 불법 이민자가 투표를 했지만 적발되지 않았을 수도 있다.

시사주간지 〈타임〉은 인터넷 헤드라인에서 '트럼프가 틀렸다. 비시민권자는 투표하지 않는다'라고 선언하기도 했다. 이 헤드라인은 실증적으로 틀렸다. 비시민권자의 투표가 적발된 공식적인 사례가 많이 있다. 예를 들면 뉴욕타임스는 노스캐롤라이나주에서 적발된 19명 비시민권자의 부정 투표 사례를 보도했다. 텍사스주에서는 주 검찰의 조사에 따르면 9만 5천 명의 비시민권자가 유권자로 등록되어 있었고, 그 중에서 5만 8천 명이 1996년에서 2018년 사이에 투표권을 행사했다.

심지어 타임지의 기사 본문 마저 '비시민권자는 투표를 하지 않는다'라는 헤드라인과 상충한다. 즉 비시민권자의 투표가 실제로 발생하지만 빈도가 드물다는 것이다. 기자들은 많은 경우 직접적인 지식이 없이 다른 사람의 보고나 의견을 근거로 결론을 추론하곤 한다. 그런데도 그들은 자신들의 결론이 마치 확증된 사실인 것처럼 제시한다. 트럼프를 좋아하든 아니든, 이것은 바람직한 보도 행태가 아니며, 뉴스 산업에 대한 신뢰도를 갉아먹는 행위다.

매의 눈으로 사실 확인에 전력투구한 언론의 눈물겨운 노력은 2019년 트럼프의 연두교서에서 최고조에 달했다. 트럼프는 이렇게 주장했다. "우리의 용감한 군대는 중동에서 19년 가까이 동안 전투 중에 있습니다." 그들은 이를 놓치지 않았다. 그들은 미국이 중동에서 싸우고 있는 실제 연수가 근 19년이 아니라 17년을 약간 상회한다고 밝혔다. '트럼프는 정말 거짓말쟁이다!'

사실은 아프간 전쟁의 지속 연수에 대한 언론의 사실 확인은 자신들의 기준에 따르면 '거짓말'에 해당한다. 전쟁은 2001년 10월에 발발했다. 문제가 된 연두교서는 그로부터 18년 이후인 2019년 초에 발표되었다. 이는 언론의 주장인 '17년을 약간 상회'나 트럼프의 '19년 가까이'나 별 차이가 없다는 것을 보여준다. 하지만 이런 사실은 트럼프가 거짓말쟁이라는 내러티브에 맞지 않는다.

사실확인팀은 트럼프가 연두교서에서 미국 군대가 '중동(Middle East)'에서 싸우고 있다고 말한 것을 정정했다. 언론은 '이라크는 중동에 있지만, 아프가니스탄은 중남부 아시아에 있다! 이것도 트럼프의 거짓말이다! 그는 아프가니스탄이 중동에 있다고 우리를 속이려 한다! 하지만 우리는 그것에 넘어가지 않는다!'라고 외쳤다.

그런데 사실은, 아프가니스탄이 중동의 일부라고 생각하는 사람이 적지 않다. 사실확인꾼들은 아프가니스탄이 이미 제1차 세계대전 이전에 중동의 일부로 여겨졌다는 사실과 부시 행정부가 아프가니스탄을 이른바 '대중동지역(Greater Middle East)'으로 분류했다는 사실을 확인하지 않았다.

다음으로 트럼프는 연두교서에 이렇게 주장했다. "지난 2년간 거의 5백만 미국인이 식품구매권(food stamps) 프로그램을 벗어났다." 사실확인꾼들은 이를 반박하면서 실제 식품구매권을 수령하는 사람의 숫자는 2016년 4천4백2십만에서 2018년 4천3십만으로 감소했다고 주장했다. '이는 감소 인구가 거짓말쟁이 트럼프의 주장처럼 5백만이 아니라 4백만에 불과하다는 것을 보여준다. 누구를 속이려 드는가?'

실상은, 내가 정부 문서의 숫자를 직접 확인한 바에 따르면 식품구매권 수령 인구는 2016년 4천4백2십만에서 2018년 3천9백7십만으로 감소했다. 이에 따르면 트럼프가 제시한 숫자는 '거짓말'이 아니다. 언론의 사실확인이 틀린 것이다. 그런데 사실확인꾼의 주장은 누가 사실확인을 하는가?

대중문화와 연예계까지 스며들지 않는다면 좋은 내러티브라 할 수 없을 것이다. 〈에스콰이어〉지는 뉴스 매체가 아니더라도 거뜬히 한몫을 해낸다는 것을 잘 보여주었다. 2019년 1월, 에스콰이어의 댄 싱커는 다음과 같은 제목으로 블로그 글을 올렸다. '2019년, 언론은 트럼프의 거짓말을 더욱 잘 지적해야 한다. 객관성을 유지한다는 것이 거짓말을 방조하는 것을 의미하지는 않는다.' 싱커는 생각이 가는 대로 다음과 같이 기술했다.

> 대형 뉴스 매체들은 거짓말쟁이 대통령에 대한 비판에 더욱 박차를 가해야 한다. 그가 거짓말쟁이라는 사실은 새롭지 않다. 뉴스 매체는 그의 거짓말을 계수하는 일을 잘 해오고 있다(워싱턴 포스트는 그의 대통령직 취임 이후 거짓말 횟수를 7,645회로 계수했다. 아마도 이 글이 나가고 난 후, 더욱 증가했을 것이다). 또한 그의 거짓말을 사실 확인하였으며(폴리티팩트는 그의 진술 중 5%만이 사실이라고 밝혔다), 그의 진술을 거짓말이라고 불러야 하는지에 대한 논란을 이끌어냈고(NPR은 '의도가 중요하다'고 했다), 그의 거짓말 숫자를 표시하기 위한 랭킹 시스템을 고안해냈다. (예를 들어 '무한한 피노키오'를 보라.) 이는 모두 잘한 일이다.
>
> …… 대통령이 사실이 아닌 내용의 트윗을 남발하고, 대통령 전용 헬기 밖에서 질문에 대해 헛소리를 지껄이며, 국무회의에서 횡설수설하고, 마음대로 지껄인 내용으로 헤드라인을 장식한다면 결국 모든 이에게 피해가 가게 될 것이다.

함부로 '거짓말'이란 단어를 사용하지 않는 언론 매체로서 특기할 만한 사례는 〈전국 공영 라디오(Nation Public Radio)〉이다. 불법 이민자 투표에 관한 트럼프의 주장에 대해서 NPR은 그의 주장을 거짓말이라고 하는 대신에, '부정 투표 만연에 대한 신뢰할 만한 증거가 없다'라고 기술했다.

이는 트럼프에 대해 언론이 고안해 낸 '두 번째 어휘'를 살펴보게 한다. '믿을 만한 증거가 없음', '증거 없음', '증거 없이' 등이 바로 그것이다.

## '증거 없이'

나는 지난 40년 간 언론계에서 일하면서, 어떤 사람이나 사안에 대한 보도에서 '증거 없이'라는 어휘를 사용한 적도, 들어본 적도 없다. 트럼프에 대한 보도가 나오기 전까지는 말이다.

보도 용어로서 이 어휘의 등장이 얼마나 급작스러운 현상인지를 살펴보기 위해 '트럼프 증거 없이(Trump without evidence)'라는 단어들로 구글 검색을 했다. 1억7천9백만 건의 검색 결과가 나왔다. 나는 '오바마 증거 없이'라는 단어들로 똑같은 검색을 했다. 언론이 오바마가 '증거 없이' 주장을 했다고 보도한 내용을 보여주는 상위 검색 결과는 한 건도 없었다. 오히려 '오바마 증거 없이'의 검색 결과는 예상대로 '트럼프가 증거 없이 주장한 내용'을 보도한 기사들을 보여주었다.

얼핏 보면 '증거 없이' 또는 '믿을 만한 증거 없음'과 같은 어휘들은 '거짓말'이라는 단어를 남발한다는 비난에 비해 책임감 있고 사실에 근거한 것으로 보일 수도 있다. 하지만 이 또한 문제가 많다.

첫째, 누가 '증거'와 '신뢰성'을 결정하는가?

둘째, 증거가 없다는 것이 곧 그 주장이 신빙성이 없다는 뜻은 아니다. 소아마비가 물을 통해 전파될 수 있다는 주장도 한 때는 증거가 없었다. 또한 어떤 종류의 콜레스테롤은 건강에 유익하다는 주장도 증거가 나오기 전까지는 증거가 없었다.

셋째, '증거 없이'라는 어휘는 편파적인 보도를 위해 만들어진 개념이다. 오랜 세월 동안, 진술을 하면서 '증거'를 제시한 뉴스 대상들은 거의 없었다. 코멘트나 연설에서 각주나 인용구 제시를 기대하지도 않는다. 물론 트럼프 이전까지는 그랬다. 이제는 보도에서 일방적으로 '증거 없이'라는 표현을 흔히 사용하는데, 주로 트럼프와 그의 지지자들에 대해서 그렇다. 특히 언론이 그들을 문제시하거나 폄하하기 위해서 그렇게 한다.

이러한 표현들은 언론이 트럼프에 대해 사용하기 전까지는 보도에서 거의 사용되지 않던 표현들이다. 그런데 이런 어휘가 출현하자마자 너도나도 이런 표현을 쓰기 시작했다.

특별히 나의 관심을 끈 것은 워싱턴 포스트의 사례이다. '트럼프는 증거 없이 그의 선거팀 조사에 따르면 그가 모든 주에서 앞서고 있다고 주장했다.' 그들이 원하는 증거는 사실 그들의 헤드라인에 들어 있다. 바로 트럼프 선거팀의 조사이다. 증거의 유무를 믿든 안 믿든, 공정한 보도를 하려면 다음과 같은 헤드라인을 내야 한다. '트럼프는 공개되지 않은 선거팀의 조사에 근거해 그가 모든 주에서 앞서 있다고 주장했다.'

언론이 같은 기준을 자신들이 선호하는 정치인에게는 적용하지 않는다는 것을 살펴보기 위해 다음 사례들을 보자.

캘리포니아주 민주당 하원의원 애덤 쉬프는 거의 2년 동안 지속적으로 (증거도 없이) '트럼프와 러시아의 공모에 대한 충분한 증거가 드러났다'라고 주장해왔다. 워싱턴 포스트는 '힐러리 클린턴이 트럼프가 블라디미르 푸틴의 꼭두각시라고 비난했다'라는 헤드라인을 달면서 힐러리 클린턴에게서 그 어떤 증거도 획득하지 않았다. CNN, 〈U.S. 뉴스&월드 리포트〉, 〈로스앤젤레스 타임스〉는 하원의장 낸시 펠로시가 (증거 없이) '트럼프가 은폐 공작에 연루되었다'고 주장하는 것에 대해 아무런 불만이 없었다.

바로 내러티브 때문에 '증거 없이'라는 표현의 대상자는 오직 트럼프였던 것이다.

가장 좋은 사례는 미주리주 퍼거슨에서 2014년 8월 9일에 마이클 브라운이라는 18세의 비무장 용의자가 경찰에 의해 피격된 사건이다. 브라운은 흑인이었다. 그에게 총격을 가한 경관 대런 윌슨은 백인이었다. 이 사건에 대한 보도는 우리 시대 최악의 언론 과오라고 할 만하다. 증거 없는 증인의 증언에 따르면 브라운은 손을 들고 항복을 한 채로 피격을 당했다. 이 허위 보도는 아무런 제재 없이 전 세계 언론으로 퍼져 나갔다.

책임 있는 기자라면 반박 주장을 제시하거나 증거 없는 주장에 대해 주의를 기울여야 했다. 하지만 그들은 그렇게 하지 않았다. 윌슨 경관에 대한 허위 주장은 아무런 비판 없이 널리 받아들여졌다. 이는 곧 폭력 시위로 이어졌다. 또한 이른바 '손 들었음, 쏘지 마시오!(Hands up, don't shoot!)' 운동을 촉발시켰다.

이후, 오바마 법무부는 윌슨 경관에 대한 목격자들의 증언이 '믿을 수 없다'고 확인했다. 그들의 진술은 서로 맞지 않았고, 이전의 진술과도 상충하였다. 믿을 만한 증언과 법의학적 증거는 윌슨 경관의 진술을 지지했다. 브라운은 순찰차에 접근해서 윌슨 경관의 목을 움켜쥐었다. 다툼 끝에 브라운은 윌슨 경관에게 달려들었고, 윌슨 경관은 자기 방어를 위해 총격을 가했다. 이것이 2015년에 나온 법무부의 최종 보고서 결과였다. 하지만 이 최종 결론은 처음 허위 주장에 비해 세간의 주목을 전혀 받지 못했다. 윌슨 경관에 대한 사과도 없었다. 그의 삶과 경력은 무책임하고 편파적인 허위 보도로 완전히 망가졌다.

오늘까지도 많은 사람이 퍼거슨 사건의 오해를 그대로 믿고 있다. 또한 죄 없는 흑인 청년이 인종주의적 백인 경관에 의해 피격당해 사망했다는 허위 내러티브가 조직적으로 유포되고 있다. 2019년 8월 9일과 10일, 민주당의 엘리자베스 워런, 팀 라이언, 코리 부커, 카멀라 해리스, 키어스틴 질리브랜드, 버니 샌더스 및 빌 드 블라시오 등 당시 대선 후보들은 때 맞추어 증명되지 않은 주장을 담은 진술을 트윗에 올렸다.

> 엘리자베스 워런: 5년 전, 마이클 브라운은 미주리주 퍼거슨에서 백인 경관에 의해 살해되었다. 마이클은 비무장인 채로 6번의 총격을 받았다. 나는 마이클의 정의를 위한 싸움을 지속하고 있는 운동가들 및 조직들을 지지한다. 우리는 인종차별과 경찰 폭력에 맞서야 한다.

코리 부커: 5년 전, 마이클 브라운은 경관에 의해 죽임을 당했다. …… 하루 종일 마이크와 그 가족을 생각했고, 그들을 위해 기도했다. …… 또한 경찰의 폭력과 인종차별에 맞섰고, 애국적인 행위 때문에 최루 가스를 마셔야 했던 평범한 시민들을 생각했다. 퍼거슨은 전 국민의 양심을 일깨웠고, 지금까지 지속되고 있는 운동을 촉발했다.

카멀라 해리스: 마이클 브라운의 피살은 퍼거슨과 미국을 변화시켰다. 그의 비극적인 죽음은 절실했던 대화와 전국적인 운동을 촉발했다. 우리는 사법 체계의 보다 강화된 책임과 인종적 공평성을 위해 싸워야 한다.

버니 샌더스: 마이클 브라운은 오늘날 살아 있어야 한다. 그가 죽은 지 5년이 지난 지금, 우리는 유색 인종에 대한 경찰의 폭력을 끝내야 한다.

키어스틴 질리브랜드: 5년 전, 퍼거슨의 한 경관이 비무장 10대 소년 마이클 브라운을 죽였다.
그는 6번 총격을 받았다.
마이클을 다시 되살릴 수는 없지만, 그의 가족 및 많은 이들에게 가해진 불의를 향한 싸움을 멈출 수는 없다.

팀 라이언: 마이클 브라운의 비극적 죽음이 있은 지 5년이 흘렀지만, 우리는 여전히 해야 할 중요한 일이 있다. 경찰과 경찰이 보호해야 할 지역공동체 사이의 신뢰를 재건해야 한다.

빌 드 블라시오: 마이클 브라운은 오늘 여기에 있어야 한다. 우리 도시는 퍼거슨의 아픔을 너무도 잘 안다. …… 그 누구도 피부 색깔 때문에 죽어서는 안 된다.

이러한 트윗에 담긴 명백한 허위사실에 대한 전국 뉴스 매체의 사실 확인은 없었다. 이들의 주장은 '증거가 없을' 뿐 아니라, 오히려 증거에 반한다. 하지만 언론은 트럼프 대통령에 대한 사실 확인으로 너무 바쁘다.

마찬가지로, 트럼프-러시아 공모설 및 기타 반트럼프 내러티브에 대해서는 우리 언론은 지난 2년 간 아무런 믿을 만한 증거와 비판 없이, 기괴한 비난들을 허용해왔다. 퍼거슨의 경우와 마찬가지로, 이들 주장의 대부분은 사실이 아닌 것으로 판명이 났다. '트럼프는 수십 년간 소득세를 납부하지 않았다.' '그는 결코 대통령이 되고 싶어하지 않았다.' '그는 이민자 문제에 대해서 거짓말을 하고 있다.' '그는 러시아 대통령 블라디미르 푸틴의 앞잡이였다. 러시아의 스파이다.' 목록은 끝이 없다. 우리는 트럼프를 공격하면서 그에 대한 증거 기준을 위반하고 있다. 트럼프를 잡기 위해서 보도의 원칙을 훼손하고 있다. 우리 스스로 편향성과 이중잣대를 노출했다.

언론계는 트럼프가 우리가 알고 있던 뉴스를 사망으로 이끌었다고 비난한다. 하지만 진실은, 우리가 스스로 그렇게 한 것이다.

## 거짓말 대 실수

'도널드 트럼프는 대통령으로서 플로리다주 파크랜드 총기 난사 사건의 생존자 학생들을 만났다고 두 번이나 주장했다. 하지만 실상은 그 총격 사건이 발생했을 때, 그는 대통령이 아니었다!'

사실, 위의 주장은 가상으로 만든 내용이다. 트럼프는 그런 주장을 한 적이 없기 때문이다. 실제로 사실관계를 틀리게 말한 인물, 바로 '조 바이든'의 이름 대신에 트럼프를 끼워 넣어 본 것이다.

사실은 부통령으로서 플로리다주 파크랜드의 총기 난사 생존자들을 만났다고 두 번이나 주장한 사람은 조 바이든이었다. "나는 파크랜드 아이들을 만났고, 그들은 내가 부통령일 때 의회 의사당을 방문했습니다." 그는 2018년 8월 아이오와 주의 한 총기 규제 포럼에서 이렇게 말했다. 이후에 그는 또 말했다. "파크랜드의 그 아이들은 내가 부통령일 때 나를 만나러 왔습니다." 하지만 바이든은 어쩐 일인지 혼동을 했다. 그는 파크랜드 총격 사건이 발생했을 당시, 1년 간 휴직 중이었다. 따라서 부통령으로서 그 생존자들을 만나는 것은 불가능했다.

내가 바이든 대신 트럼프의 이름을 먼저 가상으로 거론한 이유는 실제로 바이든이 아니라 트럼프가 그런 실수를 저질렀을 때 전국 언론이 그 사건을 어떻게 다루었을지를 상상해보기 위해서이다. 하지만 당사자가 바이든이었기에, 모든 언론은 똑같은 어휘를 사용해서 그 사건을 지칭했다. 즉 그 사건은 단순한 '실수(gaffe)'였다. 무해한, 비의도적 실수였다. 트럼프가 말하는 의도적, 악의적 거짓말과는 전혀 다른 것이었다.

실수(gaffe)라는 어휘가 널리 쓰인다는 사실 자체가 내러티브가 존재한다는 사실에 대한 증거다. 이렇게 설명할 수 있다. 이 단어는 사람들이 일상생활에서 흔히 사용하는 단어가 아니다. 우리는 흔히 '실수(error)', '말이 헛 나옴(slip of the tongue)', '실수(mistake)' 또는 '망침(mess up)' 같은 단어나 표현을 사용한다. '삼촌을 직장에 모셔다드리면서 끔찍한 실수(gaffe)를 저질렀어'라고 말하는 사람은 거의 없다. 그렇다면 왜 바이든의 실수(blunder)들을 거론할 때, 거의 모든 언론이 실수(gaffe)라는 어휘를 채택하는 것일까?

흥미롭게도, '실수(gaffe)'라는 단어는 바이든이 공격적이거나 부정확한 것으로 판명 난 자신의 말을 가리킬 때 즐겨 사용하는 표현이다. 2020년 대선 초기에, 그는 아프가니스탄과 이라크의 방문 횟수를 잘못 말했는데, 거의 50%나 과장을 했다(즉 21번 대신 '30번 이상' 방문했다고 주장했다). 그는 영국 총리의 이름을 혼동했다. 그는 노스캐롤라이나주의 샬럿(Charlotte)과 버지니아주의 샬럿츠빌(Charlottesville)을 혼동했다. 그는 1970년 켄트 주립대학에서 피격당한 사람의 숫자를 크게 과장했다(그는 50명 이상이라고 했는데, 사실은 4명이었다). 그는 수십 년 전 사망한 중국의 독재자와 협상을 하고 있다고 주장했으며, 미국 인구의 절반인 '1억5천만 명이 2007년 이후에 총기 폭력으로 사망했다'고 주장했다. 2020년 3월 2일, 그는 독립선언문을 인용하려 했는데, 실제로 나온 말은 다음과 같았다. '이러한 진리들은 명약관화하며…… 모든 남녀는…… 음… 그러니까, 다들 알잖아요.' 2020년 3월의 대선 유세 중에, 그는 아내와 누이를 혼동했으며, AR-15 소총을 'AR-14s'라고 불렀다.

바이든이 하나의 이야기에서 너무도 많은 '실수'들을 저질렀기에, 어쩔 수 없이 언론이 그것에 대해 언급할 수 밖에 없을 때에도 그들은 이러한 실수를 악의적이거나 고의적인 것으로 말하지 않는다. 하지만 이는 트럼프에 대한 편파적인 대우와는 뚜렷한 대조를 이룬다.

2019년 8월 29일, 워싱턴 포스트는 바이든이 짧은 전쟁 이야기에서 6개의 실수를 했다고 보도했다. 바이든은 뉴햄프셔주의 한 타운홀 미팅에서 한 감동적인 참전 영웅에 대해 언급하면서 시대, 훈장, 계급, 병과, 지역 및 공훈에 대해 잘못 얘기했다. CNN은 이러한 실수들에 대해 '몇몇 부정확한 요소들', '잘못된 진술', 그리고 '잘못된 기억' 등의 표현으로 부드럽게 표현했으며, 바이든이 '부정확했다'라고 말했다.

신용을 잃어가고 있는 소위 '팩트체커' 스노프는 바이든의 전쟁 이야기가 틀렸다고 보도한 워싱턴 포스트와 다른 언론들이 실수를 저질렀다고 말했는데, 왜냐하면 '그의 이야기 절반은 사실이었기' 때문이라고 했다. 스노프는 그의 내러티브 주인들을 기쁘게 하기 위해 전력을 다한 것이다. 바이든은 정당화되어야 하며, 비판받아서는 안된다.

언론이 정치인의 허위 진술을 조사하고 지적하는 것은 정당한 일이지만, 우리는 허위 진술을 공평하게 다루지 않음으로써 스스로의 신뢰도를 파괴하고 있다. 바이든의 '실수'를 트럼프에 대한 비판과 비교해보라. 바이든이 '실수쟁이'라면 트럼프는 '타고난 거짓말쟁이'이다. 뉴욕타임스를 생각해보라. 2017년에 발표한 '트럼프의 거짓말' 목록에서 뉴욕타임스는 거짓말의 정의를 확장했는데, 명백한 실수와 과장까지도 거짓말에 포함시켰다.

다음은 뉴욕타임스의 '트럼프 거짓말' 목록에 나오는 다섯 가지에 대한 나의 짤막한 분석이다.

1. 트럼프 거짓말: 3백만에서 5백만에 이르는 불법 투표 때문에 내가 선거인단은 더 많이 확보했지만 일반 투표에서는 질 수 밖에 없었다.

 뉴욕타임스: 불법 투표에 대한 증거는 없다.

 분석: 뉴욕타임스는 다음과 같은 기존의 학문적 연구 결과의 증거를 언급하지 않았다. 이 연구에 따르면 수백만의 불법 투표가 2008년의 대통령 선거인단 투표와 의회 구성의 결과를 민주당에 유리하게 바꿨을 수 있다. 또한 뉴욕타임스는 트럼프를 반박하면서 아무런 '증거'도 제시하지 않았다. 즉, 뉴욕타임스 자신의 기준에 따르면 자신들이 트럼프에 대해서 거짓말을 하고 있었던 것이다.

2. 트럼프 거짓말: 이민관세집행국(ICE)이 나를 지지했다.

 뉴욕타임스: 오직 조합원만이 그렇게 했다.

 분석: ICE 조합원이 트럼프를 지지했기 때문에, ICE가 그를 지지했다는 진술을 거짓말로 볼 수는 없다. 최악의 경우, 그것을 과장된 진술이라고 할 수는 있을 것이다.

3. 트럼프 거짓말: 비행기 일괄구매에 대한 한 번의 협상으로 7억 달러 이상의 국세를 절감했다.

 뉴욕타임스: 대부분의 비용 절감은 트럼프 이전에 조율되었다.

 분석: 뉴욕타임스는 트럼프가 사전에 조율된 비용 절감을 자신의 공으로 주장했다 또는 자신의 협상 능력을 과장했다고 보도할 수는 있다. 하지만 그의 진술이 거짓말인 것은 아니다.

4. 트럼프 거짓말: 지금 거론되고 있는 나의 마지막 트윗 즉 도청 및 감시당하고 있다는 것은 사실로 드러나고 있다.

뉴욕타임스: 여전히 증거는 없다.

분석: 뉴욕타임스는 '증거'의 구성요건에 대해 동의하지 않을지 모르지만, 트럼프와 그의 선거팀이 여러 경로로 감시되고 도청당하고 있다는 유력한 증거가 있다. 그의 진술은 거짓말이라고 할 수 없다.

5. 트럼프 거짓말: 부정직한 언론인 그리고 가짜 언론은 기사를 조작합니다. 많은 경우에 출처가 없습니다. '출처에 따르면'이라고 말하지만, 사실 그런 것은 없습니다.

   뉴욕타임스: 언론은 출처를 조작하지 않는다.

   분석: 이 점에 있어서 뉴욕타임스는 명백히 틀렸다. 첫째, 그들은 모든 언론에 대해서 안다고 주장할 수 없다. 또한 언론이 출처를 조작한, 알려진 사례가 다수 있다. 잘 알려진 사례로는, 퓰리처상 수상자 자넷 쿡이 연재 뉴스 기사에서 주요 인물을 조작한 사실이 밝혀져서 수상을 취소당한 일이 있다. 뉴욕타임스의 제이슨 블레어는 조작과 표절을 일삼은 것으로 드러났다. 〈보스턴 글로브〉의 마이크 바나클은 암 환자 어린이들에 대한 기사에서 출처와 사실을 조작한 것으로 드러났다. CNN 인터내셔널이 선정한 '올해의 기자'인 〈슈피겔(Der Spiegel)〉의 클라스 렐로티우스는 십수 건의 반트럼프 기사와 기사 속 인물들을 조작한 사실이 들통났다.

CNN 역시 이중잣대를 숨기지 않는다. 한 기사에서 그들은 유권자들이 '바이든의 말실수'와 트럼프의 '진실에 대한 고의적인 공격과 수많은 거짓말'을 구별해야 한다고 명백하게 주장했다. 하지만 리얼클리어폴리틱스의 조사에 따르면 CNN이 주장한 구별의 어리석음이 분명히 드러난다. 이들에 따르면 CNN은 헤드라인에서 트럼프의 실수는 '이상한,' '황당한,' '엉망,' '야단법석' 등으로 묘사하였고, 반면에 전임자인 버락 오바마의 실수는 단지 '오해의 소지가 있는,' '선별된' 등으로 묘사되었다. 한편, 4개월에 걸쳐 진행된 리얼클리어폴리틱스의 팩트체크에 따르면 트럼프와 바이든의 진술 사이에는 유의미한 차이가 없었다. 바이든과 트럼프 모두 진술의 약 40% 정도가 '허위'로 드러났다.

뉴스 대상이 누구인가에 따라 뉴스 보도의 내용이 차이가 나는 이유는 내러티브를 통해서만 설명이 가능하다. 트럼프는 정직하지 못한, 사악한 악마이며, 바이든은 선의의, 상냥하고 순진한 얼뜨기다.

물론, 트럼프에게는 기자들의 악성 공격에 대항하고, 반격할 장점이 있다. 바로 그가 내러티브에 있어서 선수라는 사실이다.

## 트럼프의 내러티브

많은 선동가들은 비밀스럽게 일을 한다. 우리의 의식 속에 조용히 내러티브를 삽입함으로써 우리가 언제 어디서인지도 모르게 그것을 믿도록 만든다. 자신의 신분은 감춘 채 자신의 상품만 눈에 띄도록 만드는 것이, 마치 비밀스럽게 활동하는 스파이가 쓰는 수법과 비슷하다.

하지만 트럼프 대통령의 경우는 다르다. 그는 대놓고 내러티브를 사용함으로써 엄청난 성공을 거둔 공인으로서 첫 사례에 해당한다. 그의 방법은 대체로 '면전에' 대놓고 하는 것이다. 그는 의도적으로 내러티브를 심으려 한다는 것을 감추지 않는다. 그는 자신의 기술을 민주당과 공화당에 모두 사용하는데, 특히 자신이 먼저 공격을 받았다고 생각할 때 그렇다.

많은 비판을 받은 것이 사실이지만, 이를 통해 트럼프는 훨씬 더 많은 이득을 취했다. 수많은 사람들이 그가 추진한 내러티브에 대해서 이야기한다는 사실 자체가 그의 성공을 나타낸다.

트럼프는 간단하며, 이해하고 기억하기에 쉬운 꼬리표를 사용하여 내러티브를 적용한다. 그다음 수많은 반복을 통해 이를 주입한다. 때때로 유머를 첨가하기도 하는데, 이를 통해 더욱 기억에 남게 만든다.

- 포카혼타스: 민주당 대선 후보였던 엘리자베스 워런에게 붙인 이름이다. 그녀는 자신이 미국 원주민 혈통이라고 잘못 주장한 적이 있었는데, 이를 통해 그녀가 부정직하며 문화적 유산을 가식적으로 도용했다는 내러티브를 인식시켰다.
- 졸린 조(SLEEPY JOE): 전직 부통령 조 바이든에게 붙여진 꼬리표로 그가 군통수권자로서는 너무 나약하고 허약하다는 점을 부각시켰다.
- 무기력한 젭(LOW ENERGY JEB): 2016년에 대선 후보 젭 부시에게 이 꼬리표를 붙였다. 부시의 차분한 발표를 보노라면 이 꼬리표가 생각나지 않을 수 없다.
- 부정직한 힐러리(CROOKED HILLARY): 간단한 이 두 단어를 통해 트럼프는 전 영부인 힐러리 클린턴과 관련된 모든 범죄 혐의, 음모론 및 비행들을 떠올리게 만들었다.

- 울고 있는 척(CRYIN' CHUCK): 2017년, 민주당의 선임 상원의원이 트럼프의 '악독한' 이민 금지에 대해서 눈물을 흘리자, 트럼프는 이를 적극 활용했다. 또한 트럼프는 '거짓말하는 척'이란 꼬리표도 종종 사용했다.

트럼프는 신체적 특징을 비하하는 표현을 사용하기도 했는데, 이는 특징을 잘 드러냈을 뿐 아니라 기억에 확실히 남는 것들이었다. 그는 때때로 자신을 비판하거나 공격하는 사람의 왜소한 신체 이미지를 사용함으로써 그들의 힘과 권위를 약화시켰다. 2016년에 공화당 적수였던 마르코 루비오 상원의원은 '꼬마 마르코'로 불리었다. 2020년 대선에서 적수였던 민주당의 마이클 블룸버그는 '미니 마이크'로 불리었다. 트럼프 탄핵에 앞장섰던 하원의원 애덤 쉬프는 '연필 목(Pencil Neck)'으로 불리었다.

언론에 대한 트럼프의 '가짜 뉴스'와 '민중의 적' 내러티브는 특히 큰 유행을 했는데, 이는 기존의 뉴스 매체에 대한 대중의 회의론을 적극 활용한 것이었다. 나의 다른 저서 《중상모략(The Smear)》에서 밝혔듯이, '가짜 뉴스'라는 표현의 현대적 사용은 트럼프가 고안한 것이 아니었다. '가짜 뉴스'의 개념을 정립하고 비난하려 한 것은 2016년 대선 기간, 비영리 웹사이트 퍼스트 드래프트가 최초였는데, 이들은 '알파벳'(힐러리 클린턴과 버니 샌더스를 지지했던)이 소유한 구글의 지원을 받았다. 당시 알파벳은 힐러리의 최대 후원자였던 에릭 슈미트가 이끌고 있었다. 이들이 규정한 바에 따르면 가짜 뉴스는 항상 본질적으로 보수주의적이었다. 퍼스트 드래프트가 '가짜 뉴스' 내러티브를 밀기 시작한 지 얼마 지나지 않아서, 오바마 대통령이 2016년 10월 13일 카네기멜론대학 연설에서 이를 적극 사용했다. 이미 기술한 것처럼, 오바마는 누군가 나서서 대중의 유익을 위해 온라인 정보를 큐레이트해야 한다고 역설했다. 이는 정부, 기업, 학교, 소셜 미디어 등 제삼자가 나서서 대중이 어떤 정보를 습득하고 믿어야 할지를 결정해주어야 한다는 주장을 설파한 시초가 되었다.

트럼프가 이에 특출한 재능이 있다는 사실을 증명하는 데는 그리 오랜 시간이 걸리지 않았다. 그는 '가짜 뉴스'라는 개념을 받아들여 재정의한 후, 이를 최초 설파한 이들에게 되돌렸으며, 그들은 이제 이 개념을 부정하기에 이르렀다. 오늘날 대부분의 사람들은 트럼프가 이 표현을 고안해냈다고 잘못 알고 있다. 실상은 트럼프가 그 표현의 적대적 인수합병을 통해 자신의 내러티브 지배력을 여실히 보여준 것에 불과했다.

트럼프가 고안한 선전 구호들 역시 강한 영향력을 선보였다. 흑인 유권자들의 지지를 끌어내기 위한 구호는 '손해 볼 게 뭐가 있어?(What have you got to lose?)'였다. 유세 중에 '부정직한' 힐러리 클린턴을 가리키며 사용한 구호는 '잡아 넣어!(Lock her up!)'였다. 야유를 퍼붓는 방해꾼들에게는 '집에 엄마한테나 가라'를 선보였다.

그 외에도 많다. '다시 미국을 위대하게', '더 이상 이기고 있지 않다.', '마녀사냥'.

트럼프 지지자들은 그가 이야기들과 구호를 반복하는 것을 좋아했다. 거의 모든 유세 현장에서 그는 청중들에게 뒤에 있는 '가짜 뉴스' 카메라들을 보라고 말했고, 그들이 자신의 엄청난 청중을 제대로 비춰주지 않는다고 나무랐다.

트럼프의 적들과 많은 뉴스 매체가 그가 고안한 내러티브와 그의 제시 방법을 좋아하지 않았는데도 그는 어떻게 내러티브를 통해 그런 성공을 거두었을까?

오바마는 한때 자신의 어젠다를 진행시키기 위해 '전화와 펜'을 준비해두고 있다고 말한 적이 있다. 이는 전화를 통해 지지를 이끌어내거나 좋아하지 않는 법안에 대해 거부권을 행사할 능력이 있다는 뜻이었다. 하지만 이는 다 옛날 방식이 되었다. 트럼프에게는 훨씬 더 효율적인 방법이 있었으니, 바로 트위터였다. 트위터의 한정된 공간은 짤막한 어휘와 파격으로 내러티브를 제시하는 인물에게는 최적의 수단이 되었다. @RealDonaldTrump 계정의 7천2백만 이상의 팔로워와 그의 백악관 계정의 2천8백만 팔로워를 합치면 1억 명의 팔로워가 된다. 그는 거의 즉각적으로 자신의 많은 내러티브를 자신의 지지자들과 적들에게 동시에 직접 전달할 수 있게 되었다.

트럼프가 활용할 수 있는 또 다른 수단은 전통적인 대통령으로서의 발언 기회다. 언론은 좋든 싫든, 그와 관련된 많은 이벤트를 취재할 수밖에 없다. 운동선수나 전쟁 영웅을 만나는 이벤트일 수도 있고, 외교사절단과의 회동이나 대통령 전용기를 타기 직전의 우발적 연설일 수도 있다. 트럼프는 내러티브를 제시하거나 강화할 수 있는 기회를 좀처럼 놓치지 않는다. 그는 많은 눈과 귀가 자신을 주목하고 있다는 사실을 잘 알고 있다. 그는 대통령으로서의 발언 기회를 마치 리얼리티쇼의 에피소드처럼 여긴다. 무엇을 할 것인지 또는 어떤 결과를 예상하는지 등의 질문에 대해 그는 종종 이런 표현으로 대답하곤 한다. '두고 봅시다.' '곧 알게 될 것입니다.' 이는 방송 멘트를 연상케 한다. '다

음 번 방송을 기다려주세요.'

2020년, 코로나바이러스 사태가 시작된 후 대략 6주간의 기간인 3월 13일부터 4월 23일 사이에 트럼프 대통령이 카메라를 통해 대중에게 이야기를 하고 기자들의 질문에 답한 시간은 41시간 30분을 약간 상회하는 것으로 집계되었다. 이는 평균 매일 하루 한 시간에 해당한다. 우리 시대 그 어느 대통령도 이에 근접한 사람은 없었다. 그는 같은 요점들을 여러 번 제시하기도 한다. 치료제 또는 예방약으로서 항말라리아 약제인 하이드록시클로로퀸의 가용성에 대해서 그는 이렇게 말했다. "효용이 있을 수도 있고, 없을 수도 있고…… 두고 봅시다. 손해 볼 건 뭐가 있습니까?" 산소호흡기 부족 현상의 우려와 이에 대한 그의 대처와 관련한 보도에는 이렇게 말했다. "언론은 내 공을 인정하지 않을 것입니다. …… 산소호흡기가 필요한 사람이 받지 못한 경우는 없었습니다."

2020년 5월, 백악관에서 트럼프 대통령과 진행한 인터뷰에서 나는 그가 왜 TV 카메라 앞에서 그토록 많은 시간을 소비하는지, 또한 그 시간이 유익했다고 생각하는지를 물었다.

그가 대답했다. "나는 그렇다고 생각합니다. 나는 케이블 TV에서 큰 차이로 가장 높은 시청률을 기록했습니다. 당신도 아실 겁니다." 그는 또한 이 방식이 그가 '매우 부패한' 뉴스에 대해 '대중과 소통하는' 방식이라고 대답했다.

트럼프의 적들 역시 선전 구호를 사용함으로써 대통령의 여러 내러티브들을 변색시키는데 어느 정도 성공을 거두었다. 2015년부터 트럼프가 진지한 대권 후보로 떠오르자, 민주당과 공화당 모두 심각한 내러티브들을 시도하기 시작했다. 초기에는 트럼프를 주로 '광대'로 묘사하면서 그를 진지한 대권 후보로 여겨서는 안된다는 내러티브를 시도했다. 그가 진정한 경쟁자로 떠오르자, 그에 대한 어휘는 재빨리 '어둡고 위험한 인물'로 바뀌었고, 그는 신뢰할 만한 대통령이 될 수 없다는 식으로 내러티브를 발전시켰다.

트럼프 대통령에 대해 조직적으로 전개된 가장 성공적인 내러티브는 네 가지로 추려질 수 있다.

첫째, 2016년 대선이 가까워지자 진보적 비방 그룹 미디어 매터스와 그 제휴 세력은 트럼프와 그 측근에 대해 '백인 민족주의자'라는 내러티브를 내세웠고, 이는 곧 '백인 우월주의자'와 '인종차별주의자'로 발전되었다. 그 이전에는 트럼프에 대한 이런 식의 공개적인 비난은 사실상 전무했다. 사실은, 그 반대였다. 그는 유력한 흑인 미디어와 정치인들에게 칭찬을 받았고, 대중 매체들로부터 우호적으로 다뤄졌다.

둘째, 트럼프의 적들은 트럼프의 친 합법적 이민자, 반 불법적 이민자 성향을 왜곡해서 마치 그가 '반 이민주의' 그리고 '인종차별주의자'인 것처럼 매도했다. 특별히 이 내러티브는 사실에 반하는 것으로, 트럼프는 거의 매번 이민에 대해 이야기할 때마다 합법적 이민을 높이 평가한다고 말해왔다. 그가 두 번이나 이민자와 결혼을 했으며, 그의 자녀들이 이민자의 자녀라는 사실은 말할 것도 없다.

셋째, 이미 살펴본 것처럼, 언론과 정치인들은 트럼프를 '거짓말쟁이'로 부르는데 여념이 없다.

넷째, 짧게 언급했듯이, 트럼프를 '러시아의 앞잡이'로 몰아붙이는 내러티브가 있었다. 트럼프와 그의 선거팀 또는 그 어느 누구도 러시아와 공모한 사실이 없다는 로버트 뮬러 특검의 보고서가 나온 이후에도 여전히 트럼프의 적들은 이 꼬리표를 포기하지 않는다. 나는 이 내러티브를 '모든 내러티브의 어머니'라고 부른다.

# 모든 내러티브의 어머니

## 러시아, 러시아, 러시아

7장

SLANTED

미디어 신뢰도의 폭락을 다루는 책에서 가장 큰 내러티브라 할 수 있는 '러시아'에 관해 특별히 장을 따로 두어 살펴보는 것은 당연한 일일 것이다. 이 내러티브의 스토리라인은 도널드 트럼프가 2016년 대선에서 승리하기 위해 러시아 대통령 블라디미르 푸틴과 공모했다는 것이다. 트럼프와 러시아 공모의 내러티브는 영향력, 침투력 및 파급력이란 측면에서 현대의 가장 성공적인 내러티브로 역사에 기록될 것이다. 가히 선전선동의 결정판이라 할 만하다. 2019년 하반기에 실시한 구글 검색에서 '트럼프 러시아 공모'는 1천5십만 건의 검색 결과를 보여주었다. 바로 이 내러티브가 주류 뉴스 매체에 대한 대중의 불신을 초래한 가장 큰 주범이라고 생각한다.

2년 이상을 기자들과 전문가들은 트럼프가 대선에 이기기 위해 러시아와 공모를 했다고 주장했다. 하지만 공개된 증거 중에서 그러한 주장을 뒷받침할 만한 것은 전혀 없었다. 존경받던 전국 언론사들이 편파적이고 결국 허위로 판명 난 스토리라인을 밀기 위해서 보도 윤리와 가이드라인을 유보해 두었다. 이것은 전례가 없는 일이었다. 언론과 미국 정보당국에 의한 내러티브는 정말 오래도록 살아남았다. 점점 허위가 드러나면서 오히려 점점 더 부정하기 어려운 사실이 되어갔다. 언론은 언제든 한 걸음 물러서서 정상적인 보도 관행에 따라 사실 확인을 할 수 있었다. 하지만 언론은 대중을 속이는 일에 혈안이 되어 언론의 신뢰도를 손상시켰다.

결과에 대해서는 잘 알고 있을 것이다. 트럼프의 정적들까지 트럼프를 조사하는 팀에 합류를 시키는 비상식적인 일이 있었고, FBI 변호인이 전직 트럼프 선거팀 자원봉사자에 대한 부적절한 도청을 정당화하기 위해 문서를 조작했음을 시인하는 일도 있었다. 또한 법무부 감찰관이 트럼프 선거팀을 조사한 FBI와 법무부가 저지른 엄청난 권력 남용을 확인하는 등 많은 사실들이 밝혀졌다. 결국은 이렇게까지 했으면서도 로버트 뮬러 특검은 트럼프가 러시아와 공모했다는 증거를 찾아내지 못했다. 하지만 이런 결론이 났어도 언론은 자신이 한 일을 전혀 부끄러워하지 않았으며, 실수에 대한 사과도 없었고, 일말의 뉘우침도 보이지 않았다. 그들은 재빨리 다음 내러티브로 옮겨갔을 뿐이다.

나는 트럼프-러시아 내러티브의 가장 큰 피해자는 카터 페이지라고 생각한다. 오히려 트럼프는 모든 결과를 고려할 때, 상대적으로 큰 타격을 받지 않고 넘어갔다. 우리가 내러티브에 온통 정신을 뺏기지 않았더라면 페이지에 대한 추악한 공작은 2016년 대선과 관련된 가장 큰 기사의 하나가 되었을 것이다. 하지만 뉴스에서는 그다지 다뤄지지 않았기에, 여기에서 살펴볼 필요가 있다.

만약 대중 뉴스 매체를 통해 카터 페이지에 대해 들어본 적이 있는 사람이라면, 아마도 그를 지능이 낮은 멍청이 어릿광대 후보를 백악관에 밀어 넣으려는 국제적 음모를 배후에서 조종할 만큼 영악한 러시아 비밀 요원으로 생각할 것 같다.

하지만 내가 만나본 페이지는 영악하지도 스파이도 둘 다 아니었다. 나는 2019년 3월에 내가 진행하는 일요일 뉴스 프로그램 〈풀 메져〉를 위해 그와 인터뷰를 할 기회를 얻었다. 뮬러 보고서가 나오기 직전이었는데, 나는 재앙의 조짐을 알아차렸다. 페이지는 편파적인 뉴스 보도와 내러티브에 의해 비방을 받아왔었다. 그의 평판은 완전히 무너졌다. 하지만 그가 오랜 기간 언론의 집요한 공격을 받고 정보기관에 사생활을 침해 당했어도, 정부가 그에 대한 어떤 혐의도 발견할 수 없으리라는 사실을 알 수 있었다.

내가 인터뷰를 위해 페이지를 처음 만난 것은 수도에서 불과 몇 마일 떨어진, 버지니아주 알링턴의 내 스튜디오 사무실에서였다. 그는 상냥했고, 미소를 띤 모습이었다. 그는 감색 슈트에 흰 셔츠를 받쳐 입었는데, 줄무늬가 있는 미드나이트 블루 넥타이를 매고 있었다. 페이지는 날씬했고 단정했으며 공손했다. 머리는 밀었으며, 곧 48세가 될 참이었다. 그는 부드러운 목소리에 침착했으며 사려 깊었다. 그가 유럽과 중동에서 해군 장교로 복무했으며, 해군 정보부에서 잠시 일했다는 사실은 언론의 내러티브에 거의 등장하지 않았다. 또한 석사학위 두 개와 박사학위를 취득했으며, 성공적인 투자 고문이 되었고, 2004년부터 2007년까지 러시아에서 사업을 벌였다.

페이지는 인터뷰에서 언론이 그의 러시아와의 사업관계에 대해 그런 범죄를 연루시키는 것은 어리석은 일이라고 말했다. 그는 메릴 린치의 중역으로서 모스크바 지사에서 근무했다. 미국과 러시아의 사업

관계는 매우 흔하다. 모든 음모론 내러티브와는 반대로, 사실 미국 정부는 소련의 붕괴 이후 러시아와의 사업관계를 장려했다. 심지어 정부는 러시아와 관련된 많은 사업 기회를 제공했는데, 이는 러시아를 서방 경제 체제에 통합시키기 위한 것이었다. 페이지는 그 당시에 러시아 인맥을 구축하기 시작했는데, 이는 애국적인 행동으로 여겨졌다. 내러티브가 그의 러시아 인맥을 근거로 그를 러시아 스파이로 몰아가기 전까지는 그랬다.

페이지와 인터뷰를 하는 동안에 나는 기존의 보도를 통해 들어보지 못한 두 가지 놀라운 사실을 알게 되었다. 첫째, 페이지는 오랫동안 미국 정보당국에 협조해왔는데, 여기에는 '러시아 스파이 사건'들도 포함되어 있었다. 두 번째 더 놀라운 사실을 알게 된 것은 내가 그에게 언제 트럼프와 처음 만났는지를 물었을 때였다.

페이지가 대답했다. "나는 그를 만난 적이 없습니다."

내가 물었다. "도널드 트럼프를 만난 적이 없다고요?" 잘못 들은 것 같아서 다시 물었다.

페이지가 말했다. "없습니다."

"전혀 없습니까?"

페이지가 재차 확인했다. "전혀 없습니다. 전화도 한 적 없습니다. 전혀요." 바로 그 날까지도 만난 적이 없었다.

트럼프를 한 번도 만난 적이 없는 사람이 어떻게 FBI가 푸틴과 트럼프 사이의 중개자로 지목한 최우선 용의자가 될 수 있었을까?

인터뷰를 진행하면서 생각이 복잡해졌다. 페이지는 트럼프를 만난 적도 없으며, 과거에 '러시아 스파이 사건'을 포함한 여러 사건으로 FBI

와 CIA를 도왔던 인물이다. 그렇다면 그는 자신이 FBI의 감시하에 있다는 사실을 알고 있었을 것이다. 나는 FBI의 주장을 마음속으로 다시 검토해 보았다. 그들의 주장대로라면 페이지는 트럼프를 만났고, 그를 도우려 FBI의 감시하에 있으면서도 러시아의 스파이 노릇을 했다?

페이지가 물었다. "정말 말도 안 되는 터무니없는 주장입니다. 시발점이 어딘가요?"

아마도 트럼프가 뉴욕의 트럼프 타워 에스컬레이터에서 내려와 대통령 후보에 나서기로 발표한 2015년 6월 16일이 그 시점이 될 것 같다. 페이지는 바로 그 날 트럼프 선거팀에서 자원봉사를 하기로 결심했다고 말했다. "나는 트럼프 대통령, 당시 트럼프 후보가 세상이 나아가야 할 방향과 미국의 역할에 대해서 위대한 비전을 가지고 있다고 생각했습니다. 그래서 어떻게든 도움이 되고 싶었습니다." 그는 결국 트럼프 선거팀의 외교 정책 분야 자원봉사자들과 연결이 되었다. 하지만 그가 곧 트럼프-러시아 공모 내러티브의 중심점이 될 줄은 생각도 못 했다.

이 추악한 사건을 간단히 요약하자면, 페이지가 트럼프 선거팀에 관여하자마자, 그는 곧 민주당과 클린턴 선거팀이 지원하는 반트럼프 성향의 정치적 공격팀의 타깃이 되었다. 그들이 고용한 퓨전 GPS라는 회사는 크리스토퍼 스틸이라는 전직 영국 스파이를 고용했다. 스틸은 러시아 정보원들로부터 트럼프와 페이지에 관한 루머와 추문을 수집했다. 여러 외국의 인물들과 하원의원들을 이용해서 이른바 스틸 자료로 불리는 파일을 뉴스 매체와 FBI의 손에 넘겼고, 이를 통해 페이지와 트럼프가 온갖 러시아의 장난질과 범죄에 연루되었음을 보여주려 했다.

바로 2016년 대선 6주 전의 일이다. 야호! 언론은 스틸 자료를 보도했다. 이에 대해 페이지는 FBI 국장 제임스 코미에게 이런 내용의 편지를 보냈다. '이 모든 것은 정말 말도 안 되는 일입니다. 내가 수년간 CIA와 FBI를 도와주었다는 사실을 말한 바 있습니다. 저는 정보기관 쪽 사람들과 오랜 대화를 해왔습니다. …… 이것은 정말 믿기 어려운 일이네요. 무엇이든 의문점이 있으면 언제든 연락 주십시오.'

FBI는 페이지의 말을 묵살했고 조사를 계속했다. 그다음 달, 정부는 페이지를 감시하기 위해 비밀리에 해외정보감시법(FISA) 법원의 영장을 취득했다. FBI는 이로 인해 취득한 자료를 이용해 페이지와 트럼프 선거팀의 인물들이 '러시아 정부와 공모하여 음모를 꾸미고 있다'고 주장했다.

정보당국이 페이지에게 한 것처럼 정보 기술을 사용하여 헌법이 보장한 국민의 사생활을 침해하려 할 때에는, 사전에 그 감찰 대상이 외국의 스파이 노릇을 하고 있다거나 또는 그렇게 하려 한다는 증거를 자체적으로 확보해야 한다는 사실을 주목할 필요가 있다. 하지만 FBI는 페이지에 대한 실제적인 증거를 확보하지 않은 채, 거듭해서 페이지에 대한 허위 보고를 바탕으로 FISA 법원의 영장을 받아냈다. 90일간 총 4번에 걸쳐 페이지에 대한 FBI의 도청이 실시되었다. 한참 후, 감찰관의 조사에 의해 그에 대한 도청은 FBI 당국의 심각한 내규 위반으로 이루어진 부적절한 행동으로 판명되었다.

더욱 중요한 점은 페이지가 러시아 스파이라는 거짓 내러티브의 파생 효과로써 정부가 사생활 침해를 저질렀다는 사실이다. 당시에는 잘 알려지지 않은 정부의 방침에 따르면 (페이지와 같은) 한 명의 타깃을 도청할 경우, 정보당국은 해당 타깃의 이메일, 전화 기록, 은행 기록, 문자 메시지, 사진, 기타 의사소통뿐만 아니라 타깃과 '두 다리' 건너의 사람들의 개인 정보까지 뒤질 수가 있다. 이는 페이지 도청에 대한 법원의 허락으로 페이지와 연락을 취한 사람들(한 다리)뿐 아니라 다시 그 사람들과 연락을 취한 다른 사람들(두 다리)까지도 민감한 개인적 정보를 엿보거나 도청할 수 있다는 뜻이다. 두 다리 건넌 사람들은 페이지와 직접 연락한 적이 전혀 없더라도 말이다!

이러한 정부 방침에 따른 분석을 해보니 하나의 합법적 도청 허가로 인해 정보당국은 2만 5천 명의 전화 기록에 접근할 수 있다는 사실을 알 수 있었다. 미국 시민에 대한 도청이 사려 깊고, 조심스럽게, 보수적으로 허락되어야 하는 이유이다. 트럼프에 대한 조사가 윤곽을 드러내자, 반트럼프 정보당국이 페이지에 대한 도청을 실시하였으며, 이를 통해 페이지의 연락 상대 및 그들의 연락 상대 그리고 트럼프까지도 개인적 통화 내용을 엿들으려 했음이 밝혀졌다.

내가 페이지에게 물었다. "선거 캠페인 당시 트럼프의 고문 스티브 배넌을 포함해서 트럼프 후보와 자문을 주고받은 선거 캠프 직원들과 소통을 하셨지요?"

그가 대답했다. "네."

"그렇다면 트럼프 역시 감시의 대상이 되었을 수 있겠네요?"

페이지가 대답했다. "물론이지요, 물론입니다."

2016년 대선에서 트럼프를 잡기 위한 정보당국 내 악당들의 시도는 페이지에 대해서만은 아니었을 것이다. 뉴스 보도에 따르면 그 시기에 트럼프 측근들 여섯 명 이상이 FBI에 의해 도청을 당했다. 정말 놀라운 일이 아닐 수 없다.

2017년 9월의 언론 보고서에 따르면 트럼프의 대통령 당선 전후로, 트럼프의 선거 책임자 폴 마나포트에 대한 FBI의 도청이 있었다. 또한 정보당국은 트럼프 행정부의 마이클 플린 중장에 대해 감청을 실시했다. 트럼프의 전 선거 보좌관 조지 파파도풀로스 역시 자신이 감시를 받은 것으로 믿고 있다고 보고했다. 다수의 트럼프 '정권 인수팀' 역시 외국 관료에 대한 정부의 감청에 '우연히' 포함되었다. 이 사실은 오바마의 전직 보좌관 수전 라이스가 이들 관료들의 신원을 안다고 또는 파악하였다고 시인함으로써 밝혀졌다. 2017년 5월, 전 국가정보국 국장 제임스 클래퍼와 전 검찰총장 대행 샐리 예이츠 역시 오바마 대통령 재임 시절에 수집된 일부 정치인의 통신 정보를 검토했음을 시인했다. 트럼프의 측근 로저 스톤 역시 감청 대상이었던 것으로 알려졌다.

계산을 해보자. 적어도 여섯 명의 트럼프 측근이 도청을 당했다. 각 타깃의 '두 다리' 건넌 인물들 2만 5천 명이 감시를 받았다고 하면 총 15만 명이 정부에 의해 감시를 받은 셈이 된다.

다시 카터 페이지 이야기로 되돌아가자.

2016년 9월, 익명의 출처에 의한 미확인 루머와 비난이 언론에 보도되자, 페이지는 트럼프 선거팀의 자원봉사를 그만두었다. 하지만 정부는 비밀리에 그에 대한 감시를 지속했으며, 이는 트럼프가 대통령에 취임한 뒤까지 이어졌다. 만 1년 동안 페이지의 일거수일투족이 감시를 받았으며, 모든 통화가 감청되었고, 그가 온라인에서 한 행동들이 무명의 정부 요원들에 의해 검열을 받았다. 그에 대한 모든 혐의가 벗겨진 후에도 언론은 그의 무죄를 인정하는 대신에 또 다른 내러티브를 들고나왔다. 2018년 7월 23일, CBS에서는 이런 주장이 펼쳐졌다.

"만약 FBI가 카터 페이지가 러시아 스파이 노릇을 하고 있다고 믿었다면 왜 그는 아무런 고발을 당하지 않았는가?" CBS 앵커가 뉴욕대학 법학 교수 라이언 굿맨에게 물었다. 논리적인 질문이었다. 그 질문에 대해 내러티브에는 부합할지언정 이율배반적인 답변이 되돌아왔다.

굿맨 교수가 설명했다. "유력한 범죄 혐의자라 할지라도, 감시하에 두고 있으면 중요한 정보를 얻을 수도 있기 때문에 자유롭게 풀어줄 수도… 있는 것입니다."

말이 안되는 설명이다. 당시 당사자인 페이지를 포함해서 온 세상이 그가 감시를 받고 있다는 사실을 알게 되었다. 만약 굿맨의 설명이 말이 된다면 페이지가 FBI의 감시를 받고 있다는 사실을 알면서도 러시아를 위해 스파이 짓을 할 것이라는 얘기가 된다. 한편, CBS 뉴스 보도는 굿맨 교수가 오바마 행정부에서 국방부 소속 법무 자문위원으로 일한 전력이 있으며, 진보적 성향의 트럼프 비판가라는 사실은 언급되지 않았다. 독자들이 그 교수의 배경과 관심사에 대해 알 권리가 있지 않을까? 적어도 균형을 위해 반대편의 분석도 들어볼 수 있어야 하지 않을까? 물론 그렇다. 하지만 그것은 내러티브를 약화시키는 일이 될 것이다. 내러티브가 목표인 편파적 뉴스 환경 속에서는 굿맨 교수의 일방적 분석이 당연한 일이 된다.

CNN을 포함한 기타 매체들도 페이지 비난에 동참했다. 2018년 7월 18일, CNN은 이렇게 보도했다. '400페이지에 달하는 자료가 있는데도 카터 페이지는 자신이 러시아 스파이가 아니라고 주장한다.' 그 헤드라인은 '400페이지 자료'를 언급함으로써 페이지의 주장을 미심쩍게 만들었다. 내러티브에 도움이 되는 것은 무엇이든 자동적으로 믿을 만한 것이 되어버린다. 그 반대의 것은 미심쩍은 것으로 취급된다.

온갖 수난을 겪었는데도 페이지는 인터뷰 내내 차분했으며 긍정적이었다. "저의 가장 큰 염려는 일련의 사건이 우리 조국에 초래한 손해입니다." 그가 말했다. "저는 항상 저에 대한 정부의 음모론을 대수롭지 않게 웃어 넘겼습니다. 그런데…… 그것이 일종의 악순환이 되어버렸습니다. 내가 그들을 대수롭지 않게 여길수록 그들은 저를 쓰러뜨리기 위해 더욱 심하게 달려들었습니다. 하지만 언제나 제가 더욱 걱정하는 것은 이런 일들이 트럼프 행정부와 다른 사람들에게 미칠 해악이었습니다."

## 내러티브 밀매단

누가 내러티브를 밀고 있는지를 알게 될 때, 우리는 진실에 대해 많은 것을 알게 된다. 모든 '내러티브의 어머니'에 대해서, 우리는 누가 그 막후에 있는지에 대한 단초를 얻을 수 있었다. 그들의 실체를 통해서 우리는 그들이 어떻게 미디어를 부리고 정교하게 내러티브를 추진하였으며, 어떤 방식으로 뉴스 독자들이 그것을 받아들이게 할 수 있었는지를 이해하게 되었다.

우선 그들은 정부 내부자와의 연계를 미끼로 정부 내부자들의 정보를 보도하고 싶어하는 신문사들을 적극 활용했다. 또한 그들이 유출한 익명의 제보(일부는 사실, 일부는 허위)를 보도하려고 안달하는 언론들과 소셜 미디어 그리고 뉴스에 출연하려 조바심이 난 논평가 등을 적절히 이용하였다.

마치 트럼프가 청중들에게 대통령 리얼리티 쇼의 다음 편을 기대하라고 말하는 것처럼, 러시아 공모 내러티브의 밀매자들 역시 유사한 전략을 구사한다. 그들은 매일 케이블 TV 뉴스와 기자 회견에 모습을 드러내서 주장을 펼치고 힌트를 은근히 내비친다. 그들은 마치 범죄를 입증하기라도 한 듯, 비밀 정보에 대한 암시를 던진다. '계속 주목하라, 더 많은 정보가 있다…….'

수십 명의 주요 인물들이 여기에 연관되어 있다. 각자가 모두 편파적 트럼프-러시아 내러티브의 발전과 전개에 결정적 역할을 하고 있다. 각자가 이 내러티브의 작성과 전달의 전면과 중심에 서 있다. 이들의 관심은 대중을 속이는 것 그 이상이다. 즉, 이들은 2016년 이전에 자신들이 저지른 오랜 비리에 대한 관심을 다른 곳으로 돌리기 위해서라도 이 내러티브가 필요했던 것이다. 당시 트럼프와 그의 최측근 정보통이었던 마이클 플린은 이들의 비리를 폭로하겠다고 위협하고 있었던 때이다. 우리는 그들만의 사적인 메시지를 통해 확인한 결과 이들이 내러티브를 이용해서 트럼프의 당선을 막으려 했다는 것을 알 수 있었다. 그랬다면 다른 대통령이 탄생할 수 있었고, 그들의 현지위를 흔들거나 그들이 과거에 저지른 악행을 들추려는 일도 없을 것이었다. 트럼프가 그들의 계획을 무산시키고 대통령에 당선되자, 그들은 트럼프에 대한 공작을 은폐하기 위해 내러티브를 이용했다. 결국, 2016년 트럼프-러시아 내러티브는 자신들의 비리를 은폐하기 위한 공작을 은폐하기 위한 작전이었던 것이다.

하지만 이들은 결국 성공하지 못했다. 트럼프는 당선되었고, 로버트 뮬러 특검에 의해 러시아 공모 혐의를 벗었으며, 탄핵으로 축출되지 않았다. 그리고 이들의 음모는 모두 드러났다. 이들은 거짓 내러티브 확산의 전문가들이었다. 이들은 언론의 힘을 빌려 자신들의 비행을 오늘날까지 은폐해 왔다. 많은 사람들이 아직까지도 무슨 일이 있었던 것인지 모르거나 헷갈려 한다. 결국 우리를 보호해야 할 국가기관에 대한 우리의 신뢰가 손상을 입었다.

트럼프-러시아 내러티브 밀매단의 최고수 선수들 다섯 명이 다음에 소개된다.

1. 제임스 클래퍼

주요 배경: 오바마 대통령에 의해 정보국 국장으로 선임된 제임스 클래퍼는 2013년 의회에서 국가 안보국은 '수억의 미국인에 대한 정보 수집을 전혀 하지 않는다'라고 허위 증언했다. 수 주 후에 이루어진, 국가 안보국 내부폭로자 에드워드 스노든의 폭로에 따르면 클래퍼의 증언은 거짓이었다. (그러자 클래퍼는 의원의 질문을 잘못 이해했다고 의회에 사과했다.) 오바마 행정부가 이란과 핵 협상을 진행하는 동안, 클래퍼의 미 정보당국은 하원의원들의 대화 내역을 은밀히 감시했다. 정보당국이 의문스러운 감시를 시행하는데 있어서 클래퍼가 처음은 아니었다. 오바마 재임 시절인 2011년, 정보당국은 오하이오주 하원의원 데니스 쿠치니크를 도청했다. 조지 W 부시 대통령 시절인 2004년, 캘리포니아주의 민주당 하원의원 제인 하만이 감시를 받았다. 두 경우 모두, 누군가 비밀리에 감청된 정보를 유출했고, 이것이 언론에 노출되었다. 어찌 됐든 자료에 따르면 클래퍼

재임 동안 정보당국의 미국 시민에 대한 사생활 침해가 엄청나게 확장되었다.

내러티브에서의 역할: 클래퍼는 2016년 트럼프가 당선된 이후 정보당국에서 사퇴하였고, 곧바로 CNN 국가 안보 자문위원으로 고용되었다. 거기에서 그는 트럼프 대통령을 열렬히 비판했고, 허위 러시아 공모 내러티브를 설파하는데 일조했다. 조지워싱턴대학 법학 교수 조너선 털리는 '더 힐'의 평론에서 이렇게 말했다. "클래퍼는 정보국을 떠난 후, CNN에 지속적으로 출연하였는데, CNN은 감시 프로그램에 대한 그의 위증죄 혐의에 대해서는 일언반구도 없었다. CNN은 트럼프가 자신의 선거팀이 오바마 행정부에 의해 감시를 받았다고 주장하자 이를 반박하기 위해 그를 이용했지만, 그의 위증죄 혐의에 대해서는 전혀 언급하지 않았다. 클래퍼는 감시 일체를 부인했고, 그런 비밀 감시가 있었다면 자신이 몰랐을 리 없다고 했다. 하지만 카터 페이지를 포함한 트럼프 측근이 감시를 받은 것은 사실이다." 털리는 다른 기회에 또 이렇게 말했다. "뮬러 특검 보고서에는 클래퍼가 의회에 '일관성이 없는 증언'을 한 사실이 나와 있다. 그는 2016년 대선의 러시아 해킹과 관련된 그 어떤 정보나 문서에 대해 기자들과 대화한 사실이 없다고 했다. 하지만 이는 사실이 아닌 것으로 드러났다." 털리는 이어서 말했다. "클래퍼는 이후 'CNN 기자 제이크 태퍼와 자료에 대해 토의한 사실'을 인정했으며, 다른 기자들과도 그 문서에 대해 얘기하였음을 시사했다."

NBC에서 클래퍼는 트럼프를 암시하며 시청자들에게 이렇게 말했다. "계기판 경고등이 분명히 들어와 있었습니다." 러시아와 트럼프

측 사이의 접촉 가능성을 시사했다. 그는 기자들에게 이렇게 말했다. “워터게이트 사건과 이 사건을 비교해보면 워터게이트 사건은 아무 것도 아니라고 생각합니다.” 2017년 12월, CNN에서 그는 블라디미르 푸틴에 대해 이렇게 말했다. “그는 위대한 정보책임자이며, 정보원 다루는 법을 잘 압니다. 지금 그가 우리 대통령에게 하는 것이 바로 그것이죠.” 2019년, CNN에서 그는 또 이렇게 말했다. “트럼프가 러시아 정보원일 수도 있다고 보았습니다.”

이후 클래퍼가 2017년 7월, 의회에서 선서를 하고, 다음과 같은 증언을 한 사실이 밝혀졌다. “트럼프 선거팀 또는 그 누구도 대선을 농락하기 위해 러시아와 공모했다는 직접적, 실증적 증거를 결코 발견하지 못했다.”

기자들은 클래퍼의 주장과 정보를 거의 의심하지 않았다. 언론은 그들이 트럼프 대통령에 대해 즐겨 사용하는 ‘증거 없이’라는 어휘를 그의 증거 없는 주장에 적용하지 않았다. 그리고 클래퍼의 분석과 정보가 허위로 드러난 후에도 그는 여전히 CNN에 출연하여 더 많은 분석과 논평을 했다.

2. 존 브레넌

주요 배경: 2014년, CIA 국장 존 브레넌은 상원 정보위원회 직원을 감시한 사실이 발각되었다. 클래퍼와 마찬가지로, 그는 그 사실을 정면 부인했다. 하지만 감찰관에 의해 그것이 사실로 확인되자, 그는 사과문을 발표했고, 의회는 이를 용서하고 잊어버리는 듯했다. 클래퍼의 경우와 마찬가지로 의회는 허위 증언에 대해 적극적으로

행동하지 않았고, 이는 그들에게 이런 짓을 '계속해도 괜찮다'는 메시지가 되었으며, 의회는 그들에게 민감한 정보에 접근할 수 있는 더 많은 기회를 허락했다.

브레넌은 CIA를 맡기 전 2010년 당시 오바마 정부의 국토 안보 및 반테러를 위한 국가안전 보좌관보 직책을 맡고 있었다. 위키리크스에 의해 유출된, 2010년 9월 21일 자 '국제적 정보' 컨설팅회사 스트래트포의 내부 이메일은 이렇게 비난했다. '브레넌이 워싱턴 정가의 내부 정보를 수집하는 기자들에 대한 마녀사냥의 배후다. 오바마의 어젠다에 부정적인 기사를 보도하는 기자들을 추궁하는 백악관의 특별 태스크팀이 있다. 심지어 FBI조차 충격을 받았다.'

또한 2016년에는 클래퍼와 브레넌이 관련된 해외정보감시법원의 충격적인 소식이 전해졌다. 대선 기간 동안 정보당국이 '엄격한 감시 절차'에 대한 심각한 위법을 자행했다는 것이다.

내러티브에서의 역할: 브레넌은 2016년 1월에 사임했다. 브레넌은 NBC 뉴스와 MSNBC에 선임 국가안전 및 정보 자문위원으로 고용되었다. 또한 전직 정보책임자로서는 유례없이 트윗을 남발했다. 트럼프 대통령에 대한 공격의 몇몇 사례가 다음에 나와 있다.

2018년 3월, 브레넌은 트럼프를 협잡꾼이라고 했고, 또한 편집증 환자라고 했으며, '끊임없이 사실을 왜곡한다'고 비난했다. 같은 달 그는 트럼프에게 이런 트윗을 날렸다.

각하의 금품 수수, 부도덕한 행위, 정치적 부패가 다 드러나게 되면 각하는 불명예스러운 민중 선동가로서 역사의 뒤안길로 사라질 것입니다. 각하는 FBI 부국장 앤디 맥카비를 희생양으로 만들지 모르겠지만, 미국을 파괴할 수는 없을 것입니다. …… 미국은 각하에게 승리할 것입니다.

2018년 7월 16일, 브레넌은 이런 트윗을 올렸다.

헬싱키에서 있었던 도널드 트럼프 각하의 기자 회견은 경범죄는 물론 중대범죄의 한계를 넘어섰습니다. 반역적 행위에 다름아닙니다. 트럼프 각하의 코멘트는 어리석었고, 푸틴의 영향력 아래 있었습니다. 공화당 애국자들이여, 당신들은 어디에 계십니까???

2018년 12월 31일, 브레넌은 트럼프에게 트윗을 통해 '각하의 부정행위와 부패가 다 드러나서' 공화당이 2019년에 그를 포기하기를 바란다는 희망을 토로했다.

2019년 3월 25일 트럼프와 러시아의 관계에 아무런 혐의가 없다는 뮬러 보고서가 나오자, 브레넌은 MSNBC 시청자들에게 이렇게 인정했다. "제가 잘못된 정보를 받았는지 모르겠지만, 당시에 실제로는 더 많은 무언가가 있다고 의심했습니다. 우리나라 대선과 관련해 러시아 정부의 음모가 없었다는 결론이 내려져서 다행이라는 생각이 듭니다."

3. 로버트 뮬러

주요 배경: 로버트 뮬러는 9/11 테러 공격 후 중요한 시기에 FBI 국장을 지냈다. 바로 그 시기에 법무부 감찰관과 FISA 법원은 FBI가

미국 시민 감청을 위한 증거를 허위로 제출하였다고 밝혔다. 그러한 문제 때문에, 뮬러는 새로운 '우즈(Woods) 절차'의 시행을 감독하게 되었는데, 이는 FISA 법원에 제출하는 모든 사실에 대해 FBI가 독자적으로 증거를 확보하도록 규제한 것이다. 만약 특정 사실에 대한 확인이 안될 경우, 우즈 절차에 의해 FBI는 다시 계획을 세우거나, 확인되지 않은 내용을 감청 신청서에서 삭제해야 했다. 누구보다도 뮬러는 트럼프의 정적들이 만든 자료들이 미확인 주장으로 가득하다는 것을 알았을 것이다. 즉 FBI가 전직 트럼프 선거팀 자원봉사자 카터 페이지를 감청하기 위해 제출한 자료가 이 절차를 위반하고 있다는 사실을 인지했다는 말이다.

내러티브에서의 역할: 2017년 5월, 뮬러는 트럼프-러시아 공모를 조사하는 특검으로 선임되었다. 클린턴을 지지하는 법무부 내의 변호인들도 특검팀에 고용되었다. 그의 조사 내용이 많이 유출되었는데, 그중에는 허위 정보도 있었다. 전직 FBI 국장 제임스 코미는 공식적으로 FBI가 감청의 근거로 사용한 반트럼프 자료의 내용을 검증하지 않았음을 확인했는데, 이는 FBI가 우즈 절차를 위반했음을 스스로 인정한 것이다. 그런데 뮬러와 특검팀은 내러티브를 굳게 고수하였고, 이러한 사실을 무시했다. 그리고 자료 내 허위 정보의 출처를 조사하지 않았으며, 반트럼프 팀원들이 떠날 때 이들의 전화 기록 삭제를 허락했다. 또한 특검에게 허위 정보를 제공한 많은 사람들을 기소하지 않았으며, 트럼프 지지자들에 의한 것이 아닐 경우 비공개 로비활동도 기소하지 않았다.

트럼프-러시아 공모에 관한 뮬러의 최종 보고서에서 브레넌이 예측했던 결과 또는 트럼프 정적들이 원했던 결과가 나오지 않자, 뮬러는 기자 회견을 열어서 여전히 트럼프에 대한 부정적인 의견을 제시했고 기자들의 질문은 받지 않았다. 2019년 7월, 그는 의회에서 자신의 보고서에 대해 증언했다. 그는 때때로 당황한 듯 보였고, 보고서의 세부 내용에 대해 잘 모르는 것처럼 보였다.

4. 존 매케인
주요 배경: 2008년 대선에서 실패한 존 매케인 상원의원은 2015년에 트럼프를 반대하는 대표적 공화당 인사로 떠올랐고, 트럼프 지지자들을 '미친 사람들'이라고 비방했다. 트럼프가 매케인의 베트남 전쟁 영웅 지위에 대해 의문을 표시하며 반격하자, 진흙탕 싸움이 되었다.
내러티브에서의 역할: 매케인은 언론, 의회 그리고 막후에서 꾸준히 트럼프를 비판했다. 그와 그의 측근은 트럼프 비리와 관련이 있다고 알려진 외국 인사들과 접촉했고, 나아가 확인되지 않은 반트럼프 '자료'들을 FBI에 넘겼다.

5. 제임스 코미
주요 배경: 제임스 코미는 힐러리 클린턴의 부주의한 비밀 정보 취급에 관한 조사 시기에 FBI를 이끌었다. 또한 2016년, 민주당 전국위원회가 자신들의 서버를 러시아가 해킹했다고 발표했을 때, 그들의 서버를 확보하는 것을 거절했다. 힐러리 클린턴의 측근이 자료들을 폐기하고, 관련 컴퓨터 서버를 지우고, 클린턴의 개인 전화기를

망치로 부숴버렸지만, 이를 문제 삼지 않았다. 또한 클린턴의 최측근들이 기소를 받지 않도록 해주었다.

내러티브에서의 역할: 코미는 트럼프 대통령 밑에서 잠시 일했는데, 트럼프에게 불리한 기록과 자료들을 수집하였으며, 트럼프에게는 세 번이나 그런 일이 없다고 확인했다. 코미는 사적으로 트럼프에게 반트럼프 자료의 내용 일부에 대해 보고하였는데, 이 자료가 러시아에서 수집된 정치적 정보이며, 클린턴 선거팀의 지원을 받은 것이라는 사실은 언급하지 않았다. 코미를 비판하는 사람들은 코미가 트럼프에게 그 자료에 대해 보고를 함으로써 그 자료에 '뉴스 가치'를 부여하려 했다고 주장한다. 이를 통해 CNN과 기타 뉴스 매체가 확인되지 않은 스캔들을 공개적으로 보도할 수 있게 하려 했다는 것이다. 그때까지 뉴스 매체들은 확인되지 않은 자료 속 주장들을 보도하려 하지 않았다. 트럼프가 2017년 5월, 코미를 해고하자, 코미는 제삼자를 통해 트럼프에 대한 부정적 정보를 뉴욕타임스에 유출했다. 이후 코미는 책도 썼고, 브레넌 및 클래퍼와 함께 트럼프 비판에 참여했다. 감찰관이 그의 재직 시절 반트럼프 행위에서 여러 위반 사항을 적발하자, 그에 대한 기소 의견이 대두하기도 했다. 하지만 법무부는 그에 대한 기소를 거절했다. 코미는 트럼프의 재선 반대 운동을 벌였다. 다음은 코미의 트윗 중 일부이다.

이 나라는 이 대통령보다 훨씬 낫다. 내년에 그 사실을 증명할 것이다.

우리의 목소리와 2020년 투표를 통해, 우리는 도널드 트럼프와 그의 무리를

> 어두운 구석으로 보내야 한다.
>
> 2016년에 트럼프에게 투표한 수백만 명은 인종차별주의자가 아니다. 이제 그들은 확실한 인종차별주의자에게 다시 투표하지 않겠다는 결심을 보여주어야 한다. 이는 대법관 지명이나 세금의 문제가 아니다. 우리가 어떤 나라인지에 대한 문제다.

우리의 정보당국이 1950년대에 정치적 목적으로 자국 시민을 감시하고 테러한 동독의 국가보안부인 슈타지(Stasi)처럼 운용되기를 바라는 사람은 없다. 우리의 NSA, CIA 및 FBI가 정치적 수단으로 활용된다는 것은 불과 10년 전만 해도 상상할 수 없는 일이었다. 1970년대 초까지, FBI 국장 에드거 후버가 권력 비리와 남용을 저지른 것은 널리 알려진 사실이지만, 이는 과거의 일이었다. 이제 새로운 세대들은 미국 정부가 자국민의 보호가 아니라 다른 목적으로 정보를 수집하기 위해 자국 시민들을 부적절하게 감시한다는 사실에 상대적으로 무감각하다. 우리의 관심과 시선을 분산시키는 내러티브 덕분에 생각할 수 없는 일들이 용인되었고 받아들여졌다.

이들의 전술과 언론의 공모 그리고 트럼프의 타락을 믿고 싶어하는 일부 대중들이 어우러져서 트럼프-러시아 공모에 관한 허위 스토리를 우리 시대의 가장 강력하고 효과적인 내러티브로 만들었다. 그리고 이 내러티브는 언론에 대한 대중의 신뢰를 파괴하는데 엄청난 기여를 했다.

## 호로위츠 보고서

2019년 12월 9일 월요일, 법무부 감찰관 마이클 호로위츠는 2016년과 2017년에 트럼프 선거팀을 감시한 FBI 비행에 대한 내부 보고서를 발표했다.

시간과 정력을 들여 400페이지가 넘는 보고서를 섭렵한 사람이라면 누구나, 가장 신뢰받는 정부 기관이 저지른 비행에 대한 방대한 기록이 우리 시대 최악의 뉴스 중 하나임을 알 수 있을 것이다. 독자적으로 이 자료를 검토한 객관적인 뉴스 매체라면 역시 이에 동의할 것이다.

하지만 이 보고서가 나오기도 전에, 내러티브가 조용히 만들어져서 전국적 언론으로 보급되었다. 그리고 언론은 충실하게 이 내러티브를 대중에 전달했다.

언론의 보도는 전형적인 워싱턴 DC의 전술을 여실히 보여주었다. 이런 식으로 진행되었다. 그들은 보고서나 조사 결과에 대해 염려하였고, 따라서 조직적으로 사전 운동을 통해 여론을 호도하고, 언론이 어떻게 정보를 보도하며 대중이 이를 어떻게 받아들일지를 조종하려 했다. 이에 대한 계획을 수립하기 위해 홍보, 위기관리, 국제적 법률 회사 등의 공작원들이 비밀리에 회동하였다. 내러티브의 논쟁점이 분석가들, 싱크탱크, 정치인들 및 정치 공작원들에게 배포되었다. 성공적인 전략의 시행을 위해서는 언론의 역할이 확실히 중요했다. 보도 기준에 적합하지 않다 하더라도 익명의 정보 유출이 수용되어야 했다. 또한 비판 없이 선전선동이 진실로 받아들여져야 했고, 그대로 보도되어야 했다. 미리 선별된, 편파적 자문위원들이 뉴스 프로그램에 출연해서 자신들의 논리를 강화하는 논평을 내야 했다.

보고서가 나오기 일주일 전에, 언론은 호로위츠 보고서의 핵심 내용은 반트럼프 FBI 요원이 정치적으로 편향되지 않았다는 것이라고 주장했다. 보고서가 공개되기도 전에 미리 결정된 결론이 내러티브로서 배포되었고, 모든 뉴스에 도배되었다. 우리가 던져야 할 유일하게 중요한 질문은 '정부 요원들이 잘못을 저질렀는가가 아니라 이들이 정치적 동기를 가지고 있었는가이다'라고 주장했다. 전형적인 초점 돌리기다. 언론에 유출된 사실이 믿을 만하다면 호로위츠 보고서는 트럼프의 비행을 의심했던 이들에게 큰 타격이었다.

하지만 언론은 이를 통해 전 FBI 국장 제임스 코미의 무죄가 입증되었다고 주장했고, 코미 역시 자신의 무죄를 주장했다. 내러티브를 설파하기 위해 워싱턴 포스트는 코미의 논평을 보도했고, 〈데일리비스트〉는 코미가 '득점을 올렸다'고 떠들었다. 마치 미식축구에서 득점을 한 것처럼, '게임 끝!'을 외친 것이다.

문제는 이들의 주장이 사실과 너무나 달랐다는 점이다. 실제 보고서가 나오자 이런 사실이 명확해졌다. 하지만 이는 실제로 보고서를 살펴본 사람들에게만 해당하는 사실이었다. 많은 사람들이 실제로 보고서를 읽지 않았다. 많은 기자들과 전문가들이 이 보고서를 읽을 필요가 없다고 보았다. 무슨 내용인지는 이미 다 들어서 알고 있다니까!

나중에 의회가 마이클 호로위츠 감찰관에게 조사 결과를 물어보았을 때, 허위 정보의 실체가 명확히 드러났다. 호로위츠는 코미의 주장처럼 보고서가 코미를 사면한 것이 아니라고 확인했다. 사실은 그 반대였다.

사우스캐롤라이나 출신의 공화당 상원의원으로 사법위원회 위원장인 린제이 그레이엄은 이런 질문을 던졌다. "전직 FBI 국장 제임스 코미는 이번 주에 귀하의 보고서가 자신의 무죄를 증명했다고 말했습니다. 보고서의 내용을 제대로 본 것이 맞습니까?"

호로위츠가 대답했다. "우리가 파악한 행위들에 연루된 자, 그 누구도 무죄가 입증되지 않았다고 생각합니다."

사실 호로위츠 보고서를 통해 FBI가 크로스파이어 허리케인(Crossfire Hurricane, FBI의 러시아 스캔들 수사 코드명 -옮긴이) 조사에서 다수의 충격적인 위법과 남용을 저질렀음이 밝혀졌다. '어떻게 초기 헤드라인은 정치적 편향이 없었다고 보도할 수 있었을까?' 호로위츠는 그가 발견한 정보당국의 심각한 비리의 원인이 정치적 편향일 수 있음을 명확히 인정했다.

카터 페이지 감청에 대한 법원의 승인을 받기 위해 문서를 조작했음을 시인한 FBI 변호사를 포함해서, 호로위츠가 발견한 FBI의 엄청난 실수와 남용 때문에 FBI의 감청 신청서 전체에 대한 검토가 명령되었다. 결국 법무부와 해외정보감시법원은 FBI의 행동으로 인해 적어도 두 건의 페이지 감청이 부적절했고 무효였다고 인정했다. 또한 다른 감청 사례들에서도 역시 FBI의 위법과 남용의 증거가 보인다고 인정했다.

물론 이런 진짜 정보들은 이미 일주일 전에 대중에게 널리 전달된 편파적 내러티브에 비해 부차적인 것으로 치부되었다. FBI가 전혀 정치적으로 편향적이지 않다는 내러티브 말이다. 즉, FBI는 선거 기간에 트럼프에 대한 감시를 실시하지 않았으며, FBI는 페이지에 대한 조사를 실시할 충분한 이유가 있었다는 내러티브들이다.

사전에 배포된 내러티브와 정면으로 배치되는 호로위츠 보고서가 발견한 사실이 진실로 밝혀지자, 좌편향인 롤링스톤지가 정직하게 분노를 표출했다. '아뿔싸, 트럼프-러시아 조사는 한낱 광대극이었구나.'

보고서가 제출된 지 이틀 후, 의회 청문회에서 그레이엄 상원의원이 말했다. "카터 페이지 씨가 변호인을 통해 법무부와 FBI를 제대로 고소하기 바랍니다."

요컨대, FBI와 법무부의 악당들은 엉뚱한 사람들을 타깃으로 삼았고, 그들의 헌법적 권리를 침해했다. 그들은 정보 도구와 정부의 권위를 사용하여 정적과 그의 선거팀을 공격하였는데, 이는 유례가 없는 일이었다. 정치적 편집증 또는 정치적 편향이 판치는 시대에 주요 정보당국들은 자신들의 권력 남용을 막기 위해 제정된 법들을 스스로 폐기했다. 그들은 트럼프 선거팀과 러시아의 연계성을 찾으려는 열망에 눈이 먼 나머지 나무만 보고 숲을 보지 못하는 우를 저질렀다. 그들은 '크로스파이어 허리케인'이라는 어리석은 짓으로 일 년이 넘는 시간을 낭비했다. 세금으로 해외를 다니고 트럼프 선거팀을 감청하였으며, 적절한 사법 절차 없이 다수의 미국 시민의 사생활을 침해했고, 자신들의 비행을 감추기 위해 문서를 조작하기도 했다. FBI는 자신들의 비행이 드러났는데도 끝까지 트럼프와 그 측근에 대한 조사는 충분한 근거가 있었다고 주장했다.

잘못된 뉴스 보도에 대해 언론이 제대로 사과를 해야 하는 경우는 많지 않을지 모른다. 하지만 이 경우에는 실수의 인정과 정정 보도가 너무나 절실했다. 부적절하게 감시의 타깃이 된 트럼프 대통령, 카터 페이지 및 다른 선거 팀원들에 대한 공식적 사과가 있어야 했다.

하지만 그 대신에 언론은 여전히 보도에 열을 올렸다. 진실과 모순이 제시되더라도 내러티브는 무조건 보호되어야 한다.

2019년 12월 11일, 호로위츠가 상원에서 증언하는 것을 볼 수 있었다면, 사람들은 민주당과 공화당 의원들이 질문하는 것을 듣고, 스스로 사건의 전모에 대한 결론을 내릴 수 있었을 것이다. 하지만 매체들은 시청자들을 어둠 속에 내버려두고 싶어 했다. 보수 성향의 온라인 뉴스 사이트는 이렇게 말했다. 'CNN과 MSNBC는 30분 만에 감찰관 청문회 중계를 중단했고, 공화당 상원의원 린제이 그레이엄의 기조연설도 중계하지 않았다. 이러한 결정은 두 방송사가 최근에 보여준 다른 청문회 중계 기준과는 전혀 맞지 않았는데, 캘리포니아주 민주당 하원의원 아담 쉬프와 하원의원 제리 내들러가 주도한 탄핵 청문회는 무한 중계방송을 했었다.'

## 바(Barr)가 기록을 바로잡다

호로위츠 보고서가 FBI의 정치적 편향성 의혹을 해소했다는 언론의 내러티브는 너무나 잘못된 것이었기에, FBI의 비행을 들여다보던 두 명의 조사관은 매우 이례적인 행보를 취했다. 그들은 대중 앞에 직접 나섰다.

윌리엄 바 검찰총장과 존 더햄 연방 검사는 호로위츠의 결론 일부와 몇몇 보고서 내용에 대해 성명서를 발표했다. 그 후 48시간 동안, 바 총장은 두 번의 비슷한 인터뷰를 통해서 자신의 내러티브로 기존의 내러티브를 대체하려 했다. 그는 인터뷰를 통해 엄청난 양의 정보를 쏟아냈는데, 평소 과묵한 총장으로 알려진 그로서는 매우 이례적인 일이었다.

다음은 바 총장이 NBC 뉴스와 월스트리트저널의 인터뷰에서 밝힌 내용의 요점이다. (모든 정보와 인용의 출처는 바 총장임을 밝힌다.)

- FBI가 트럼프 선거팀을 감시했다.
- 그것은 '웃음거리'였으며, '많은 남용'이 있었다.
- 미 정보 자원을 활용해 정치적으로 반대하는 당을 조사했다.
- FBI의 목적이 진정으로 선거에 대한 러시아의 개입을 막는 것이었다면, 그들은 트럼프 선거팀이 대책을 마련하도록 보고 또는 브리핑을 해야 했다.
- 감찰관은 FBI 당국에 불순한 동기가 있었다는 가능성을 배제하지 않았다.
- 2017년 1월, 스틸의 주요 정보원은 그가 트럼프에 대해 제공한 정보는 '가정'과 '이론' 그 이상은 아니라고 FBI에 말했다.
- 자료(dossier)가 사기라는 것은 분명했다. 하지만 FBI는 법원에 그 사실을 알리지 않았고, 자료를 근거로 감청 허가를 계속해서 받아냈다. 나아가, FBI는 스틸의 정보가 사실이며 믿을 만하다고 법원에 허위로 보고했다.
- 러시아 공모에 관한 소란은 무책임한 언론이 부추긴 가짜 내러티브였고, 결국 모든 것이 허위로 판명 났다.
- FBI 국장 제임스 코미와 전직 FBI 관료 앤드루 맥카비의 지휘 실패가 있었다.

- 감찰관은 FBI의 해명이 만족스럽지 않다고 밝혔다.

우리 시대의 중차대한 조사에 대한 바의 이러한 생각은 호로위츠 보고서보다 더 큰 뉴스라 할 만하다. 하지만 처음엔 언론의 큰 주목을 끌지 못했다.

시간이 흐르고, 몇몇 기자가 감찰관의 보고서를 직접 검토하고 나서야 내러티브에 반하는 기사들이 일부 보도되었다. 웹사이트 〈인터셉트〉의 글렌 그린왈드는 언론의 충격적인 오보를 비난했고, 호로위츠가 FBI의 비행에 대해 말한 놀라운 사실을 강조했다. 그는 이렇게 말했다.

"대선이 진행되는 과정에서 FBI가 FISA 법원을 지속적, 의도적으로 속여서 미국 시민에 대한 감시 허가를 취득했다는 사실이 아무렇지도 않게 느껴지는 사람이 있다면 그는 아무런 원칙이 없는 사람이거나 혹은 시민의 자유나 법치에는 관심이 없고 오직 당리당략만 중요하게 여기는 사람일 것이다. 누구든 선의의 시민이라면 감찰관의 이 보고서를 읽고, 이것은 FBI가 권력을 심각하게 남용하여 미국의 민주주의를 훼손한 또 하나의 사례라는 결론에 도달할 것이다. 이것이 중요한 문제가 아니라면 무엇이 중요하단 말인가? …… 감찰관의 보고서로 밝혀진 사실은 단순히 FBI 만의 스캔들이 아니다. 이는 또한 중대한 언론의 스캔들이다. 왜냐하면 미국의 언론이 2년 이상 이 문제에 대해서 강력하게 주장해온 사실이 완전히 허위로 드러났기 때문이다."

하지만 자세히 주의 깊게 살펴보지 않은 사람, 언론의 편파적 보도를 자각하지 못하는 사람들은 아직도 이 역사적 사건에 대해 명확한 이해를 하지 못하고 있다. 그들은 여전히 FBI가 잘못한 것이 없으며,

트럼프 측근이 러시아와 관련해서 무언가 잘못을 저질렀고, 이와 상반되는 정보는 단순한 정치적 해석에 불과하다고 믿고 있다.

뉴스를 볼 때마다 이 사건이 주는 교훈을 마음에 깊이 새겨야 한다. 얼마나 많은 뉴스 사건들이 비슷한 방식으로 왜곡되었을까? 평범한 시청자들이 자각하지 못하는 편파적인 보도가 얼마나 많을까?

# CNN, 케이블 내러티브 네트워크

The Cable Narrative Network

8장

SLANTED

한때 케이블 뉴스 네트워크의 기수였던 루 워터스가 말했다. "나는 CNN을 더 이상 시청할 수 없습니다."

내가 CNN에 대해서 글을 쓴다고 하자, CNN에서 일했던 많은 사람들이 자발적으로 비슷한 말을 했다. CNN의 앵커였던 워터스는 실명 공개를 꺼리지 않았다.

그는 계속해서 케이블 뉴스 채널 전반에 대해 말했다. "나는 더 이상 아무 것도 보지 않습니다. 케이블 TV에 이제는 뉴스가 없습니다. 애초에 CNN이 세상에 나온 목적이 바로 그것이었는데 정말이지 가슴 아픈 일이 아닐 수 없습니다. 내가 평생을 바쳐온 뉴스 산업의 위기입니다. 나는 평생을 뉴스 산업에서 일했는데, 이제 그 쇠락을 목격하고 있습니다. 오늘날 뉴스는 뉴스와 견해 사이에서 길을 잃고 추락했습니다."

요컨대, CNN은 케이블 내러티브 네트워크가 되었다. 아무런 부끄러움도 없이, 편향적 정치색을 드러내면서, 작금의 정치적 내러티브에 물을 대고 있다. 오늘날 많은 사람들은 MSNBC와 더불어 CNN을 폭스 뉴스 및 보수적 내러티브의 대척점으로 보고 있다. 차이점은 폭스 뉴스는 처음부터 보수적 성향을 표방했다는 사실이다. CNN이 상대적으로 중립적인 방송에서 악명높은 편파적 방송으로 변신한 것은 오늘날 뉴스 산업의 가장 주목할 만한 후퇴라고 생각한다. 또한 예전의 CNN에서 일했던 나와 많은 동료들에게 개인적으로 무척 가슴 아픈 일이다.

많은 시청자들은 TV 뉴스의 아이콘 테드 백스터를 연상케 했던, 말끔하고 흰머리가 왕성했던 루 워터스를 기억한다. 루는 지성적이고 사려 깊었으며 뛰어난 기자였다. 1990년부터 1993년까지, 루와 나는 CNN 세트에 마주 앉아 평일 오후 5시부터 진행되는 뉴스 프로그램 〈얼리 프라임〉의 앵커를 보았다. 우리는 좋은 친구가 되었다. 당시 나는 29세로 CNN의 최연소 앵커였다. 루는 50대였으며 인내심을 갖고 지역 뉴스 출신의 초짜인 나를 잘 맞춰주었다.

정치색으로 물든 오늘날의 뉴스 환경에서는 상상하기 힘든 일이지만, 루와 함께 일했던 그 모든 시간들, 뉴스를 진행하고 회의를 하고 가족 동반 저녁 식사를 했던 그 모든 시간 동안, 그리고 그 이후로도 쭉, 나는 한 번도 그의 정치적 성향이 무엇인지를 생각해 본 적이 없었다. 그것은 적절하지 않았으며 알 필요도 없었고 일과는 전혀 상관없는 일이었다. 아마도 그 역시 나에 대해서 그렇게 생각했을 것이다.

그 많은 세월이 흐른 후, 애리조나주 오로밸리의 집에서 전화를 하는 그의 목소리를 들으면서 문득 아직도 내가 그의 정치적 성향이 무엇인지 모른다는 사실을 깨달았다. 다만 그가 개인의 정치적 성향과 뉴스는 별개라고 믿는다는 것만은 분명했다.

그가 아쉬운 듯 말했다. "CNN에 있을 때 우리의 목표가 '뉴스를 스타로 만들자'였던 것 기억하지요? 나는 우리가 한 일에 대해서 전혀 후회가 없습니다. 다만 작금의 현실에 대해서는 크게 실망하고 있습니다."

내가 물었다. "현재 CNN의 상태에 대해서 어떻게 생각하십니까?"

그가 빈정거리는 말투로 대답했다. "가끔 잠깐 볼 때가 있는데, 패널 중심 네트워크가 되었더군요. 패널들이 아니면 세상사에 대한 판단도 스스로 할 수 없게 되었습니다. 월터 크롱카이트(미국에서 가장 신뢰받는 공인으로 불리는 언론인·앵커 -옮긴이)가 무덤에서 탄식할 노릇입니다."

그다음 루는 CNN과 오늘날 뉴스 산업의 실태에 대한 자신의 생각을 술술 풀어냈다. "정말 우울합니다. TV 스크린을 향해 소리를 지르기도 합니다. 예전에 우리는 정치를 거의 다루지 않았습니다. 처음 정치를 다룬 프로그램은 〈크로스파이어〉였지요. 이른 저녁 30분짜리 프로그램이었는데, 서로 다른 견해들을 교환하는 방식이었습니다. 그게 우리의 정치 뉴스였습니다. 나머지는 일반적인 뉴스였어요. 국내에서 일어나는 일들, 워싱턴 DC 밖에서 일어나는 세상 소식을 전했지요."

스스로를 사회주의적 진보 성향으로 밝히면서 익명을 요구한 전직 CNN 고위 임원도 비슷한 부정적 평가를 했다. 그가 말했다. "CNN을 보는 사람들은 모두 CNN이 진보적이라고 생각합니다. 프로그램 내용을 보면 자명한 사실입니다. 너무나 많은 프로그램들이 많은 시간을 할애하여 보수적 어젠다를 공격합니다. 트럼프는 쉽게 공격하지만, 진보 측에 대해서는 그렇게 하지 않습니다."

전직 CNN 해외특파원 랠프 베글라이터는 이렇게 덧붙였다. "CNN

은 일반적으로 시청자에게 전체적인 그림을 제시하지 않습니다. 대개 워싱턴 DC의 정치적 싸움에 초점을 맞추지요. 그것이 중요하지 않다는 것은 아니지만, 그것이 오늘날 세상의 전부는 아닐 겁니다."

한 TV 방송 뉴스 임원이 루와 비슷한 발언을 했다. "오늘날에는 뉴스 보도를 볼 수 없습니다. 그들이 하는 것은 패널 토론이죠." 그는 트럼프가 '많은 면에서 재앙'이라고 하면서도, 오늘날 CNN이 편파적으로 대통령을 취재하는 것에 대해 비판을 금치 않았다. "백악관의 주인이 된다는 것, 대통령의 자리라는 것은 매우 힘든 일이 분명합니다. 얼굴이 매우 두꺼워야 하지요. 그런데 트럼프는 누구의 공격에도 쉽게 상처를 받고 발끈합니다. 하지만 수많은 보도들이 트럼프를 반대하는 것으로 귀결되는 것은 충격적인 일입니다. …… 방송에 출연하는 수많은 사람들이 아무런 주저 없이 대통령에 대한 혐오감을 드러내는 행태는 너무나 충격적입니다. 받아들이기 힘든 일입니다." 그 임원은 말을 이어 나갔다. "MSNBC라면 그럴 만하지요. FOX 뉴스 역시 가식 없이 노골적입니다. 그들은 영합주의이니까요. 하지만 CNN마저 그런다고요?"

예전의 CNN과 오늘의 CNN의 극명한 차이를 가장 잘 보여주는 사례는 예를 들어, 대통령의 연설 뉴스에 대한 앵커의 마무리 멘트일 것이다. '마무리' 멘트란 연설 장면이 끝나고 앵커가 나오면서 뉴스를 마무리 짓는 부분을 가리킨다. CNN 앵커로서 나는 간결하게 배경 설명과 사실을 요약하는 마무리 멘트를 하곤 했다. 예를 들면 나는 이런 식으로 뉴스를 마무리했을 것이다. "허리케인이 텍사스를 강타한 이후, 대통령 각하의 첫 번째 연설이었습니다. 대통령 각하는 내일 피해 지역을 돌아볼 계획을 발표했습니다. 피해 주민들에게 얼마나 많은 보조금이 투입될 것인지에 대한 질문에 대해서는 수일 내로 연방 정부가 텍사스 주지사와 함께 협의를 할 것이라고 대답했습니다."

이를 2018년 7월, 트럼프 대통령이 러시아 대통령 블라디미르 푸틴과 정상회담을 한 후 가진 기자 회견에 대해 CNN의 앤더슨 쿠퍼가 한 마무리 멘트와 비교해 보라. 쿠퍼는 이렇게 말했다. "지금까지 러시아 지도자 앞에서 이루어진 정상회담에서 미국 대통령이 저지른 가장 불미스러운 행동을 지켜보았습니다. 이런 일은 본 적이 없습니다." 그는 사실 또는 중립적 입장을 견지하려는 제스처조차 하지 않았다.

CNN 회장 제프 주커는 이런 식의 발언을 허용할 뿐 아니라 오히려 조장한다. 뉴스 산업계의 내부 인사는 이를 돈만 밝히는 전략이라고 말한다. 한때 그와 함께 일한 적이 있는 한 뉴스 임원은 이렇게 말했다. "주커는 돈만 밝힙니다."

이 책을 위해 조사를 하면서 나는 주커의 의견과 CNN의 미래에 대한 그의 비전을 들어보기 위해 그에게 인터뷰를 요청했다. 또한 CNN 공보 담당에게 나의 질문에 대한 대답과 방송사에 대한 긍정적 평가를 해줄 만한 사람을 연결해 달라고 요청했다. 하지만, 주커는 인터뷰를 거절했다. 공보 담당은 아무런 코멘트도 하지 않았고, 아무도 연결해 주지 않았다.

CNN은 사상 최초 24시간 뉴스 네트워크였다. CNN이 '오직 사실만' 전하는 방송에서 내러티브 특급으로 변신한 것은 뉴스의 사망과 그 궤를 같이한다. 1990년, 내가 CNN에 입사했을 때, CNN은 종일 뉴스만 전하는 전국 유일의 방송이었다. 나는 이 방송사의 황금기에 이곳에서 일할 수 있었다는 것을 감사하게 생각한다. 내가 플로리다주 탬파의 CBS 제휴 지역 방송 WTVT에서 일하고 있을 때, 그 기회가 찾아왔다. 당시 CNN 부사장 폴 아모스가 전화를 해서 애틀랜타 CNN 본사로 취업 인터뷰를 하러 오라고 했다.

### 1990년경, CNN

CNN 세계 본부를 둘러보면서, 나는 머리가 빙빙 도는 느낌이었다. 몇 층에 걸친 사무실과 스튜디오들은 널찍하면서도 현대적이었다. 잘 기름 친 기계 속에서 돌아가는 톱니바퀴처럼, 개방형 보도국에서 일하는 수많은 기자들은 끊임없이 정보를 내보내고 있었다. 한 쪽 편에는 유리벽이 있었는데, 보도국과 앵커들이 뉴스를 보도하는 세트장을 가르고 있었다. 멀리 TV 속에서 바라보던 모습을 직접 보는 것은 굉장한 경험이었다.

CNN 임원 밥 퍼나드가 위층의 분장실로 나를 이끌었다. 그는 분장 담당에게 나의 분장을 지시했다. 그녀는 파운데이션을 바르고, 색조 화장, 립스틱, 마스카라를 한 후 머리를 다듬었다. 파마로 크게 부풀린 머리였는데 당시 유행하는 스타일이었다. 몇 분 후, 분장실로 돌아온 퍼나드는 아무 말 없이 나를 조그만 스튜디오로 이끌었다. 그는 내가 '비퍼(beeper)'를 할 것이라고 말했다. 나는 그것이 오디션의 일부라는 것을 짐작했다. 비퍼라는 말을 들어본 적이 없었지만 그것이 무슨 말인지를 묻고 싶지는 않았다. 퍼나드는 짤막하게 몇 가지 사실을 던져주었다. "뉴욕시 라과디아 공항에서 비행기가 추락했다. 목격자가 전화로 연결되어 있다. 그게 전부다." 그다음 그가 내게 말했다. "시작!" 나는 곧 '비퍼'가 뉴스 대상 또는 뉴스 사건의 목격자에 대해 이루어지는 앵커의 라이브 오디오 인터뷰를 뜻하는 CNN의 용어임을 알아차렸다. 말하자면 앵커가 화면에 나와서 전화로 인터뷰를 진행하는 식이었다. (지역 방송에서는 이를 '포너(Phoners)'라고 불렀다.) 즉 퍼나드는 가상의 속보 상황에서 내가 어떻게 전화 인터뷰를 진행하는지를 보고 싶었던 것이다. 나는 카메라를 바라본 채, 마치 생방송 TV에 출연 중인 것처럼 최선을 다하면서 동시에 전국 뉴스 방송사 간부에게 평가를 받고 있다는 사실은 잊어버리려고 노력했다. 나는 먼저 시청자들에게 현장 상황을 설명하고, 그다음 목격자와 인터뷰를 진행했다. (퍼나드가 현장에서 전화로 대답하는 목격자 역할을 수행했다.) 이후, 퍼나드는 내게 아무런 피드백도 하지 않았다. 미소도 등을 토닥거려 주는 일도 없었다. 그는 나를 아모스의 사무실로 데려갔고, 아모스는 나를 CNN 회장 버트 라인하트의 사무실로 인도했다.

의자에 앉아 있는 라인하트의 모습은 작아 보였다. 그는 70세였는데, 당시에는 꽤 늙은 사람이라고 생각했다. 나를 바라보는 그의 눈빛은 호의적이었다. 당시에는 몰랐지만 그는 전설적인 인물이었다. 그는 제2차 세계대전 종군 기자였고, 테드 터너가 1980년에 CNN을 창립하면서 데려온 인물이었다. 라인하트는 곧 은퇴를 앞두고 있었다. 어쨌든 나는 오디션에 합격했고 취직을 하였으며, 운 좋게도 CNN 방송의 앵커로 발탁되었다.

나의 첫 임무는 6시 뉴스 방송에서 주 앵커 버니 쇼를 돕는 보조 앵커 일이었다. 이후 나는 그 누구보다 더 많은 CNN 뉴스 방송의 앵커

임무를 수행했다. 정오 프로그램, 오후 2시 방송, 오후 4시 방송, 오후 5시 방송 등등.

1990년 8월, 일을 시작한 지 얼마 지나지 않아 이라크가 쿠웨이트를 침공했고, 1차 걸프 전쟁이 발발했다. CNN의 걸프 전쟁 보도는 뉴스 사건 역사상 전례가 없는 엄청난 성과를 거두었다. 당시 우리의 취재와 보도 범위는 그 어느 TV 방송사와도 비교할 수 없을 만큼 대단했기에 사상 유례없는 사건이 발생했다. 중동에서 미군이 미사일을 발사하는 장면이 독점 속보로 나가자, 국내의 모든 방송사들이 정규 방송을 중단하고 우리 채널을 송출하기 시작했다. 걸프전 당시에 시청자들은 CBS, ABC 및 NBC 어느 채널을 틀어도 우리 CNN의 생방송 보도를 볼 수 있었던 것이다!

당시 나는 우리의 임무가 최대한 '사실만'을 보도하는 것이라고 생각했다. 우리 뉴스 앵커들은 뉴스 보도에서 정치인을 비방하거나 정치인에 대한 논평을 하는 것은 꿈도 꾸지 못했다. 또한 우리가 보도한 뉴스의 대부분은 워싱턴 정가 중심의 뉴스 또는 정치적인 내용의 뉴스가 아니었다.

내가 CNN에서 일하는 동안, CNN에는 주요 정치적 뉴스 프로그램이 하나 있었다. 〈인사이드 폴리틱스〉로 불리는 30분짜리 프로그램이었다. 그리고 정치적 토론 형식의 프로그램으로는 루 워터스가 언급한 바 있는 〈크로스파이어〉라는 30분짜리 야간 프로그램이 있었다. 당시 진행자였던 보수 성향의 로버트 노박과 진보 성향의 마이클 킨슬리는 철저하게 증거와 논쟁을 준비하는 것으로 유명했는데, 이는 오늘날의 TV 토론자들에게서는 전혀 보기 힘든 모습이다. 당시는 뉴스에 대해서 보수적 관점과 진보적 관점은 공정하게 다뤄졌다.

당시의 뉴스는 한두 개의 정치적 사건이 아닌 그 이상을 다루었다. 정규 뉴스 프로그램 이외에도 할리우드 중심의 연예 소식을 다루는 〈쇼비즈 투데이〉라는 뉴스 프로그램이 있었다. 〈소냐 라이브〉라는 정오 시간대 토크쇼에서는 인간 심리와 사회적 이슈들을 다루었는데, '똑똑한 사람들을 위한 똑똑한 토크쇼'를 표방했다. 나는 한동안 낮시간에 〈CNN 국제 시간〉의 앵커를 맡았는데, 지구 곳곳의 뉴스를 전했다. 나는 이 프로그램에서 하루는 파키스탄 총리 베나지르 부토와 인터뷰를 하고, 다음 날에는 리비아 지도자 무아마르 카다피와 인터뷰를 하는 식이었다. 오후 5시에는 루와 함께 〈얼리 프라임〉을 진행했다. 이 프로그램은 미국의 늙어가는 베이비부머 세대의 관심사에 주로 초점을 맞추었다. 즉 재정, 의회, 은퇴, 교육 등 다양한 주제에 대한 기사를 다루었다. 야간 비즈니스 뉴스 프로그램으로는 〈루 돕스 투나잇〉이 있었다. 그리고 일주일에 다섯 번 늦은 밤, 연예인, 운동선수, 정치인을 망라하는 온갖 종류의 유명인들과 인터뷰를 진행하는 〈래리 킹 라이브〉가 있었다.

요점은 이것이다. 우리가 다룬 뉴스의 세계는 지금에 비해 훨씬 더 광대했다. 주제의 범위는 훨씬 다양했고, 정보를 주는 것에 주력했다. 우리는 정치적 내러티브를 다루거나 주입하지 않았다. 누구도 우리에게, 적어도 내게는, CNN의 사명이 사실에 기반한 정보를 전하는 것이라고 설명하지 않았어도 말이다. 내가 CNN에 입사했을 때, 누구도 개인적인 견해를 뉴스와 분리하라고 말하는 사람은 없었다. 당연히 그래야 하는 것으로 알고 있었기 때문이다.

나는 이것이 CNN의 창립자이자 극진보 성향의 억만장자였던 테드 터너의 공이었다고 생각한다. '남부의 입'으로 불린 터너는 자기 의견이 매우 완고한 사람이었다. 하지만 그는 뉴스 상품이 중립적으로 인식되지 않으면 자신의 뉴스 네트워크가 성공하지 못하리라는 것을 이해했다. 그는 자신의 방송을 자신의 진보적 가치를 위한 논평의 도구로 사용하고 싶은 유혹을 느꼈을지는 몰라도 그렇게 하지 않았다. 터너는 2001년 워너사와 아메리카 온라인이 회사를 인수하면서 CNN에서 밀려났다. 2018년 인터뷰에서 터너는 자신이 만든 회사의 현 상태에 대해 공손하게 개탄했다.

터너가 전 ABC 앵커 테드 코펠에게 말했다. "정치에 좀 너무 집착하는 것 같습니다. 좀 더 균형 잡힌 어젠다를 다루었으면 해요. 하지만 이것은 제 개인적인 의견일 뿐입니다."

터너의 언급은 남부 신사 특유의 절제된 화법이었다고 생각한다. 전성기 CNN에서 일했던 다른 인물들은 오늘날의 CNN을 보다 직접적으로 비판한다. 어떤 이는 CNN이 시청률과 돈을 위해서 뉴스의 영혼을 팔았다고 생각한다.

데이비드 버노프는 이렇게 회상했다. "테드는 언제나 '뉴스를 스타로 만들자'라고 했습니다." 버노프는 창립 멤버 중 한 사람이었다. 나와 함께 일했고, 내가 그곳에서 일하는 동안 나와 친구가 되었다. 그는 내가 CBS 뉴스로 옮겨간 후에도 CNN에서 계속 일했다. 결국 CNN의 부회장이 되었고 뉴스 기획 책임자로 일했다. 놀랍게도 우리는 최근에 다시 일 관계로 연결이 되었는데, 우리의 일요일 뉴스 프로그램 〈풀 메저〉의 탐사 보도 프로듀서로 그를 영입한 것이다. 우리가 신생 방송사에서 젊은 기자로 만나 함께 일한 지 25년 만의 일이었다.

버노프가 말했다. "많은 CNN 초기 멤버들이 동의하듯, 예전 좋은 시절의 CNN에는 고액 연봉의 스타 방송인이 없었지요. 그들을 고용할 만한 여력이 없었으니까요. 오래된 역사도 없었습니다. 그저 방송을 내보내야 한다는 일념에 이런 것들은 크게 신경 쓸 여유가 없었던 것 같습니다. 뉴스를 방송으로 내보내는 데만 전념했지요. 스타가 아닌 사람들이 모였기 때문에 스타 앵커나 기자들의 영향력이라는 이미지도 없었고, 그저 일에 전념할 수밖에 없었습니다."

루 워터스는 CNN이 처음 방송을 시작할 무렵, 방송사는 앵커의 역할을 그리 중요하게 여기지 않았기 때문에 앵커가 시청자에게 자신을 소개하는 것조차 원하지 않았다고 말했다. "우리는 시청자에게 우리 이름을 말하는 것조차 허락되지 않았습니다." 루의 아내가 쌍둥이를 출산했을 때, 시청자들에게 개인적 일이 노출되지 않도록 하라는 엄격한 지시가 있었다. "TV에서 아무도 이에 대해 발설하면 안되었습니다." 워터스는 CNN 임원들이 당시 다른 앵커들에게 함구령을 내렸다고 말했다. "CNN은 그처럼 인물 중심의 방송을 하지 않았습니다."

오늘날과는 얼마나 대조적인가!

베글라이터는 CNN의 인물 중심의 방송 문화가 오늘날의 CNN과 예전의 CNN을 구별하는 가장 큰 차이점의 하나라고 말했다. 그는 CNN의 역사를 두 시기로 구분했다. 초기 20년(1980년에서 2000년)은 '디지털 이전, 정치화 이전 시대'였고, 그 후 20년(2000년에서 2020년)은 '디지털 이후, 정치화 이후 시대'였다.

베글라이터는 이렇게 분석했다. "'이전' 시대에는 CNN 앵커들 중에

널리 알려진 사람이 없었고, 아무도 그들의 정치적 견해에 관심을 두지 않았습니다. 하지만 '이후' 시대에는 방송인에 대해서 사람들이 가장 먼저 떠올리는 것이 그들의 정치적 성향과 관점입니다. 이는 단지 CNN에서 뿐 아니라 방송계의 전반에 생긴 변화라고 생각합니다."

또 다른 저명한 전 CNN 인사는 방송사의 현재 방향을 받아들이기 어렵다고 말했다. "지금은 TV에서 자기 자랑이 넘쳐나고 있습니다. 예전에는 뉴스가 스타였습니다. 이제는 스타가 스타지요. 모두 이렇게 외칩니다. '여기요, 나를 보세요!'"

## 짐 아코스타

나와 대화를 나눈 많은 CNN 사람들이 CNN 백악관 담당 기자 짐 아코스타를 거론했다. 나는 아코스타와 CBS 뉴스에서 함께 일했다. 그가 CNN으로 자리를 옮기기 전, 2003년에서 2007년까지 CBS 뉴스에서 기자로 일할 때였다. 우리는 서로 다른 도시에서 일했기 때문에, 개인적으로 아는 사이는 아니었다. 들은 바로는 평판이 좋은 편이었고, 함께 일하는데 문제가 없는 그런 사람이었다. 하지만 CNN에서 그는 대놓고 반트럼프 편향성을 드러냈고, 이는 CNN과 뉴스가 얼마나 변했는지를 상징적으로 보여주는 사례가 되었다. 그는 왜 그리고 어떻게 CNN에서 유명 인사가 되었을까?

아마도 아코스타가 기자로서가 아니라 뉴스의 초점으로서 이름을 알리게 된 가장 큰 사건은 2018년 11월 7일에 있었던 사건일 것이다. 트럼프 대통령이 백악관 기자 회견에서 그에게 발언권을 주었고, 그의 날 선 질문들에 대해 답변을 했다. 그다음 트럼프는 다른 기자에게 발언권을 주려고 했는데 아코스타는 백악관 마이크를 꼭 부여잡은 채로, 마이크를 넘겨받으려 한 백악관 공보 비서에게 마이크를 내놓지 않았다.

그 일이 있고 난 후에 백악관은 아코스타의 하드패스를 일시 정지했다. 그 결정은 언론들의 공격을 받았고, CNN은 이에 대해 법원에 제소했다. CNN은 하드패스의 철회가 수정헌법 제1조와 제5조에 따른 아코스타의 권리를 위배했다고 주장했다.

배경 설명을 하자면 하드패스란 기자들이 백악관 기자실에 언제든지 접근할 수 있는 허가서를 뜻한다. 기자라고 해서 아무나 이 패스를 얻을 수 있는 것은 아니다. 각 신청자는 소속 뉴스 회사를 통해 신청서를 제출해야 하고, 자격 기준을 통과해야 한다. 이 패스를 얻기 위한 신청자는 주 임무가 백악관을 취재하는 기자여야 하고, 신원조회를 통과해야 한다. 뉴스 회사에 무제한의 하드패스가 주어지는 것은 아니다. 하드패스가 없는 기자는 개개의 사안별로 백악관 입장 허가를 따로 받아야 한다.

아코스타의 패스를 되돌려 달라는 CNN의 가처분 소송에 대해 트럼프가 지명한 판사는 심의가 이루어지는 동안 아코스타를 백악관 기자회견에 들여보내라고 말했다. 백악관은 그렇게 했고 기자 회견의 질서와 공정성을 위해 새로운 조례를 만들 계획이라고 발표했다.

바로 그 시기에 백악관은 관례적인 백악관 기자 회견을 일시 중지했다. 2019년 1월 29일, 트럼프 대통령은 이런 트윗을 올렸다.

> 백악관 공보 담당 새라 샌더스가 예전처럼 단상에 나서지 않는 이유는 그녀를 취재하는 언론의 태도가 너무나 불손하고 부정확했기 때문이다. 특히 어떤 기자는 정도가 심했다. 나는 그녀에게 어차피 말은 새어나가기 마련이니 기자 회견은 신경 쓰지 말라고 했다. 대부분의 언론은 결코 우리를 공정하게 취재하지 않을 것이다. 따라서 그것은 가짜 뉴스다.

짐 아코스타가 의도치 않게 백악관의 50년 기자 회견 전통을 취소시켰다고 생각할지도 모른다.

일부 기자들은 백악관이란 무대에서 뉴스에 사진이 찍히고 소셜 미디어에 회람될 기회를 박탈당했다. 하지만 정보의 흐름이란 측면에서는 별반 차이가 없었다. 틀에 박힌 기자 회견 대신, 백악관 기자들은 대통령에게 직접 다가가서 질문을 던질 기회가 많았고, 대통령은 이전의 어떤 대통령보다 그들의 질문에 많은 시간을 할애해서 답변을 했다. 코로나바이러스 위기 기간 동안 트럼프는 거의 매일 기자들을 대면했는데, 그들의 질문에 답하느라 2시간을 소요하는 경우도 드물지 않았다.

한편, 아코스타가 백악관에서 마이크를 움켜쥐고 기삿거리가 된 바로 그 시기에, 그가 트럼프를 비판하는 책, '민중의 적: 미국에서 진실을 말하기가 위험한 시대(The Enemy of the People: A Dangerous Time to Tell the Truth in America)'를 집필하고 있었다는 사실이 드러났다. 이는 예전의 CNN에서는 결코 용인될 수 없는 그런 일이었다.

뉴스 매체와 기자 그룹은 공개적으로 아코스타를 지지했지만, 놀랍게도 내가 만난 스스로를 반트럼프, 진보 성향이라고 밝힌 많은 사람들이 아코스타의 행동이 지나쳤다고 말했다.

자신을 진보 성향이라고 밝힌 전 CNN 임원은 나와 이야기를 나누다가 아코스타의 책 이야기를 꺼냈다.

그가 말했다. "짐 아코스타가 백악관을 취재하는 와중에 트럼프에 대한 책을 집필했다는 말을 듣고 미친 짓이라는 생각이 들었습니다. 백악관 취재 기자가 대통령의 임기 중에 자신의 백악관 취재 경험에 대한 책을 쓴다는 생각은 정상이 아니라고 생각합니다. 취재 대상의 태도를 비판하면서 동시에 그를 어떻게 취재할 수 있습니까? 더욱 문제가 되는 것은 이러한 행동이 새로운 사실을 밝히기보다는 오히려 논란만 가중한다는 점입니다. 짐 아코스타가 새라 샌더스나 도널드 트럼프와 잘 지내지 못한다는 것이 그가 기자로서 유용한 정보를 제공하는 것보다 더 중요한 일이다는 겁니다. 왜냐하면 '우리야말로 트럼프를 거칠게 몰아붙이는 언론이다'라는 CNN의 내러티브에 잘 맞아떨어지기 때문이죠."

스스로 진보 성향이며 정치적으로는 트럼프 대통령을 반대하는 입장이라고 밝힌, 한 전직 CNN 고위 임원 역시 아코스타와 그의 터무니없는 행동을 거론했다. "내가 만약 CNN의 회장이라면 그 백악관 기자를 불러 이렇게 말할 겁니다. '누구도 자네를 선출하지 않았으며, 자네의 임무는 미국 대통령과 싸우는 것이 아닐세. 그와 싸우라고 그곳에 보낸 것이 아니야.' 사람들은 그를 영웅으로 만들었지만 나는 그렇게 생각하지 않습니다. 다른 이들도 그렇게 생각할 겁니다."

한편, 또 다른 방송사의 간부는 다른 의견을 피력했다. 그는 아코스타가 잘하고 있다고 생각한다고 말했다. "아코스타는 잘하고 있습니다. 자기 자신을 드러내기 위한 것이라면 문제가 있지요. 하지만 백악관 취재는 기회가 있을 때마다 대통령의 책임을 추궁하는 것입니다. 특별히 지금 대통령처럼 자신에 대한 비판에 민감한 사람일 경우에는 더욱 그렇죠. 바로 그겁니다. 대통령이 단상에 서 있고 마이크를 손에 쥐게 되었을 때, 바로 그때가 단 한 번의 기회입니다." 그가 말을 이었다. "트럼프는 짐 아코스타 같은 사람들을 더 반겨야 했습니다."

견해야 어떻든 간에, 예전의 CNN이었다면 짐 아코스타의 행동은 불가능했을 것이라는 데는 이견이 없었다. 기자가 자신의 취재 대상에게 적개심을 표출하거나 강한 의견을 표시한다는 것은 해고까지는 아니더라도 엄중한 경고를 받을 만한 일이었다. 우리가 예전에 알던 뉴스가 종언을 고했기에, 이러한 새로운 풍조가 가능하게 된 것이다.

한 전직 CNN 임원은 이렇게 말했다. "우리는 논평이 뉴스보다 더 중요하다고 결정했습니다. 나는 그러한 주장을 이해할 수 없었기에 케이블 뉴스를 떠났습니다. 나는 조용하고 정직한 저널리즘을 위해 싸웠습니다. 하지만 CNN에서 패배하고 말았습니다."

옛 시절에 대해서 버노프는 이렇게 말했다. "어쩌면 사람들은 우리가 지루하다고 생각했는지도 모릅니다. 그런 비판이 있었지요. 그럴 만하다고 생각합니다. 하지만 작금의 상태보다는 차라리 지루한 것이 낫다고 생각합니다. CNN 경영진은 트럼프가 대통령에 있을 동안은, 크든 작든 그의 일거수일투족을 취재하는 것이 사명이라고 결정했습니다. 마치 핵폭탄이라도 되는 듯 말이죠."

## 폭스(Fox)에 비난의 책임을 돌리다

뉴스 산업의 많은 사람들이 CNN이 길을 잃었다고 생각하고 있을 뿐 아니라, 폭스 뉴스에도 그 책임이 있다고 생각한다. 그들은 폭스 뉴스가 편향적 케이블 뉴스의 전형인 영합주의를 개척하였고, 그들의 성공에 자극을 받은 CNN과 기타 방송사가 그 뒤를 좇았다고 생각한다.

전직 CNN맨 베글라이터는 폭스의 회장 에일스가 많은 언론인들의 지탄을 받고 있는 자문위원, 패널 및 정치적 내러티브의 끝없는 퍼레이드를 최초로 개척했다고 비난했다. "로저 에일스는 직접 보도를 하는 것보다 다른 사람들의 보도에 대해서 이야기를 하는 것이 더 싸게 먹힌다는 것을 알고 있었습니다."

주커 회장 이전의 CNN에서 일한 경력이 있는 한 뉴스 임원이 이렇게 말했다. "대놓고 편향성을 보이는 것은 CNN 입장에서는 어쩔 수 없는 각고의 노력입니다." 그는 주커와 로저 에일스를 개인적으로 알고 있었다. "오래 전에 로저는 CNN을 '클린턴 뉴스 네트워크(Clinton New Network)'라고 불렀습니다. 에일스가 내게 이렇게 말했지요. '국민의 70%, 혹은 그 이상은 편향적이지 않은 뉴스를 보기 원하고 정치적 싸움에 휘말리는 것을 원하지 않습니다. 하지만 나머지 30%는 그런 생각을 하지 않는 것 같습니다. 나는 이들에게 다가가는 뉴스 채널이 되려고 합니다. 뉴스 시청자의 삼분의 일을 내 편으로 만들 것입니다. 나머지는 다른 방송사들이 나눠 가져도 좋습니다. 결국에는 내가 이길 것입니다.'"

그 임원은 폭스 뉴스가 예상외로 큰 성공을 거두자, 주커도 여기에서 아이디어를 얻었다고 했다. 당시 주커는 MSNBC에서 일하고 있었다. “주커가 내게 와서 말했습니다. ‘우리는 MSNBC가 민주당을 위한 폭스 대항마가 되기를 원합니다.’ 나는 이렇게 대답했습니다. ‘하지만 나는 그것을 원하지 않습니다.’ 다시 주커가 말했지요. ‘하지만 당신의 정치적 성향과는 잘 맞지 않나요?’ 나는 주커에게 이렇게 대답했습니다. ‘내가 하는 일과 내 정치적 성향은 아무런 상관이 없습니다. 나는 단지 좋은 프로그램을 만들고 싶습니다. 그러기 위해서는 편향적이지 않아야 합니다.’”

제프 주커는 2013년에 CNN의 회장이 되었다.

주커와 함께 NBC 뉴스에서 일한 적이 있는 다른 뉴스 임원이 말했다. “제프는 말하자면 뉴스의 단타 매매꾼입니다. 그는 지금 무슨 스토리가 화제인지를 알아차리고 거기에 모든 것을 쏟아붓지요. 트럼프가 그에게 시청률을 높일 기회를 제공했습니다. 그게 첫 유혹이었죠. 하지만 우리가 생각하는 것 만큼 사실 시청률이 높지는 않습니다. 하지만 방송 수익은 크게 늘었고, 두둑한 지원을 받고 있습니다. 시청률은 MSNBC에 뒤지지만, 돈은 셀 수 없을 만큼 더 많이 벌고 있지요.”

또 다른 주커의 동료가 내게 말했다. “주커는 개인적 신념보다는 사업적 결정을 내리고 있습니다. 그들은 전 세계의 뉴스 보도가 아니라 트럼프의 비행을 다루는 패널들에 집중하고 있습니다. 주커는 트럼프 탄핵이 시작되자 이런 지시를 내렸습니다. ‘우리는 여기에 전적으로 집중해야 합니다.’ 그리고 이 지시는 다음과 같은 메시지로 곡해되었지요. ‘우리는 트럼프를 실각시켜야 합니다.’” 그는 CNN이 전 세계적인 인프라를 이용해서 시청자를 뉴스 보도로 끌어들일 수 있는 엄청난 기회를 놓치고 있다고 말했다. “반트럼프 정서에 영합하는 것은 공정한 보도를 원하는 사람들을 놓치는 결과만 초래할 뿐입니다."

다시 한번, 주커와 CNN은 나의 거듭된 인터뷰 및 정보 요청을 거절했다.

오늘날의 CNN에 대한 평가가 대부분 비판적이지만 다 나쁜 것만은 아니다.

베글라이터는 비판적 평가를 하면서도 CNN에 대한 따뜻한 말을 아끼지 않았다. 그는 여전히 CNN보다 더 속보를 잘 전하는 방송은 없다고 말했다. 또한 특별히 외국에서 방송되는 CNN 인터내셔널에 대해서는 '사실에 기반한 국제 뉴스 보도라는 정체성에 충실한 방송'이라고 평가했다. 그는 CNN이 폭스나 MSNBC보다 더 정치적으로 편향적인 것은 아니라고 말했다. "그들은 시청자의 입맛에 맞추려고 하지만, CNN은 그들보다는 낫습니다."

하지만 많은 사람들이 CNN은 변화해야 한다고 말한다. 도널드 트럼프가 더는 뉴스거리를 쏟아내지 않고, 더 이상 '민중의 적'으로서 명성을 날리지 않게 될 때를 대비해야 한다고.

그런 때가 와도, CNN은 여전히 사실을 좇기보다 내러티브와 편파적 정보를 전달하는데 집중할 것인가? 그렇게 해도 계속 칭찬과 지원을 받을 수 있을 것인가? 시청자들은 여전한 그들의 선동 구호에 싫증을 느끼지 않을까? CNN의 리더들이 보다 중립적이고 사실에 기반한 보도의 가치를 깨달을 수 있을까?

한 전직 CNN 최고위층이 말했다. "나의 의문은 도널드 트럼프가 사라지면 CNN이 무엇을 할 것이냐는 겁니다. 그들은 이미 가장 충직한 시청자들을 다 잃어버렸습니다. 그들은 예전의 명성을 다 망쳤습니다."

또 다른 전직 CNN 임원이 그의 말에 동의했다. "트럼프 시대가 가고 나면 CNN은 시청자들에게 어떻게 말하려는 것일까요? '우리는 이제 다시 뉴스 방송을 할 겁니다?' 제프는 곧 은퇴를 할 것이고, 결국 그 후임자가 모든 짐을 떠안게 되겠지요." 그가 말했다.

2019년 3월, 주커는 'CNN 뉴스 회장'이라는 기존의 직함에 '워너미디어 뉴스 앤드 스포츠 회장'이라는 직함을 추가했다.

# 전문가들과 여론조사

## 믿기 어렵다

9장

SLANTED

가여워라, 버니 샌더스.

그는 2020년 3월 3일, 13개 주에서 대통령 예비 선거가 치러질 슈퍼 화요일 전까지는 승승장구하고 있었다. 하지만 투표 전날, 민주당의 약체 후보들이 사퇴하면서 샌더스의 적수인 조 바이든을 지지했다. 바이든은 그 여세를 몰아 현대 정치사에서 가장 놀라운 역전승으로 칭송되는 쾌거를 이루었는데, 거의 가망성이 없던 후보에서 예비 선거 대의원 수 확보의 선두로 올라서는 기염을 토했다.

2020년 3월 8일, 샌더스는 한 인터뷰에서 이렇게 탄식했다. "기득권층의 힘이 열심히 노력한 에이미 클로버샤와 더욱 열심히 노력한 피트 부티지지를 경선에서 밀어냈다. 미디어에서 확실히 드러난, 기득권층이 원하는 것은 바이든을 중심으로 사람들을 모아 나를 패배시키는 것이다. 놀랍지도 않다."

아무튼, 세간의 중론은 트럼프의 대통령 당선을 전혀 예상하지 못했던 것처럼, 바이든이 경선 초기에 이미 가망이 없다고 예단했다. 결국 바이든은 내러티브와의 싸움에서 살아남은 것이다. 슈퍼 화요일의 급

부상이 있기 전, CNN의 반 존스는 바이든에 대해 '죽은 사람이나 다름없다'고 했다. 다른 민주당원들은 그의 사퇴를 종용했다. 내러티브는 그가 경선에서 승리할 가능성이 없다는 것이었다. '여론조사를 보라니까!' 하지만 내러티브와 여론조사가 틀렸다.

결국 바이든은 '죽었다가 다시 살아났는데' 사실은 애초에 언론이 그를 죽은 사람으로 호도했기 때문이었다. 그의 최종 승리를 놀라운 역전승으로 언론들은 얘기한다. 그렇지 않으면 전문가들과 분석가들은 자신들이 틀렸음을 인정해야 했기 때문이다. 하지만 그들은 그렇게 할 수도 없었고, 그렇게 하려고도 하지 않았다. 이 모든 것에는 그럴 만한 이유가 있었다. 내러티브가 뉴스를 이용해서 특정 스토리라인을 만들어가는 것처럼, 정치적 여론조사 역시 같은 목적으로 이용되고 있다. 여론조사는 한 시점에서 여론의 상태를 보여주는 역할에서 여론을 호도하기 위한 불가피한 수단으로 변질되었다.

여론조사 전문가 스콧 라스무센은 이렇게 말했다. "사람들은 여론을 조성하기 위해서 여론조사를 이용합니다. 2, 30년 전으로 되돌아가 보면 당시에는 여론조사가 많지 않았습니다. 그래서 여러 사안에 대한 여론을 형성하기 위해 지금의 여러 여론조사들이 도입된 것이지요."

많은 사람들이 여론조사가 어떤 식으로 이루어지는지, 뉴스 회사와는 어떤 관계인지에 대해서 깊게 생각하지 않는 것 같다. 뉴스 매체나 회사가 여론조사를 의뢰하게 되면, 그들이 어떤 질문을 할 것인지, 어떤 식으로 질문을 구성할 것인지, 여론조사 결과를 어떤 헤드라인으로 뽑을 것인지 등을 결정하게 된다. 라스무센은 이렇게 말했다. "당연히, 여론조사를 의뢰한 회사가 원하는 대로 조사를 진행하게 됩니다. 그들은 원하는 대로 질문을 선택할 수 있고, 원하는 대로 결과를 해석할 수 있습니다."

이런 식으로, 여론조사는 정치적 내러티브를 촉진하는 중요한 요소가 되었다.

'출발 신호가 울렸다! 문이 열렸다!'

'2020년 대선'이 시작되기 15개월 전에, 여론조사를 등에 업은 내러티브들의 경쟁이 이미 시작되었다.

2019년 8월, 퀴니피악대학의 여론조사에 따르면 민주당의 모든 주요 후보들이 트럼프를 적어도 9포인트 차이로 따돌리는 것으로 나왔다. 일부 분석가들은 1% 근처에서 머무는 민주당 후보들에게 사퇴를 종용하기도 했다. 하지만 정치적 관점에서 보면 선거는 이제 겨우 시작이었다. 그들은 도널드 트럼프가 2016년 대선 때 비슷한 시기에 가장 밑바닥 근처에서 머물고 있었다는 사실을 잊은 것처럼 보인다.

예를 들면 2015년 5월, 퀴니피악대학의 여론조사는 도널드 트럼프가 공화당 후보 중에서 '절대로 아닌' 후보 리스트 최상단에 올랐다고 밝혔다. 공화당 투표자들 중에서 21%는 '절대로' 그를 지지하지 않겠다고 응답했다. 2015년 6월의 NBC/월스트리트저널의 여론조사에 따르면 트럼프의 지지율은 1%에 머물렀는데, 이는 열 명의 공화당 후보, 젭 부시, 스콧 워커, 마르코 루비오, 벤 카슨, 마이크 허커비, 랜드 폴, 릭 페리, 테드 크루즈, 크리스 크리스티 및 칼리 피오리나보다 뒤처지는 결과였다. 폴리티코의 대니얼 스트라우스는 트럼프가 실제로 승리할지도 모른다는 기우를 일축했다. '트럼프 급부상 얘기가 떠돌아다니고 있다. 심호흡을 하는 것이 좋을 것이다. …… 전국적으로는 트럼프

의 지지율이 하락세다.'

한편, 몬마우스대학 여론조사 기관의 책임자 패트릭 머리는 이렇게 말했다. "결국 도널드 트럼프가 뉴햄프셔주에서 11%를 획득하는 것은 가능한 것으로 보이는데, 그것이 한계치가 될 것 같다." (트럼프는 몬마우스대학이 예측한 것보다 세 배가 넘는 35%의 지지율로 뉴햄프셔주 공화당 예비선거에서 승리했다.)

2015년 7월, USA투데이/서포크대학의 여론조사에 따르면 트럼프는 51대 34 %로, 클린턴에게 17포인트 뒤처지는 것으로 나타났다. 9월, NBC/월스트리트저널의 여론조사는 이렇게 발표했다. '공화당 후보 중에서 클린턴이 확실히 앞서는 유일한 후보는 사업가 도널드 트럼프이다.' 그녀는 10% 정도 앞서는 것으로 나타났다.

예비 선거가 가까워지면서 2015년 말에 여론조사가 쏟아졌다. 퀴니피악대학의 여론조사는 클린턴이 트럼프를 47대 40%로 이길 것으로 내다보았다. NBC/월스트리트저널의 여론조사는 클린턴이 트럼프를 50대 40%로 '박살 낼' 것이라고 했다. 내셔널 리뷰의 드로이 머독은 트럼프가 대선 후보로 선출되면 '힐러리 클린턴이 압도적으로 승리하게 될 것'이라고 예측했다. 그는 마르코 루비오가 '클린턴의 공격을 훨씬 더 잘 막아낼 후보'로 보인다고 조언했다.

2016년 1월, 데이비드 와서맨은 도널드 트럼프가 대선 후보가 되면 '클린턴이 당선될 가능성이 매우 높고, 상원도 민주당이 장악할 가능성이 커진다'라고 썼다. 그는 이렇게 말했다. '달리 말해서, 11월 대선에서 공화당이 승리하기를 원한다면 루비오가 아니면 가능성이 없다.' 2016년 3월, 컨버세이션은 자료에 대한 분석을 바탕으로 트럼프가 클린턴을 이기기 위해 필요한 대의원 투표수 270석보다 34석이 적은 236석에 그칠 것이라고 발표했다. (실제 결과는 68석의 차이가 났다. 트럼프는 304석을 얻어, 필요한 투표수보다 34석을 더 얻었다.)

이는 대중의 언론에 대한 신뢰도를 더욱 떨어뜨리는 결과로 이어졌다. 하지만 이런 잘못된 여론조사와 예측에 대한 주류 언론의 충분한 분석이나 비판은 없었다. 2016년 대선이 놀라운 결과로 끝난 후, 공격을 받은 사람은 누구일까? 놀랍게도 가장 정확한 예측을 내놓은 여론조사 기관이 그 대상이었다.

## 여론조사에 대한 내러티브

여론조사가 내러티브의 일부라는 개념에는 여론조사에 대한 내러티브가 포함된다. 특히 특정 여론조사가 내러티브와 맞지 않을 때는 더욱 그렇다.

여론조사를 여론에 대한 정당한 측정이 아니라 내러티브를 추진하기 위한 도구로 사용하려는 선전 세력을 이해한다면 왜 내러티브에 맞지 않는 여론조사 결과가 정확한 예측을 했는데도 논란거리가 되는지를 이해할 수 있을 것이다. 그렇게 하지 않으면 사람들이 실제로 그 여론조사 결과를 믿게 될 것이기 때문이다.

라스무센 보고서는 2016년 대선에서 정확도 측면에서 다른 모든 여론조사 기관을 압도한 후에, 이러한 교훈을 뼈저리게 배웠다. 아무도 트럼프가 클린턴을 이길 것이라고 예측하지 못한 상황에서, 라스무센 보고서는 유일하게 클린턴이 일반 투표에서 트럼프를 2% 차이로 이길 것

(클린턴이 득표수에서는 2% 차이로 이겼지만 선거인단 획득에는 227 대 304로 지고 말았다)이라고 정확하게 예측했다. (여담으로, 스콧 라스무센과 라스무센 보고서는 수년 전에 결별했고 지금은 별도의 회사다.)

중간 선거가 끝난 후, 2018년 12월부터 살펴보자. 라스무센 보고서 여론조사의 트럼프 대통령 지지율은 다른 조사기관의 것보다 높았다. 트럼프는 이 숫자를 트윗으로 올렸다. 그러자 곧 언론은 공격을 시작했다. 그들은 트럼프만 공격한 것이 아니라 라스무센 보고서도 공격했다. 이는 언론이 자신의 역할을 사실의 보도가 아니라 여론의 호도로 보게 된 것을 보여주는 또 다른 사례다. CNN은 라스무센에 대해서 이런 헤드라인을 뽑았다. '트럼프의 총애를 받는 여론조사 기관은 중간 선거에서 가장 부정확했다.'

CNN의 해리 엔튼은 이렇게 썼다. '이번 주, 대통령은 자신이 좋아하는 여론조사 기관 라스무센 보고서의 결과를 트윗으로 올렸다. 그의 지지율은 50%에 달했다. 라스무센의 여론조사는 휴대전화 응답 조사가 없는 것을 포함, 여러 면에서 CNN의 기준에 맞지 않았다.' 물론 엔튼은 2015년 7월에 실시된 CNN의 여론조사 결과에 대해서는 언급하지 않았다. 그 결과에 따르면 '힐러리 클린턴은 도널드 트럼프에 확실한 우위를 점하고 있었다.' 사실 그 당시 CNN은 클린턴이 59대 34로 트럼프에 25% 앞서고 있다고 했다. 결국 정확도가 문제인 것이 아니다. 스토리라인을 장악해서 사람들이 특정한 방식으로 생각하도록 그들을 설득하는 것이 중요한 것이다.

2018년, CNN의 엔튼은 이렇게 비난했다. '라스무센이 다른 여론조사 기관에 비해 더 높은 대통령의 지지율을 보였다는 것은 사실 새로운 일이 아니다. 트럼프가 라스무센을 자주 언급하는 이유도 바로 거기에 있다.' 그는 이렇게 결론을 내렸다. '2018년 중간 선거는 적어도 현재 라스무센이 완전히 틀렸고, 전통적인 여론조사 기관이 정확하다는 것을 보여주었다.'

'완전히 틀렸다?' '전통적 여론조사 기관?' CNN과 다른 매체들은 라스무센 보고서의 여론조사를 불신하게 만들기 위해 혼신의 노력을 기울이는 것 같았다. 그들은 라스무센이 이상한, 비전통적 조사 기법을 사용하고 있다는 암시를 주려고 했다.

사실, 라스무센 보고서는 2003년부터 여론조사를 해왔으며, 정확도 측면에서 명성을 날려왔다. 슬레이트와 월스트리트저널은 라스무센 보고서가 2004년 대선과 2006년 중간 선거에서 가장 정확한 결과를 낸 조사기관의 하나였다고 밝혔다. 2008년 대선에서도 라스무센의 최종 여론조사 결과는 오바마가 52% 대 46%로 앞서는 것으로 나왔는데, 이는 실제 오바마가 53% 대 46%로 앞선 결과와 거의 일치했고, 당시에 가장 정확한 여론조사 기관으로 밝혀졌다.

2012년, 라스무센 보고서는 실패를 맛보았다. 대선에서 공화당의 밋 롬니가 버락 오바마를 이기는 것으로 보았는데, 평균적으로 롬니의 득표율을 4% 높게 잡았다. 그 결과, 당시 라스무센 보고서는 대선 정확도 측면에서 28개 여론조사 기관 중에서 24위에 머물렀다.

하지만 2016년 대선에서는 달랐다. 라스무센 보고서는 상기한 바와 같이 정확도 측면에서 최고로 떠올랐다.

다시 2018년 12월, 라스무센의 트럼프 지지율 50% 이야기로 되돌아가자. 라스무센의 여론조사 결과는 익숙한 언론의 공격을 촉발시켰다.

워싱턴 포스트의 필립 범프, ABC 뉴스의 네이트 실버, CNN의 해리 엔튼은 라스무센 보고서를 2018년 중간 선거에서 가장 부정확한 여론조사 기관이라고 지칭했다. 그들은 이 결과가 거의 10포인트나 틀렸다고 주장했다. 뉴스 매체에 따르면 라스무센 보고서는 공화당이 전국적으로 1포인트 앞설 것으로 예측했는데, 실제로는 민주당이 연방 하원에서 8.6포인트 차로 승리했다. 따라서 거의 10포인트나 틀렸다는 것이다.

라스무센 보고서는 빠르게 반박했다. 그들은 언론이 고의적으로 자신들의 조사 결과를 곡해했다고 비난했다. 그들은 언론의 비판처럼 연방 하원에 대해서 여론조사를 한 것이 아니었다. 따라서, 하원 선거 예측에서 10포인트 오차를 냈다는 것은 틀린 얘기였다. 대신에, 수십 년 관행대로 라스무센 보고서는 상원과 하원을 아울러서 의회에 대한 한 가지 질문으로 여론조사를 실시했다. '오늘 의회에 대한 선거가 실시된다면 공화당 후보에게 투표하겠습니까? 아니면 민주당 후보에게 투표하겠습니까?' 바로 이 질문이 공화당의 1포인트 우세를 예측한 질문이었다. 라스무센 보고서 측은 하원과 상원을 종합해서 공화당이 1포인트 우세하다고 본 예측이 10포인트를 틀린 것은 아니라고 주장했다. 결국, 공화당은 하원에서는 패배했지만, 상원은 고수하였으며 2석을 더 획득했다.

라스무센 보고서에 대한 언론의 편향성은 그들이 라스무센 보고서가 여론조사에서 사용한 문구를 곡해한 것에서 확실히 드러났다. 라스무센 보고서는 이렇게 설명했다. '그들은 라스무센 보고서가 2018년 투표에서 '실패'했다는 것을 부각하기 위해 자신들의 기사에서 라스무센 보고서의 문구를 '의회'에서 '하원'으로 변경했다.'

라스무센 보고서의 반격이 시작되자, 곧 위키피디아 편집자들의 공격이 뒤따랐다. 그들은 라스무센 보고서의 위키피디아 페이지에 비판을 삽입했다. 위키피디아 선동가들은 이렇게 썼다. '라스무센은 조사 방법을 재고하는 대신에 자신들의 실패에 대한 비판을 되받아쳤다. 그들은 이 문제를 거론하는 사람들을 공격하기로 선택한 것이다.'

당연히, 라스무센 보고서 측의 반론(해명)은 위키피디아 페이지에 등재되지 못했다. 위키피디아 편집자들이 그 내용을 삭제했다. 바로 그것이다. 오직 내러티브만이 기록으로 남을 수 있다. 위키피디아가 그렇게 말하면 그것이 곧 사실이다.

라스무센 보고서는 집중포화를 받았지만, 다른 잘못된 결과를 낸 여론조사 기관에 대한 비판은 쉽게 보기는 힘들다. 그들의 결과가 내러티브를 지지하면 비록 부정확할지라도 널리 수용되는 것이다.

나쁜 결과를 냈지만 널리 비판을 받지 않았던 잘 알려지지 않은 사례 한 가지는 2016년 대선 한 달 전에 발생한 사건이다. 이는 여론조사의 놀라운 반전에 대한 이야기다.

이야기는 2016년 10월 초에 시작된다. 2005년에 〈액세스 할리우드〉에 의해서 녹화된 비디오테이프가 워싱턴 포스트에 유출되었다. 이 비디오에서 트럼프는 〈액세스 할리우드〉의 빌리 부시에게 상스러운 말과 자랑을 늘어놓았다. 그는 '스타가 되면' 여자들이 허락하는 것에 대해서 얘기했다.

워싱턴 포스트는 '이번에야말로 트럼프가 끝장날 수 있다'고 주장했다. 그들은 이런 헤드라인을 뽑았다. '생각지 못한 부시가 마침내 도널드 트럼프에게 타격을 입혔다. 빌리 부시.'

2016년 10월 말, ABC/워싱턴 포스트의 여론조사는 힐러리 클린턴이 트럼프에게 12포인트 앞서는 것으로 발표했다. 같은 달, 연합통신은 클린턴이 14포인트 앞서는 자체 여론조사 결과를 발표했다.

그런데 갑자기 이상한 일이 발생했다.

대략 일주일 뒤에, 같은 ABC/워싱턴 포스트의 여론조사가…… 뒤집혔다! 이번에는 트럼프가 1포인트 앞선 것으로 나타났다. 한 주간 사이에 트럼프를 지지하는 쪽으로 13포인트가 이동한 것이다! 이러한 변동은 2016년 10월 28일, FBI 국장 제임스 코미가 힐러리 클린턴의 이메일 조사에 관해 의회에 보고하기 전에 발생했다.

여론조사에서 그러한 급격한 변화는 받아들이기 어려운 것으로 여겨진다. 어떤 특별한 사건도 없이 일주일 사이에 한 후보에 대한 일관된 선호도가 그렇게 급격하게 변화하지는 않는다. 〈액세스 할리우드〉에서 트럼프가 한 말 때문에 그렇게 화가 났던 사람들이 갑자기 다 용서하고 잊어버리기로 결심한 것일까?

여론조사가 주장한 것처럼 정말 트럼프의 인기가 타격을 받았던 것인지에 대한 의문이 생길 법하다. 왜 이런 일이 발생한 것일까?

한 가지 가능한 설명은 그로부터 3년 후 이루어진 트럼프 대통령의 놀라운 트윗에서 실마리를 찾을 수 있었다. 2019년 9월에 올라온 트윗에 따르면 2016년 10월 말에 트럼프가 12포인트 뒤진다는 여론조사가 나온 직후, 트럼프 선거팀은 ABC와 워싱턴 포스트에 소송을 제기하겠다고 위협했다. 선거팀은 조사 결과가 악의적이며 대단히 부정확하다고 보았다. 트럼프는 다음과 같은 트윗을 올렸다.

> ABC/워싱턴 포스트의 여론조사는 2016년 대선 이전에 이루어진 여론조사 중 가장 부정확하고 최악이었다. 우리 법무팀이 항의하자, 그들은 12포인트의 격차를 없애며 선거 당일에는 거의 비슷한 수준으로 만들었다. 이는 나쁘고 위험한 두 매체에 의한 가짜 여론조사였다. 슬픈 일이다!

여론조사가 조작됐다고 생각한 트럼프가 옳았던 것일까? 그래서 포인트가 일주일 사이에 갑작스럽게 정상적인 자리를 찾아간 것일까?

혹자는 트럼프가 왜 2016년의 ABC/워싱턴 포스트의 여론조사에 대한 소송위협 소식을 바로 폭로하지 않고 3년이나 기다렸는지에 대해 의문을 가질 수도 있다. 어쩌면 트럼프는 그의 지지율 급락을 보여준 2019년 9월의 ABC/워싱턴 포스트의 조사 결과가 나온 후, 스스로 내러티브를 추월하려 했던 것인지도 모른다.

때마침 진보성향 웹사이트 복스가 트럼프에 부정적 여론조사를 발표한 ABC/워싱턴 포스트를 두둔하고 나섰다. '트럼프는 자신에게 유리하지 않은 여론조사를 공격해온 것으로 유명하다. 하지만 특별히 2016년 여론조사가 부정확했다는 그의 주장은 틀렸다.' 그들은 한 주간에 여론이 실제로 그렇게 변했을 수 있다면서 13포인트가 급변한 2016년 ABC/워싱턴 포스트의 여론조사를 옹호했다.

2016년 대선에 대한 라스무센 보고서의 정확도는 대부분의 다른 조사보다 나았던 것으로 밝혀졌지만, 언론의 엄청난 비판을 받았다. 반면에, 복스는 13포인트가 급변한 ABC/워싱턴 포스트의 조사를 옹호했는데, 이는 인기 있는 반트럼프 내러티브에 도움이 되었기 때문이다. 사실, 복스 자신도 선거 예측에 있어서 화려한 전력을 자랑한다. 이 웹사이트는 정치적 분석에 있어서 션 일링의 분석에 의존했다. 2015년 12월, 일링은 트럼프가 클린턴과 맞붙는다면 '민주당이 대선에서 승리할 뿐 아니라, 폴리티코의 최근 조사에 따르면 총선에서도 압승을 거둘 것이다'라고 선언했다. 하지만 실상은, 공화당이 하원, 상원 및 주지사 선거에 모두 다수당을 유지했다. 복스의 에즈라 클라인은 2016년 6월 7일에 다음과 같은 타이틀의 블로그 글을 올렸다. '이제는 힐러리 클린턴이 비범하게 재능 있는 정치인이라는 사실을 인정할 때이다.' 또한 2016년 10월 19일에는 이런 제목의 글을 올렸다 '대선뿐만이 아니다. 도박 시장은 이제 민주당이 상원에서도 승리할 것으로 예측하고 있다.' (민주당은 상원에서 이기지 않았다. 공화당이 더 의석을 되찾았다.) 마지막으로 복스의 매튜 이글레시아스는 선거 전날 이렇게 예측을 했다. '요점은 간단하다. 클린턴이 여론조사에서 분명히 앞서고 있고, 승리할 것이다.'

내 생각에, 정치적 선거에 대한 여론조사는 한 시점에서 투표자들의 생각을 수동적으로 측정하는 역할이라고 본다. 여론을 조성하거나 뉴스를 편향되게 제시하기 위한 수단이 되어서는 안된다. 또한 내러티브에 맞지 않는 여론조사 결과라고 해서 비판을 받을 수는 있을지언정, 공격과 괴롭힘을 받거나 논란거리가 되어서는 안된다.

## 2016년의 재현 그리고 퇴조

2016년 대선의 취재에서 그토록 많은 실수를 저지르고 난 뒤, 우리 언론은 스스로 고치겠다고 약속했다. 하지만 2020년 대선으로 향하는 시점에서, 우리가 예전의 길을 답습하고 있다는 것이 분명해졌다.

2019년 9월 말, 두 개의 주요한 사례가 있었다. 첫째, NBC/월스트리트저널의 여론조사는 다음과 같은 헤드라인을 장식했다. '기록적인 유권자의 69%가 개인적으로 트럼프를 좋아하지 않는다고 말했다.'

나는 여론조사 세부 내용을 자세히 들여다보았고, 다른 각도에서 보면 다른 헤드라인을 뽑을 수 있었겠다는 생각을 했다. (아무도 그렇게 하지 않았다.) 사람들이 '개인적'으로 트럼프를 좋아하는지 아닌지는 접어두자. 같은 조사에서 트럼프에 대해 '매우 긍정적인(very positive)' 유권자의 비율은 2019년 2월의 최고치와 동일했다! 뿐만 아니라 트럼프의 '매우 긍정적인' 비율은 2005년 7월부터 2019년 조사 시기까지 14년간, 조지 W 부시의 '매우 긍정적인' 비율보다 높았다. 또한 2001년 6월부터 2010년 9월까지 9년간, 빌 클린턴의 비율보다도 높았다. 2013년 6월에서 2016년 4월까지, 버락 오바마의 비율보다도 높았다. 트럼프의 '매우 긍정적인' 비율(30%)은 2019년 2월의 최고치와 같을 뿐 아니라, 그의 대통령 당선 직전의 비율(15%)의 두 배에 해당하는 수치였다.

자료에서 눈여겨 볼 또 다른 점은 NBC/월스트리트저널의 응답자가 어떤 사람들이었나 하는 점이다. 응답자 중 38%가 트럼프에게 투표했었다고 밝힌 반면 47%는 다른 사람(대부분 힐러리 클린턴)에게 투표했었다고 밝혔다. 달리 말하면 트럼프를 싫어한다는 응답이 기록적으로 높았다는 여론조사가 트럼프에게 투표하지 않은 비율이 10포인트나 높은 표본을 대상으로 이루어졌다는 것이다. 좀 더 균형 잡힌 표본으로 조사를 실시했다면 결과는 다르게 나왔을 수도 있다. 미디어가 트럼프를 폄하는 것에만 집중하지 않았다면 그의 '매우 긍정적인' 비율이 버락 오바마의 근 3년 간의 비율보다 더 높았다는 사실을 은폐하지는 않았을 것이다.

그 여론조사에 뒤이어 정보당국과 연관이 있다고 알려진 익명의 내부고발자가 트럼프 대통령이 우크라이나 대통령과 부적절한 전화 통화를 했다고 비난했다. 민주당은 논란을 부추기고 대대적인 여론전을 통해 트럼프 대통령의 탄핵을 추진했다. 이번에는 민주당의 하원 원내대표 낸시 펠로시가 특별 담화를 통해 탄핵 조사를 추진할 것임을 알렸다.

그다음에는 불가피하게 탄핵 관련 여론조사가 뒤따랐다.

CBS 뉴스의 여론조사 헤드라인은 다음과 같았다. 'CBS 뉴스 여론조사 결과: 다수의 미국인과 민주당원이 55% 대 45%로 트럼프의 탄핵 조사를 지지했다.' 이 헤드라인이 암시하는 내용은 분명했다. '드디어 트럼프에 대한 여론의 판도가 바뀌었다. 저울추가 반대쪽으로 기울었다. 한때 그를 지지했던 사람들도 마침내 그를 반대하고 있다. 끝이 가까워진다.'

하지만 늘 그렇듯이, 눈에 보이는 것이 전부는 아니었다. 나는 CBS 뉴스 여론조사의 원 자료를 들여다보았고, 마음만 먹으면 전혀 다른 관점에서 헤드라인과 통계 수치를 제시할 수 있음을 발견했다. 예를 들면 다음과 같은 헤드라인이 보다 정확한 헤드라인이 될 수 있을 것이었다. '민주당원이 다수인 여론조사에서 미국인 다수가 트럼프 대통령의 탄핵 조사를 지지했다.'

그렇다, 지난 일이 년간 내가 살펴본 거의 모든 여론조사가 공화당원보다 민주당원이 다수인 표본을 대상으로 진행되었다. 왜 민주당원이 다수인 표본을 대상으로 했냐는 질문에 대한 여론조사 기관의 추론은 '민주당원인 유권자가 공화당원인 유권자보다 더 많아서가 아닐까'라는 것이었다. 하지만 여론조사 기관은 이런 추론이 실제로 민주당원이 여론조사에 더 많이 참여하는 것과 관계가 있는지는 알 수 없다고 인정했다. 뿐만 아니라, 여론조사에서의 차이는 전체 미국인 중에서 민주당원과 공화당원의 비율을 반영하는 것도 아니었다.

더 깊이 파헤쳐보자면 CBS 여론조사의 응답자 중에서 민주당원은 공화당원보다 124명이 더 많았다. 이는 민주당원 쪽으로 6%가 기울어진 통계적으로 유의미한 편차였다. 반대로 생각해보자. 민주당원과 공화당원이 당적에 따라 응답한다고 가정할 때, 응답자 표본이 공화당원이 6% 더 많았다면 '대다수의 미국인이 탄핵 조사를 지지했다'라는 헤드라인은 성립할 수 없었을 것이다. 오히려 반대 51%, 찬성 49%로, 탄핵 조사 찬성 비율이 소수가 되었을 것이다.

여론조사 결과 중에는 또 다른 언급할 만한 내용들이 있었지만, 언급되지 않았다.

민주당원이 다수인 CBS의 여론조사에 따르면 응답자의 다수인 58%가 트럼프가 실제로 탄핵을 당할 만하지 않거나 '결정을 내리기가 너무 이르다'고 대답했다. 민주당원으로 기울어진 편차를 조정해보면 이론적으로 60%이상이 트럼프가 탄핵을 당할 만하지 않거나 결정을 내리기에는 너무 이르다고 대답한 셈이다.

뉴스 보도에서는 강조되지 않은 또 다른 재미있는 결과가 있다. 탄핵 조사에 관한 질문에 응답한 공화당원 중 69%가 탄핵 조사 때문에 트럼프를 오히려 방어하고 싶다고 대답했다. 달리 말하면 탄핵 조사는 선거에서 트럼프에게 유리한 쪽으로 영향을 미칠 수 있다는 것이다.

또한 민주당원이 더 많은 CBS 여론조사는 34%의 응답자가 탄핵 조사가 2020년 대선에서 '민주당에 유리할' 것으로 보았고, 반면에 30%의 응답자는 '트럼프에 유리할' 것으로 보았다고 했다. 그런데 공화당원을 민주당원보다 6% 더 많이 인터뷰했다면 이론적으로 결과는 36% 대 28%로 트럼프에게 더 유리한 것으로 나왔을 것이다.

마지막으로 응답자의 다수는, 즉 민주당, 공화당, 무소속 각각의 다수는 민주당이 탄핵 조사를 추진하는 주요 목적이 '도널드 트럼프의 대통령 직무 수행과 재선에 정치적인 타격을 주기 위함'이라고 보았다.

요컨대, 여론조사의 통계 자료를 면밀히 검토하면 다음과 같은 헤드라인이 보다 적절하고 정확한 헤드라인임을 알 수 있다.

- 민주당원 응답자가 더 많은 여론조사에서 다수의 미국인은 트럼프가 탄핵을 당할 만하지 않거나 또는 '결론을 내리기에는 너무 이르다'고 응답했다
- 대다수 공화당원은 탄핵 조사가 트럼프를 옹호하고 싶게 만든다고 말했다
- 민주당원을 포함한 대다수 미국인이 탄핵 조사의 주요 목표가 도널드 트럼프의 대통령 직무 수행과 재선에 정치적 타격을 주기 위함이라고 말했다

하지만 그 어느 곳에서도 이러한 헤드라인은 찾을 수 없었다.

# 미디어 대 미디어

10장

SLANTED

주류 미디어가 다른 미디어에 대해 경찰 노릇을 하는 추세는 오늘날 뉴스 환경에 충격적인 변화를 초래했다. 기자들은 이제 사실보다는 내러티브와의 부합 요구에 더 많은 신경을 쓰고 있다. 그들은 이슈에 대한 입장 또는 보도되어야 할 사실을 결정한다. 그들은 자신들의 플랫폼을 이용해서 자신들의 견해 만이 옳고 정확한 것이라고 주장한다. 그들은 동료들에게 기자의 임무가 중립적이거나 공정한 입장을 유지하는 것이 아니라 '올바른' 입장을 견지하는 것이라고 설득한다. 그들은 이슈에 대한 취재에 있어서 미디어가 사용할 수 있는 취재 언어의 기준을 스스로 정한다. 그리고 이에 순응하지 않는 사람은 벌을 주고, 회유하며, 위협한다. 그들은 순응하지 않는 기자들을 비판하는 뉴스 기사를 작성한다. 달리 말하면 그들은 뉴스를 취재하는 것이 아니라, 내러티브에 반하는 기자들을 공격하고 마치 그것이 큰 뉴스가 되는 것처럼 보도한다. 그들의 목표는 자유사상과 독립적인 보도를 막는 것이다. 미디어 불량배들이 감추고 싶어하는 것을 감히 마음대로 질문하거나 들춰내지 못하도록 막는 것이다.

나는 이런 현상에 의해 여러 번 공격을 받았다. 돌이켜보면 내가 미디어 공격의 타깃이 되는 경우는 주로 내가 그들의 내러티브 타깃의 주위를 맴돌고 있을 때였다. 하지만 그 당시에는 나는 그 타깃이 무엇인지 모르는 경우도 있었다. 바로 코로나바이러스가 확산된 2020년 3월의 경우가 그러했다.

사건의 발단은 이랬다. 나는 막 24살 딸과 함께 태권도 레슨을 마친 참이었다. 함께 차로 걸어가면서 나는 딸에게 필요할 때 사용하라고 마스크를 건넸다. 수년 전 에볼라 공포가 확산되었을 때 사둔 것이었는데, 유효 기간이 지나서 보건 기관에 기부도 할 수 없는 것이었다. 당시는 보건 당국에 의해 마스크 착용이 권장되기 전이었는데, 아무 것도 없는 것보다는 낫다는 생각이었다. 딸은 그것을 받아 들었지만, 나를 보면서 이렇게 말하는 듯한 얼굴이었다. '엄마는 걱정이 너무 많아요.' 또한 나는 남편을 공공장소에 나가지 못하도록 노력했다. 운명을 시험할 필요는 없었다. 그는 고령과 만성적 건강 문제로 인해 고위험군에 속해 있었다. 나는 당시 보도된 미국 코로나바이러스 사망자의 목록을 취합하고 있었기 때문에 위험 인자에 대해 충분히 인지했고, 대부분의 사망자가 고위험군에 속해 있었다는 사실을 알고 있었다. 당시 사망자를 주(state), 연령, 환자 여부, 기저 질환 별로 분류해서 보도한 사람은 아무도 없었다. 이 자료를 취합하는 것은 시간을 많이 필요로 하는 작업이었고, 나는 매번 나의 웹사이트나 팟캐스트를 업데이트할 때마다 숫자가 시시각각으로 변할 수 있음을 분명히 밝혔다. 독자와 청취자들에게 최신 업데이트 정보는 CDC.gov 자료를 참조하라고 말했다. 나는 어디에서 그리고 어떤 사람들 중에서 사망자가 발생하는지에 대한 통계 자료를 제시하면서, 보도된 사망자가 지금까지는 대부분 기저 질환이 있는 고령자이지만, 그 사실이 모든 사람에 대한 이 질병의 위험성과 심각성을 약화시키는 것은 아님을 명시했다. 이 모든 내용은 CDC와 보건 당국이 매일 발표하는 정보와 크게 다를 바가 없었다.

내가 딸에게 마스크를 건네는 동안, 뉴스 알림이 내 전화기에 울렸다. 뉴욕타임스의 기사였는데, 내 이름이 거론된 기사였다. 제레미 피터스가 쓴 기사로, 제목은 '제리 팔웰 주니어에서 닥터 드루까지 5인의 코로나바이러스 회의론자'였다. 부제목은 이러했다. '보건 당국 관계자는 사람들에게 예방조치를 경고하고 있지만, 이들 미디어 유명인들은 바이러스가 과대 선전되었다고 주장한다.' 나와는 만난 적도 이야기를 한 적도 없는 피터스에 따르면 나 역시 다섯 명의 유명한 '코로나바이러스 회의론자' 중 한 명이었다.

나는 잠시 거듭 생각해보았다. 나는 코로나바이러스가 '과대 선전되었다'고 '주장'은 고사하고, 시사한 적도 결코 없었다. '도대체 이 기사는 무슨 소리를 하는 거지?'

나는 곧 피터스가 기사에서 일련의 충격적인 허위 주장을 했음을 알게 되었다. 그는 내가 코로나바이러스 회의론자라는 내러티브를 입증하기 위해 기만적으로 인용문을 변경했으며, 내가 잘못된 정보를 제시함으로써 다른 사람들을 위험에 빠뜨렸다고 주장했다. 그는 내가 코로나바이러스에 대해 말하거나 쓴 기록을 직접 살펴보지 않았음이 분명하다는 것을 알아차렸다. 그가 기사에서 나에 대해 주장한 내용들은 모두 허위였고, 내가 실제로 말하고 쓴 내용과 정반대였다.

당연히 내게는 이런 질문이 떠올랐다. '도대체 내가 무슨 진실을 드러냈길래 이 이슈에 대해서 나를 논란거리로 만들려고 하는 거지?'

그 시점까지 코로나바이러스에 대해서 내가 보도한 유일한 것이라고는 미국에서 코로나바이러스로 사망한 총 숫자를 내용 별로 다 취합해서 발간한 것뿐이었다. 나는 이 사실이 어딘가의 강력한 이익집단을 화나게 한 것이라고 추측했다. 내가 이 목록을 작성하기 전까지, 다른 언론이 발표한 내용은 전체적인 사망 숫자 또는 확신할 수 있는 특정 주의 사망자 수 정도에 불과했다. 희생자의 연령 및 기저 질환 상태에 대한 세부 내용은 거의 전무한 편이었다.

뉴욕타임스의 저격 기사가 뜨자마자 나는 낯선 사람들과 동료들에게서 증오의 메시지를 받기 시작했다. 그들은 피터스의 기사는 읽었지만 내가 쓴 기사는 직접 검토하지 않은 사람들이었다. '왜 다른 사람들의 목숨을 위험하게 하나요?' 그들은 이렇게 따져 물었다. 어떤 이는 욕을 퍼부었다. 수년 간 내 보도에 대해서 찬사를 늘어놓았던 전 CNN 동료 한 사람은 6년 만에 페이스북을 통해 내게 이런 메시지를 보내왔다. '사실을 찾아서 확인하고 진실되게 뉴스를 취재하는 정직한 기자로서 당신을 존경해왔습니다. 하지만 슬프게도 이번 코로나바이러스 기사에서 당신은 모든 신뢰도를 잃어버렸습니다. 다른 사람들의 삶을 위험에 빠뜨리는 것을 이해할 수 없습니다. 친구 목록에서 나를 빼주세요. 정말 유감입니다.'

나는 즉시 증거 자료를 포함한 편지를 뉴욕타임스에 보내서 피터스가 기만적으로 나의 인용문을 변경해서, 나의 글을 전혀 다른 것으로 바꾸었음을 증명했다. 그는 타임라인을 잘못 제시했고, 정보를 조작했으며, 언론학 전공 학생이 제일 먼저 배우는 기본적 취재 원칙을 지키지 않았다. 공정한 코멘트를 위해 취재 대상을 접촉하지 않은 것이다. 나는 기사의 철회, 정정 및 사과를 요구했다. 다음날, 캐롤린 라이언이라는 뉴욕타임스의 편집자에게서 연락이 왔다. 그녀는 조작과 허위 정보에 대해서는 아무런 언급을 하지 않은 채, 기사를 정정 또는 철회할 수 없다고 말했다. 그녀는 그 이유를 이렇게 설명했다. “당신은 당신의 청취자들에게 사망자의 상당수가 워싱턴 주의 요양원에서 발생했으며, 그들이 노령에 허약하고 면역 체계가 약화된 사람들이었음을 강조했습니다. 그러한 조건에 해당하지 않는 일반적인 청취자들은 이 바이러스가 자신들에게는 큰 문제가 되지 않는다고 생각할 수 있습니다.”

나는 할 말을 잃었다. 내가 이 사안에 대해서 보도한 정보는 정확한 것이었으며, 보건 당국이 얘기해온 내용 그대로였다. 사망자의 상당수가 워싱턴 주의 요양원에서 발생했으며, 사망자의 대다수는 노령에 허약하고 면역 체계가 약화된 사람들이었다. 이러한 사실을 보도했다고 해서 어떻게 나를 ‘코로나바이러스 회의론자’로 몰아붙일 수 있는지 나는 전혀 이해할 수가 없었다. 나의 보도 내용은 보건 당국이 줄기차게 발표해온 내용이었고, 또한 뉴욕타임스를 포함한 기타 언론들도 보도해 온 내용 그대로였다.

더욱 짜증 나는 것은 라이언이 내가 이런 사실을 보도하지 말아야 한다고 주장하기 위해 내세운 말도 안 되는 이유였다. ‘그러한 고위험 조건에 해당하지 않는 이성적인 청취자들은 이 바이러스가 자신들에게는 큰 문제가 되지 않는다고 생각할 수 있습니다.’ 이 간단한 진술이 바로 이 책의 요점을 극명하게 드러내 보여주고 있다. 오늘날 뉴스 미디어에서 일하는 많은 사람들이 자신들의 역할을 재정의했다. 그들은 정보를 검열하고 조정함으로써 대중들이 자신들이 원하는 대로 생각하도록 하는 것이 자신들의 임무라고 생각한다. 라이언은 독자들과 시청자들이 진실을 알아서는 안된다고 말하고 있다. 왜냐하면 대중들이 뉴욕타임스가 원하지는 않는 방향으로 결론을 내릴 수도 있기 때문이라는 것이다.

어쨌든 나는 간단한 검색을 통해 피터스와 라이언이 비판하고 있는 보도의 내용과 똑같은 내용을 뉴욕타임스도 여러 번 보도했다는 사실을 알아냈다.

나는 뉴욕타임스의 보도 내용을 사례로 담아 라이언에게 이메일을 보냈다. '뉴욕타임스와 다른 미디어 그리고 보건 당국 모두 당신들이 나에 대해 비판한 것과 똑같은 사실을 보도해 왔습니다. 당신들의 말도 안 되는 기준에 따르면, 나보다 당신들이 더 코로나바이러스가 취약한 계층과 노년층에 심각한 영향을 미친다는 사실을 강조해 온 것입니다. 그리고 그것은 사실입니다. 따라서 당신들이 나를 비판하는 것은 심각한 모순이 아닐 수 없습니다.'

나는 이 점을 더욱 확실하게 보여주기 위해 뉴욕타임스의 최근 헤드라인과 보도 내용 일부를 첨부하였다.

**노년층을 어떻게 코로나바이러스로부터 보호할 것인가**

60세 이상, 특히 80세 이상의 노년층이 심각한 또는 치명적 감염에 더욱 취약하다.

**요양원이 코로나바이러스의 특별한 도전에 직면하다**

코로나바이러스가 확산된 요양원의 직원 70명이 감염 증상을 보였다.

일요일까지 미국 전역의 사망자 21명 중 적어도 16명이 시애틀 지역의 요양원과 관련이 있다.

간호사들과 의사들로 구성된 연방 긴급구조대가 토요일에 장기 요양원 직원들을 돕기 위해 워싱턴주 커클랜드 라이프 케어 센터에 도착했다. 당국은 이 요양원에서 입원자와 방문자를 합해 총 13명이 사망했다고 밝혔다.

물론, 나와 뉴욕타임스만 그런 보도를 한 것은 아니다. 거의 모든 언론이 노년층과 병약한 계층의 취약성에 대해 동일한 사실을 보도했다.

대부분이 60세 이상이었다.

많은 이들이 요양원 또는 기타 시설에 거주하였다.

현재까지 가장 많은 집단 사망자가 발생한 곳은 워싱턴주 커클랜드의 요양원이었다. 그곳의 거주자 및 방문자를 합해 20명 이상이 사망하였다.

워싱턴주, 플로리다주 및 캔자스주의 장기 요양 시설 거주자들이 이 바이러스에 감염되어 사망하였다.

코로나바이러스 진단을 받은 사람들 중에는 당뇨, (폐)기종, 심장 질환 등의 기저 질환을 가지고 있는 사람이 많았다.

도대체 왜 뉴욕타임스는 똑같은 사실을 보도한 나에게 '코로나바이러스 회의론자'라는 낙인을 찍으려고 한 것일까? 누가 나를 지목해서 논란거리로 만들려고 한 것일까?

한편, 나는 뉴욕타임스가 비방한 다섯 인물 중 한 사람인 배우 롭 슈나이더와 연락을 취했다. 슈나이더와 나의 유일한 공통점은 둘 다 백신 산업과 미디어의 선동가들에 의해 공격을 받아왔다는 점이다. 이제 우리는 '코로나바이러스 회의론자'라는 멍에를 같이 쓰게 되었다.

피터스가 내게 그랬던 것처럼, 뉴욕타임스 기사에서 슈나이더의 원문 내용을 기만적으로 조작했다는 것을 알게 되었다. 피터스는 슈나이더가 공중 보건 명령을 위반하고 캘리포니아주의 한 레스토랑에서 식사를 했다고 거짓 주장을 했다. 조작되지 않은 슈나이더의 원문 내용에 따르면 그가 식사를 한 시점은 보건 명령이 나온 후가 아니라 전이었다. 기사가 출간된 후, 슈나이더는 명예훼손 전문 변호사를 고용하여 정식으로 기사의 철회를 요구하였다. 나 역시 같은 조치를 취했다. 나의 변호인들은 나에 대한 피터스의 허위 진술을 열 가지로 정리했고, 기만적으로 조작한 원문을 별도로 첨부했다. 내 변호인이 뉴욕타임스에 보낸 편지의 요점은 다음과 같다.

> 우리 고객의 정확하고 사실에 기반한 보도는 바이러스에 대한 뉴욕타임스의 보도와 같습니다. 보도가 나간 시점에서 미국의 사망자 숫자는 대략 30명이었으며, 이들은 워싱턴주, 특히 요양원에 집중되어 있었습니다. …… 뉴욕타임스와는 달리 앳키슨씨는 팟캐스트 전반에 걸쳐서 기사 내용이 현재 진행형이며, 구체적 숫자가 매일 변하고 있다는 사실을 명시하였습니다. 뉴욕타임스는 똑같은 보도를 했으면서도 사실 보도를 한 우리 고객의 명예를 훼손하였습니다. …… 우리 고객이 바이러스와 그 영향력을 대단치 않게 여겼다거나 청취자들

을 호도하였다는 뉴욕타임스의 주장은 틀렸습니다.

응답을 기다리는 동안 뉴욕타임스가 코로나바이러스 기사 건으로 나를 비난했다는 소식에 기겁한 한 뉴욕타임스 직원이 나에게 이런 말을 했다. "피터스는 기사를 내기 전에 기사에 언급된 사람들과 사전에 접촉하지 않음으로써 명백히 뉴욕타임스의 윤리 규정을 위반했습니다." 그는 계속해서 말했다. "당신의 기사에 대한 왜곡과 잘못된 인용은 아마도 편집자 선에서 건들 수 있는 수준이 아니었던 것 같습니다. 그렇다 하더라도 기자에게 입증 자료를 요구해야 했습니다."

뉴욕타임스의 퇴보, 자사의 기준과 윤리 규범 준수의 실패, 내러티브 추진에 전념하는 현실 등을 고려할 때, 이러한 결과는 놀라울 것이 없다. 이번 사건과 관련된 뉴욕타임스의 인물들을 더 자세히 들여다보면서 놀라운 사실들을 알게 되었다. 피터스에 대해서 그의 일부 동료들은 그를 '멸시한다'고 말했다. 그의 한 동료는 이렇게 말했다. "피터스의 보도 기술은 천박하며, 낚시성 미끼 위주입니다." 그의 편집자 캐롤린 라이언은 2016년 대선 취재 편집의 책임자였는데, 그녀와 함께 일했던 동료의 말에 따르면 그녀는 '트럼프의 승리를 빗맞혔다.' 그리고 그 대가(?)로 그녀는 뉴욕타임스에서 승진했고, 이제는 코로나바이러스 회의론자에 대한 피터스의 기사와 같은 조잡한 저널리즘을 옹호하고 있다. 바로 이것이 뉴스 산업의 퇴보가 초래한 현실이다.

한편 코로나바이러스 확산에 대한 뉴스 취재는 정치적 성향에 따라서 갈리게 되었다. 트럼프는 초기에 위급 상황이 '통제하에' 있다고 말했고, 민주당이 정치적 목적을 위해 긴장을 고조하고 있다고 주장했다. 그다음, 위기 상황이 통제를 벗어났음이 분명해지자 트럼프는 2020년 1월 31일, '공중 보건 비상사태'를 선포했다. 그는 최근에 중국을 방문했던 외국인들의 미국 입국을 금지했고, 미국 시민의 경우 자가 격리를 명령했다. 그러한 조치는 '냉정한 국수주의'라는 비판을 받았는데, 애틀랜틱의 피터 니콜라스는 이렇게 말했다. 'WHO(세계 보건기구)의 비평가들과 다른 이들은 입국 금지가 불필요하며 중국인에 대한 인종차별 문제를 야기할 수 있다고 말했다. …… 트럼프의 공포증이 동정심을 해칠 수 있다. 트럼프는 전염에 대해 결벽증적인 태도를 보이고 있다.'

은퇴한 CNN 기자 짐 클랜시는 아래와 같은 트윗으로 트럼프를 공격했다. 이는 유행하는 반트럼프 정치 슬로건을 연상케 한다.

> 저항하라. 나는 @realDonaldTrump의 선전 트윗 영상 시청을 중단해서 매우 행복하다.

이 트윗은 심각한 문제를 내포하고 있다. 예전에는 기자가 공공연하게 편파적인 정치적 견해를 표현하는 경우가 거의 없었다. 그렇게 하면 사실에 대한 중립적 보도를 할 수 없는 기자로 판단될 가능성이 있기 때문이었다. 하지만 이제는 그러한 분위기가 완전히 사라졌으며, 자신의 견해를 드러내기를 조금도 주저하지 않는다. 기자들은 오히려 이를 자랑스러워한다. 대통령이 재임 중 가장 높은 지지율을 기록한 가운데, 그에 대한 맹렬한 비난이 이루어지고 있다. 최신 갤럽 여론조사에 따르면 코로나바이러스 위기에 대한 대통령의 대처는 60%의 지지율을 기록하고 있다. 하지만 대통령을 무너뜨리기 위해 노력을 경주하는 그들은 다른 견해가 있을 수도 있다는 생각을 완전히 부정하는 듯한 행동을 보여주고 있다.

백악관 기자 회견에서 일부 기자들은 실제로 대중이 알고 싶어하는 문제에 대해서 질문을 하기보다는 트럼프의 태도나 언행을 트집 잡기 위해서 집요하게 질문을 던진다. 이들은 사실을 추구하는 것이 아니라 '한방'만을 노리고 있다. 그래서 소셜 미디어의 관심을 끌고, 동료들의 칭찬을 받으며, CNN이나 MSNBC에 기고할 수 있는 기회를 얻으려 한다. 예를 들면 과감한 긴급 조치의 초석이 된 초기의 컴퓨터 예측 모델에 대해서는 아무도 질문을 하지 않는다. 그들은 트럼프가 왜 '중국 바이러스'라고 부르는지에 대한 질문을 던지느라 너무 바쁘다. '중국'이라는 용어 사용을 논란화하는 선전선동이 시작되기 전, 초기 몇 주 동안에는 언론이 바로 그 용어를 사용했다는 사실은 모두 무시하고 있다. '이는 메모리 홀 속으로 사라졌다.'

기자가 백악관 기자 회견에서 트럼프에게 질문을 던졌다. "왜 중국 바이러스라고 부르는 것을 고집하십니까?" 대통령이 이미 같은 질문에 수십 번 답변을 한 뒤였다.

트럼프가 대답했다. "중국에서 시작되었기 때문입니다." 그는 덧붙여서 미국 군대가 바이러스 방출의 비밀 음모에 연루되었다는 중국 공산당의 선전을 불식시키기 위함이라고 했다.

또 다른 기자는 트럼프 대통령에게 행정부의 누군가가 코로나바이러스를 '쿵 플루(kung flu)'로 지칭했다고 말했다. 그 기자는 백악관 기자 회견의 질문을 이용해서 트럼프 대통령에게 그러한 비방이 적절하다고 생각하는지를 물었다. 트럼프는 그녀에게 누가 그런 표현을 사용했는지를 되물었다. 그녀는 모른다고 했다.

수많은 기자들이 백악관의 코로나바이러스 기자 회견에서 편파적으로 트럼프를 공격하고 있다. 그런데 한 기자가 반대편 입장에서 그에게 쉬운 질문을 던지면 다른 기자들은 벌떼처럼 그를 변절자 취급한다.

2020년 3월 19일, 이러한 불균형을 잘 보여주는 사례가 있었다. 〈원 아메리카 뉴스 네트워크〉의 샤넬 라이온이 트럼프 대통령에게 다음과 같은 질문을 던졌다. "주요 좌편향 뉴스 미디어는, 심지어 이 방에도 있습니다만, 중국 공산당 내러티브와 한 통속이 되었고, 각하께서 중국 바이러스를 말씀하신다고 해서 인종차별주의자라고 주장하고 있습니다. 주요 미디어들이 각하를 반대하기 위해서 외국의 선전, 이슬람 극단주의, 라틴 갱단 및 카르텔을 지속적으로 편드는 행태가 위험하다고 보십니까? 그들은 지금 바로 이곳 백악관에서 각하와 각하의 비서진 면전에서 그러한 자신들의 일을 하고 있습니다만?"

라이온의 그 질문은 트럼프에게 진보적 언론을 질타할 기회를 제공했다. 그가 말했다. "요즘 언론의 보도를 보면 정말 놀랍습니다. 월스트리트저널을 한번 보십시오. 그들은 항상 부정적입니다. 뉴욕타임스는 그저 놀랍습니다. 사실 이 신문은 거의 읽지를 않습니다. 백악관에서는 더 이상 이 신문을 배포하지 않습니다. 워싱턴 포스트도 마찬가지입니다."

기자 회견 이후, 라이온은 트럼프를 공격하는 대신에 그에게 쉬운 질문을 던진 것에 대한 대가를 치러야 했다. 미디어 대 미디어의 대립이 시작된 것이다.

라이온의 질문과 트럼프의 대답은 미디어의 기사에서 공격을 받았고, 뉴스의 헤드라인을 장식했다. 다시 한번 중요한 스토리의 실제 사실은 조작된 드라마와 미디어 내러티브에 의해 뒷전으로 밀려버렸다. 라이온은 동료 기자가 그녀의 백악관 내의 업무용 책상에 남겨둔 것으로 보이는 메모를 사진으로 트윗에 올렸다. '당신의 질문이 코로나바이러스의 확산을 저지하는데 도움이 되었다고 생각하십니까?'

아마도 아닐 것이다. 하지만 반트럼프 미디어의 많은 질문들 역시 마찬가지다. 하지만 아무도 그들의 책상에 익명의 쪽지를 남기지 않는다.

위기가 지속되면서, 코로나바이러스 내러티브는 보다 대담한 방식으로 정치적 무기화가 되었다. 진보적 비방 그룹 미디어 매터스는 언론인 마이크 로우를 '코로나바이러스 회의론자'라고 공격했는데, 이는 뉴욕타임스의 제레미 피터스가 나를 공격한 것과 같은 방식이었다. 막대한 자금과 잘 정비된 조직이 힘을 쓰고 있는 것은 분명했다. 다만 아직 누가 배후에서 조종하고 있는지는 확실하지 않았다. 다만 나는 배후가 존재한다는 증거는 알 수 있었다.

로우는 반격했다. 그는 자신의 공식 페이스북을 통해서 마들린 펠츠가 작성한 미디어 매터스의 허접한 블로그를 조목조목 반박했다. 그는 자신의 글이나 언급 어디에서도 'COVID-19의 위험성을 과소평가한 적이 없었다'고 지적했다.

나는 곧 일단의 기자들과 인사들을 '코로나바이러스 회의론자'로 공격하는 선전선동 노력이 과학계까지 영향을 미치고 있다는 사실을 알게 되었다. 나는 연방 정부나 학술 기관을 위해 코로나바이러스에 대해 연구 중인 많은 과학자들과 취재차 접촉을 해왔다. 나는 그들의 두뇌를 빌렸고 자료를 제공받았다. 그 자료 중 일부는 널리 보도되고 있는 내용과 들어맞지 않았다. 그래서 나는 그들에게 왜 잘못 전달되고 있는 사실들을 수정하기 위해서 목소리를 내지 않느냐고 물었다. 그들은 모두 만약 자신들이 이를 대중 앞에서 이야기하면 코로나바이러스 회의론자로 잘못 몰리게 될 것이 두렵다고 했다. 사실, 그들 중에서 코로나바이러스를 의심하는 사람은 아무도 없었다. 그들은 이를 심각하게 생각했다. 그들은 단지 사실적으로 정확한 정보와 자료를 제공하고 있었던 것뿐이다. 그들은 과학계 동료들이 나서서 널리 보도된 코로나바이러스에 대한 오해들을 바로잡는 것을 두려워하고 있다고 말했다. 왜냐하면 자신들이 닥터 파우치(미국 국립알레르기전염병연구소 소장 -옮긴이)와 국가 정책에 반대하는 것처럼 보일 수 있기 때문이라고 했다. 나는 한 과학자와 이 문제에 대해 심도 있는 얘기를 하면서, 과학자들과 언론인들이 모두 동료들의 괴롭힘과 선전선동의 논란거리가 되는 것을 두려워한다고 말했다. 사실적 정보를 보도하고 이성적인 질문을 던지는 것을 주저하는 매우 걱정스럽고도 위험한 시대가 되었다.

코로나바이러스와 그에 따른 '보건 위기'는 미디어계에서 무기화, 정치화되었다. 한쪽에선 공황 상태를 일으킬 수 있는 과장된 선전선동을 비난하고, 다른 쪽에선 잘못된 정보로 이 위기 사태의 심각성을 과소평가하고 의심한다며 비난하고 있다.

2020년 4월 3일, 코미디 센트럴(미국의 코미디 전문 방송국 -옮긴이)의 트레버 노아와 함께하는 〈데일리 쇼〉가 행동에 가담했다. 토크쇼 진행자에서 코미디언까지, 유명한 미디어의 인물들이 비방과 내러티브를 널리 알리는 일에 동원되는 것은 흔한 일이다. 데일리 쇼는 주로 폭스 뉴스에 등장하는 보수주의자들과 트럼프 측근들을 공격하는 비디오 몽타주를 편집했다. 영상들은 이들 인사들이 팬데믹을 과소평가하거나 부인하면서 코로나바이러스의 위험성에 대해 헛다리를 짚었음을 암시했다.

진보적 미디어와 독자들은 이 비디오를 유통하였고, 조소와 증오가 담긴 댓글을 첨부하기도 했다. 어떤 이들은 코로나바이러스 희생자가 폭스 뉴스를 고소해야 한다고 했다.

데일리 쇼 비디오가 풍자한 코로나바이러스에 대한 코멘트는 사실 보건 당국 및 진보적 언론의 코멘트와 다를 것이 없었다. 하지만 보건 당국이나 진보적 언론은 비판을 받지 않았다. 이는 피터스가 기사를 통해 자신이 속한 신문사의 보도와 다를 것이 없는 정보를 보도한 나를 코로나바이러스 회의론자라고 비방한 것과 다를 것이 없다.

아이러니하게도 피터스는 미디어의 여러 인물들이 코로나바이러스에 대한 잘못된 정보를 흘렸다고 주장하면서 공격을 계속하는 와중에, 나에 대한 '코로나바이러스 회의론자' 기사에서 자신의 실수가 있었음을 인정해야만 했다. 그렇다. 내 변호인이 뉴욕타임스의 변호인을 접촉하고 난 후, 뉴욕타임스는 피터스의 허위 기사를 여러 차례 정정했다. 편집자들은 문단을 삭제하고, 기만적으로 편집된 인용문을 수정하였으며, 정정 기사를 냈다. 진실을 향한 승리였지만, 작은 승리였다. 나는 게임이 어떻게 진행되는지 잘 알고 있다. 수백만의 독자가 명예를 훼손한 허위 기사를 읽었지만, 2주 후에 나온 정정 기사를 읽는 사람은 거의 없다.

마찬가지로, 〈데일리 쇼〉 비디오는 널리 유통되면서 등장인물들에 대한 증오를 부추기고 있었다. 시청자들은 비판의 대상이 된 코멘트들이 그 시점에서는 틀림없는 사실이었으며, 지금까지도 상당수가 사실이라는 점을 알지 못했다. 또한 순진한 시청자들은 보건 당국과 진보 언론들이 비슷한 코멘트를 했다는 사실도 알지 못했다. 이런 진실들은 진보주의자들이 과학에 기초한 사실을 말하며, 보수주의자들과 달리 우리의 안전을 지키기 위해 노력한다는 내러티브를 약화시킬 수 있기에, 메모리홀 속으로 깔끔하게 던져진 것이다.

데일리 쇼 영상이 비판하는 인물들의 코멘트와 보건 당국과 기자들의 코멘트를 다음 사례들을 통해 비교해보기 바란다. 위쪽은 데일리 쇼 영상에서 비판의 대상이 된 내용이며, 바로 아래의 내용들은 언론의 비난을 받지 않은 기사들과 당국자, 의사들의 코멘트들이다.

- ● 션 해너티/폭스 뉴스/2020년 2월 27일: '하늘이 무너지고 있다. 우리는 모두 망했다. 마지막이 가까워졌다'라고 미디어 폭도들이 떠들고 있다.
- ○ 뉴욕주지사 앤드루 쿠오모/2020년 3월 24일: 취약 계층이 문제다. 나머지 95%는 아니다. 취약한 일부 계층이 문제다. 불안감을 없애라, 두려움을 없애라, 피해망상을 없애라.
  질병통제예방센터(CDC)/2020년 4월 5일: 이 바이러스에 노출될 즉각적인 위험은 대부분의 미국인에게 여전히 낮은 상태이다.

- ● 피트 헤그세스/폭스 뉴스/2020년 3월 8일: 코로나바이러스에 대해 알면 알수록 불안감은 감소한다.
- ○ 로버트 커프/BBC/2020년 3월 24일: 영국 정부의 보건 수석 자

문위원 크리스 위티 교수에 따르면 '노년층의 감염률은 높지만, 노년층 대부분은 경미하거나 보통 수준의 증상을 보일 것이다'라고 말했습니다.

케이티 해프너/뉴욕타임스/2020년 3월 14일: 코로나바이러스 팬데믹에 대한 불확실한 정보가 떠도는 와중에, 한 가지 사실은 분명하다. 가장 높은 치사율을 보이는 것은 고령층이며, 특히 기저 질환을 가지고 있는 사람들이다.

● 지닌 피로/폭스 뉴스/2020년 3월 8일: 이것은 바이러스다. …… 독감과 비슷한… 코로나바이러스가 훨씬 치명적이라고 말하는 것은 현실을 반영하지 않는다.

의학 기고가 닥터 마르크 시겔/폭스 뉴스/2020년 3월 6일: 이 바이러스는 독감에 비견될 수 있다. 왜냐하면 최악의 경우 독감일 수 있기 때문이다.

특파원 헤랄도 리베라/폭스 뉴스/2020년 2월 28일: 현재 훨씬 더 치명적인 것은 코로나바이러스가 아니라 평범한 독감이다.

도널드 트럼프 주니어 대통령/2020년 3월 9일: 이것은 독감과 비슷하다.

○ 뉴욕시 보건 책임자 오시리스 바르봇/2020년 2월 3일: 우리는 뉴욕 시민에게 정상적인 생활을 유지하고 통상적인 독감 시즌에 대한 예방책을 시행할 것을 권장합니다.

세계보건기구/연합통신/2020년 3월 8일: 이 바이러스는 현재 연례 독감 유행병보다 덜 유행하고 있습니다. WHO에 따르면 독감은 전 세계적으로 매년 5백만 명에게 심각한 증상을 유발하고, 65만 명에 이르는 사망자를 내고 있습니다.

앨리슨 오브리/NPR/2020년 1월 29일: 새로운 코로나바이러스 감염을 걱정하시나요? 미국에서는 독감이 훨씬 더 큰 위협이랍니다.

밥 허만/액시오스/2020년 1월 29일: 왜 우리는 코로나바이러스에 공포를 느끼면서 독감에 대해서는 그렇지 않은가. 코로나바이러스에 대해 질겁하면서 독감 주사는 맞지 않는다면 뭔가 거꾸로 된 것이다.

반더빌트대학 예방의학과 윌리엄 샤프너 교수/2020년 1월 24일: 우리가 이 새로운 코로나바이러스와 독감의 상대적인 위험성을 비교한다면, 코로나바이러스는 사소한 문제에 불과할 것이다.

수미아 칼라만글라/로스앤젤레스타임스/2020년 1월 31일: 미국인에게 독감이 코로나바이러스보다 더 큰 위협이다. 아직 미국에서 사망자를 내지 않은 코로나바이러스와 달리, 금요일에 발표된 연방 자료에 따르면 10월 이후 독감은 대략 1만 명의 미국인을 죽였다. 이미 미국을 덮치고 있는, 훨씬 더 치명적인 킬러가 일반적으로 외면받고 있다. 바로 독감이다.'

캘리포니아대학교 리버사이드, 전염병학자 브랜든 브라운/2020년 1월 31일: 미국의 아이들을 죽이고 있는 바이러스(독감)가 헤드라인을 장식하고 있지 않다.

레니 번스타인/워싱턴 포스트/2020년 2월 6일: 미국아, 정신 차리고 독감 잡아. 현재로선 독감이 코로나바이러스보다 훨씬 큰 위협이라구.

- 진행자 제시 워터스/폭스 뉴스/2020년 3월 3일: 감염되면 이기면 돼.

○ 제롬 애덤스 미국 공중보건서비스단 단장/2020년 3월 6일: 미국인에게 가장 알리고 싶은 사실은 코로나바이러스에 감염될 위험이 높지 않다는 사실이다. 만약 감염된다 해도 회복될 것으로 본다. 98에서 99%는 완전히 회복할 것이다.

리카르도 알론조 살디바르/연합통신/2020년 3월 21일: 대부분의 사람에게 코로나바이러스는 발열 및 기침과 같은 경미한 또는 보통 정도의 증상을 보일 것이다.

닥터 데이비드 L. 캇츠/뉴욕타임스/2020년 3월 20일: 일반 감염자의 99%는 증상이 '경미'하며 특별한 의학적 치료를 필요로 하지 않는다. 치료를 필요로 하는 일부 경우는 대부분 60세 이상이며, 나이가 많을수록 더 많은 치료가 필요하다.

- 하원의원 데븐 누네스/2020년 3월 15일: 만약 당신과 당신 가족이 건강하다면 밖으로 나가거나 동네 음식점에 가기에 딱 좋은 때입니다.

상원의원 제임스 인호프/2020년 3월 11일: 악수할래요?

○ 로지 스핑크스/뉴욕타임스/2020년 2월 5일: 누가 중국으로의 여행이 안전하지 않다고 했지요? 코로나바이러스로 여행을 금지하는 것은 부당하고 효과가 없습니다. 코로나바이러스 확산은 두 개의 적대적 세력에 의해 경계가 나뉘는 것으로 보입니다. 놀라운 효율성으로 세상을 연결해주는 여행 산업계와 인종 혐오적 수사

및 장벽 건설로 대변되는 정치 세력이지요.

뉴욕시 시장 빌 드 블라시오/2020년 3월 2일: 나는 뉴욕 시민에게 정상적인 생활을 영위하라고 권장합니다. 코로나바이러스에 굴하지 말고 밖으로 나가세요.

뉴욕시 보건 책임자 오시리스 바르봇/2020년 1월 27일: 최근 우한을 방문한 사람들에 대해 자가 격리 또는 대중과의 격리를 강요하지 않습니다. 지하철 또는 버스를 타지 않거나, 레스토랑에 가지 않을 이유, 다음 일요일에 있을 퍼레이드를 피할 이유는 없습니다. 뉴욕시의 음력설(차이나타운 퍼레이드)을 축하하기 위해 준비하는 이 시점에서 뉴욕 시민들이 휴일 계획을 변경할 이유는 없습니다. 오늘 우리는 뉴욕 시민에게 정상적인 삶을 영위하라고 권장합니다.

낸시 펠로시 하원의장/2020년 2월 24일: 샌프란시스코의 차이나타운 방문을 적극 권장합니다. 오늘 우리가 하려는 것은 모든 것이 양호하다는 것을 말하는 것입니다.

다시, 내가 보수주의자들과 진보주의자들이 다 틀렸다고 말하는 것이 아님을 강조할 필요가 있다. 요점은 민주당원, 공화당원 및 보건 전문가가 이야기한 비슷한 진술들이 미디어의 의중과 내러티브에 의해 다른 대접을 받는다는 사실이다.

미디어의 공격들이 특별히 선택된 사람들에게만 퍼부어졌다는 점, 그리고 같은 코멘트를 한 다른 사람들은 면제를 받았다는 사실을 통해 모두에게 전달된 분명한 메시지는 다음과 같다. '우리는 이것을 우파 대 좌파의 전쟁으로 몰고 간다. 만약 너희가 코로나바이러스를 최악의 시나리오로 묘사하지 않는다면 우리는 너희를 보수파, 멍청이, 반과학주의로 비난할 것이다. 그러므로, 너희는 정확한 정보를 대중에게 제공하는 대신에 자기 검열을 거친 정보를 제시해야 한다. 만약 너희가 복종하지 않는다면 우리는 너희를 '코로나바이러스 부정자(denier)'로 몰아서 파괴할 것이다. 비록 너희가 아무 것도 '부정하지' 않고, 사실만을 책임감 있게 보도하더라도 아무 상관이 없다.'

오늘날 정치가 지배하는 뉴스 미디어 환경에서 국제적 보건 위기의 취재가 좌파 대 우파, 진보 대 보수, 친트럼프 대 반트럼프로 양분되는 것은 어쩌면 불가피한 일인지도 모른다. 우리가 이제껏 이 책에서 목도해 왔듯이, 숨어 있는 이익집단이 중요한 주제에 대해서 그들이 고수하고자 하는 내러티브를 기준으로 미디어를 압박한다는 사실을 알게되었다면 이는 전혀 놀랍지 않다. 미디어가 같은 사실을 말하는 사람들을 다르게 대우하는 모순 속에서 미디어에 대한 대중의 신뢰도는 계속 침식되어 간다.

더 큰 문제는 얼마나 많은 미디어 방송이 미디어 대 미디어의 대결 구도에 매몰되고 있느냐는 것이다. 미디어는 일반 대중에게 중요한 주제에 대한 정보를 보도하는 대신에, 생각이 다른 기자들과 주요 인물들 그리고 기사들을 공격하는데 지면과 방송 시간 및 기자들을 다 소진하고 있다.

만약 이러한 모든 노력이 실제 뉴스를 취재하는데 쓰인다면 대중들이 얼마나 유익한 정보를 얻을 수 있을까?

우리가 잃고 있는 것은 무엇일까?

# 미디어의 실수들

11장

SLANTED

트럼프 대통령의 '거짓말'에 대한 리스트는 무수히 많다.

물론 뉴욕타임스도 가지고 있다. 포인터연구소도 그 숫자를 기록하고 있다. 워싱턴 포스트는 트럼프가 임기 첫 3년 동안 한 거짓말 또는 호도하는 진술의 숫자를 1만 6천 241회로 계산하고 있다. CNN도 이를 정기적으로 추적하고 있다. 그렇게 많은 언론사들이 똑같은 사안에 대해 그렇게 많은 시간과 자원을 사용하는 것이 얼마나 정보의 지평을 여는데 도움이 되는지 모르겠다. 하지만 그들의 의도는 분명해 보인다.

한편, 우리 미디어도 스스로 엄청난 실수를 저지르고 있지만, 아무도 우리의 잘못된 보도에 대해서는 리스트를 만들고 있지 않다. 나는 그것을 동전의 양면이라고 본다. 우리는 트럼프의 유례없는 부정직에 대해서는 비판을 하면서, 우리 스스로의 실수에 대해서는 아무런 자각이 없다. 어떤 정치인이 거짓말을 자주 한다고 해서 우리의 잘못이 정당화되는가? 우리의 잘못된 보도를 두고도 오히려 다른 사람들의 잘못이 훨씬 더 크다고 변명할 수 있을까?

트럼프 대통령이 당선되면서, 많은 언론이 그를 잡는데 너무나 혈안이 된 나머지 수치스럽게도 엉성한 보도를 남발하는 모습을 보여왔다. 아무도 이런 실수를 취합하는 사람이 없었기 때문에, 나는 트럼프 시대에 언론이 저지른 주요 실수에 대한 추적을 시작했다. 2016년 그의 대선 시기부터 2020년 7월 13일까지, 131개를 집계했다. 여러 언론사가 똑같은 실수를 저지른 경우, 한 개의 실수로 계산했다. 다음은 그 한 사례다.

2019년 5월 29일, 내러티브가 한창 기승을 부리고 있었다. 월스트리트저널과 여타 언론사들이 트럼프 대통령과 전 공화당 상원의원 존 매케인 사이의 불화에 대한 소식을 전했다.

그 기사들은 다음과 같은 요점을 진술하거나 암시하고 있었다.

- 주장 하나, 해군은 구축함 USS 존 S. 매케인함의 이름에 방수포를 씌워서 트럼프 대통령이 일본 요코스카를 방문하는 동안 그 이름이 보이지 않도록 했다.
- 주장 둘, 매케인 이름이 트럼프를 화나게 하지 않기 위해서, 바지선으로 전함의 시야를 가리게 했다.
- 주장 셋, USS 존 S. 매케인함의 이름이 새겨진 모자를 쓴 수병들은 대통령이 참석하는 행사에서 돌려보내졌는데, 이는 트럼프가 매케인 이름을 보지 않도록 하기 위해서였다.
- 주장 넷, 국방장관 대행 패트릭 섀너핸은 매케인 이름이 트럼프에게 노출되지 않도록 하려는 상기의 '책략'에 대해서 알고 있었다.

뉴스 기사는 이러한 매케인 이름 은폐 시도의 배후가 백악관이라고 밝힘으로써 많은 독자들로 하여금 트럼프 대통령이 이런 지시를 한 것으로 오해하도록 했다. 다시 말해서, '트럼프는 정말 유치하고, 자기중심적이며, 샘이 많고, 자신의 직책에 대한 이해가 부족하며, 정적의 이름이 너무나 신경이 쓰인 나머지, 군대 행사에서 말도 안 되는 사항을 명령했다.'

사실이 그렇다고 하더라도, 이러한 뉴스는 중립적 뉴스 환경이었다면 그렇게 중요한 기사로 다뤄지지 않았을 것이다. 수년 전에, 만약 그런 정보가 확인되었다면 전국 뉴스에서 잠깐 언급되는 정도로 다뤄지거나 가십 기사 정도로 다뤄졌을 것이다. 하지만 2019년에 이 기사는 국제적인 주목을 받을 만한 뉴스처럼 다뤄졌다. 실제 중요성보다 훨씬 부풀려져서 다뤄졌고, 반트럼프 내러티브를 강화하는 헤드라인과 함께 보도되었다.

배경을 설명하자면 트럼프와 매케인 상원의원 간의 불화의 시작은 2015년 7월로 거슬러 올라간다. 당시 매케인은 트럼프 지지자들을 '미치광이들'이라고 불렀다. 트럼프는 매케인의 베트남 전쟁 복무와 전쟁포로 지위를 깎아내리면서 반격을 가했다. 2016년, 매케인이 비밀리에 반트럼프 정보인 이른바 '스틸 자료'를 FBI에 제출하면서 불화가 심화되었다. 그리고 매케인의 보좌관은 트럼프에게 피해를 주기 위해 그 내용을 언론에 유출한 것으로 알려졌다. 또한 매케인은 2017년 7월 28일 늦은 밤, 상원에서 과장된 동작으로, 오바마케어를 폐지하려는 트럼프의 계획을 저지하는 결정적인 투표를 했다. 이후 트럼프는 이 투표에 대해 매케인을 자주 비판했다. 물론 트럼프 역시, 매케인은 실패했지만 자신은 백악관에 입성했다고 하면서 매케인의 신경을 건드렸다. 두 사람이 마치 어린 아이들처럼 서로 다투었다고 할 수 있을 것이다. 하지만 대부분의 미디어 기사에서는 트럼프는 쩨쩨하고 매케인은 영웅처럼 묘사되었다.

2019년 5월, 매케인함의 뉴스 기사는 수일 동안 주요 전국 뉴스를 도배했다. 기자들은 매케인의 딸 메간의 트윗을 인용했다.

> 트럼프는 나의 부친이 이룬 삶의 위대함에 항상 깊은 위협을 느끼는 어린아이다. 부친에 대한 너무 많은 언급에 나에 대한 비판이 있었다. 하지만, 아버지가 돌아가신 지 9개월이 지났건만, 트럼프는 부친이 편히 잠드시게 내버려두지 않는다. 따라서 나는 부친을 옹호해야만 한다.

그런데 첫 뉴스가 나간 후, 변화가 감지됐다. 반트럼프 스토리라인의 주요 쟁점들이 무너져 내리기 시작했다.

트럼프의 요코스카 방문을 앞두고, 신원 미상의 미군 고위 관계자가 매케인함이 트럼프의 시야에서 가려지도록 하라는 이메일을 보낸 것은 사실인 것으로 밝혀졌다. 그런데, 그 지시가 이행되지 않은 것으로 밝혀졌다. 이는 내러티브 전체를 흔들어버렸다.

미군 고위 관계자에 따르면 트럼프의 시야에서 배의 이름을 가리기 위해 방수포가 씌워졌다는 주장은 허위로 밝혀졌다. 사실은, 배의 정비를 위해 씌워졌던 방수포는 트럼프의 방문 전에 제거되었다.

이 뉴스가 국제적으로 보도된 후, 미 태평양 함대 대변인 네이트 크리스텐센 중령이 성명서를 통해 말했다. "매케인함의 선체 보수를 위해 사용되었던 방수포는 트럼프 대통령이 요코스카 미 해군 기지에서 현충일 연설을 하기 이틀 전, 토요일에 제거되었습니다."

또한 미군 관계자의 말에 따르면 USS 존 S. 매케인함 앞에 정박했던 바지선은 트럼프의 방문 전에 옮겨졌고, 대통령이 도착했을 때는 완전히 사라지고 없었다.

크리스텐센 중령은 이렇게 말했다. "모든 선박은 POTUS(President of the United States, 미국 대통령 -옮긴이)의 방문 동안 정상 배열 상태를 유지했습니다."

월스트리트저널 기사의 주요 내용이 심각한 의문을 불러일으킨 상황에서 뉴욕타임스의 매기 하버만은 이상한 트윗을 올렸다. 그녀는 여러 모순들을 무시하고 자신의 신문이 월스트리트저널의 '훌륭한 특종'을 확인했다고 말했다. USS 존 S. 매케인 모자를 쓴 수병들이 트럼프 연설장에서 돌려보내졌다는 것을 확인했다고 주장한 것이다. 이는 내러티브의 진실성에 관한 의문이 일어날 때, 내러티브를 지지하는 자들이 실수를 인정하고 고치는 대신에 오히려 더 강하게 밀어붙인다는 것을 잘 보여주는 사례다. 하버만은 내러티브의 추진 능력에 있어서 잘 알려진 인물이다. 힐러리 클린턴 선거 전략팀은 자신들이 언론에 기사를 흘리고 싶을 때 그녀를 우선순위로 고려했다. 이는 2016년 민주당 전국위원회의 서버가 해킹되었을 때 내부 문서를 통해 알려진 사실이다. 하버만이 폴리티코를 위해 일하고 있던 2015년 1월의 이메일에는 클린턴 관계자들이 하버만을 이용해서 뉴스 기사를 가장한 선전선동을 계획한 내용이 들어 있었다. 그들은 그녀를 '우호적인 기자'로 불렀고, 그녀가 과거에 자신들을 위해 기사들을 '티업(tee up)' 해주었으며, 자신들을 '결코 실망시키지 않았다'고 말했다. 이제 뉴욕타임스로 영전한 하버만은 트럼프를 취재하면서 요즘 인기 절정인 반트럼프 내러티브의 양산에 일조하고 있다.

시시각각 기사 내용이 무너져 내려가자 CBS는 내러티브와 반대 노선을 취했으며, 최초 보도 내용이 의구심을 불러일으키는 배경을 보도했다. CBS 뉴스 국방부 특파원 데이비드 마틴은 왜 USS 매케인 모자를 착용한 수병들이 트럼프 행사장에서 돌려보내졌는지에 대한 이유를 설명했다. 모자에 쓰인 매케인 이름 때문이 아니라 복장 규정 때문이었다. '대통령 방문 행사장에는 20개의 선박에서 80명의 수병이 배석하였는데, 모든 참석자는 선박별 모자를 쓰는 대신에 아무런 로고가 없는 동일한 해군 모자를 쓰도록 규정했으며 …… 그들이 돌려보내진 이유는 행사 복장 규정을 위반한 모자를 착용했기 때문이었다.'

CBS의 마틴은 보도를 통해서 트럼프를 옹호하려고 한 것이 아니었다. 전혀 그렇지 않았다. 그는 내러티브를 따르지 않는 뉴스 기자라면 당연히 해야 할 일을 한 것뿐이었다. 배경 상황과 반론을 포함해서 양쪽의 이야기를 다 제시하는 것이다.

매케인 이름을 트럼프가 보지 못하도록 하기 위한 '책략'에 대해 국방장관 대행 섀너핸이 사전에 알고 있었다는 주장 역시 또 다른 실수로 드러났다. 섀너핸은 그러한 내용에 대해 전혀 알지 못했다고 분명히 못박았다. 트럼프 대통령과 백악관 보좌관들 역시 기자 회견에서 트럼프가 그에 대해 전혀 알지 못했다고 확인했다.

최초의 기사는 사실에 근거한 뉴스 보도가 아니라 내러티브의 모든 특징을 고스란히 담고 있다. 우선 미확인 정보에 의존하고 있다. 그다음 편파적인 방식으로 보도되었다. 또한 기사 내용이 가지는 태생적 중요도 이상으로 미디어를 통해 중요성이 증폭되었다. 잠재적 반론에는 어떤 관심도 기울이지 않았다.

이 시점에서 사실관계를 그르친 혹은 논란이 된 불완전한 기사를 보도한 기자들과 논평가들은 적어도 조용히 다른 주제로 넘어갈 법도 했다. 하지만 그 대신에, 그들은 자신들의 최초 기사가 정확하기라도 하듯, 수정된 정보를 자신의 보도 내용에 억지로 끼워 맞추는 촌극을 벌였다. 그들은 집단적으로 서로를 보호하려 했으며, 자신들의 실수를 인정하기보다는 집요하게 내러티브를 고수하려 했다.

이러한 사례는 〈워싱턴이그재미너〉의 티아나 로우가 작성한 논평에서 드러난다. 트럼프 대통령과 다른 사람들이 잘못된 보도를 비판하자, 로우는 주요 쟁점은 인정하는 듯했다. 그녀는 국방장관 섀너핸이 매케인함을 트럼프의 시야에서 치우려는 책략을 몰랐을 수도 있다고 인정했다. 하지만 그 나머지 내용은 사실이라고 우리를 설득하려 했다. 그녀는 이렇게 물었다. '섀너핸에 관한 주장을 제외하면 이 기사의 어떤 부분이 가짜라는 건가요?'

로우는 한 번의 펜 놀림으로 기사에 아무런 잘못이 없음을 암시하려 했지만, 반대로 기사의 잘못을 인정하고 말았다. 그녀는 계속해서 변명하는 데 엄청난 재주가 있음을 보여주었다. '트럼프는 그 계획의 명령을 부인하지만, 그 기사를 작성한 기자들은 그가 그렇게 했다고 주장한 적이 없습니다.' (물론 기자들은 그렇게 암시를 했을 뿐이다. 그러나 그러한 암시가 아니었다면 그 기사가 애초에 뉴스거리가 되지 않았을 것이다.)

로우는 또한 이렇게 말했다. '배를 안 보이게 하려는 계획이 트럼프가 일본에 도착했을 때, 시행되지 않았음이 분명합니다. 하지만 이 기사를 작성한 기자들은 시행되었다고 주장한 적이 없습니다.' (그 암시 역시 이 기사의 요점이었다.)

보도 윤리를 준수하는 기자라면 실수에 대해서 잘못을 인정하고 다음과 같은 요지의 정정 보도를 냈어야 했다.

'우리가 보도한 최초 기사의 쟁점들이 논란의 대상이 되었습니다. 확인 결과, 기사의 내용은 불완전하며 부정확하였고, 중요한 배경 설명을 누락한 것으로 나타났습니다. 트럼프 대통령의 일본 방문 동안 매케인 이름이 트럼프의 눈에 띄지 않게 하라는 '책략'을 국방장관 대행 패트릭 섀너핸이 인지하고 있었다는 주장에 대해서는, 책략이 있었다는 증거가 없었으며 섀너핸은 그러한 것에 대한 인지를 부정하였습니다. 또한 트럼프가 '매케인'을 보지 않게 하기 위한 조치라고 주장한 것들은 실제로 어떤 것도 시행되지 않았습니다. 해군이 USS 존 S. 매케인의 이름을 가리기 위해 방수포를 덮었다는 주장은 사실이 아닙니다. 트럼프 대통령이 일본에 있는 동안 방수포로 가린 배는 없었습니다. 사실, 보수를 위해 설치되었던 방수포는 트럼프의 방문 전에 제거되었습니다. 트럼프의 시선을 매케인함으로부터 가리기 위해 바지선을 정박시켰다는 주장 역시 사실이 아니었습니다. 모든 선박들은 대통령의 방문 동안 정상적인 배열 상태를 유지하였습니다. 또한 'USS 매케인' 모자를 쓰고 있던 수병들이 되돌려 보내졌다는 암시 역시 아무런 증거가 없었습니다. 그 수병들이 썼던 모자는 배석 수병들에게 개별 선박의 로고가 부착되지 않은 해군의 모자를 쓰도록 지시한 복장 규정을 위반한 것으로 추정됩니다.'

하지만 당연히 이런 메시지는 찾아볼 수 없었다. 대신에 미디어는 행간을 주의해서 읽는다면 대략 다음과 같은 메시지를 전달했다.

> 우리의 기사는 일방적이었고 불완전했습니다만 여전히 정확했습니다. 우리는 암시만 했을 뿐, 그렇게 명시한 것은 아닙니다. 따라서 우리가 실제로 틀린 것은 아닙니다. 트럼프가 우리의 말을 곡해하는 것을 아시지 않습니까! 이 모든 것은 트럼프에 대한 우리의 주장이 옳다는 것을 증명할 뿐입니다!

며칠이 지난 후에도, 연예 소식 웹사이트 데드라인에는 허위 헤드라인이 그대로 방치되어 있었다. '도쿄에서 트럼프를 자극하지 않기 위해 배의 매케인 이름이 가려져 있었다.' 이제는 거의 모든 사람이 헤드라인이 주장하는 것처럼 매케인 이름이 결코 '가려져' 있지 않았다고 동의한다. 하지만 내러티브는 진실을 극복한다. 그것이 목표다.

매케인 스토리는 미디어가 어떤 비용을 지불해서라도 반트럼프 내러티브를 관철하는 하나의 사례일 뿐이다. 일종의 패턴이다. 그토록 많은 유서 깊은 전국 뉴스 언론이 그토록 많은 중대한 보도 실수를 저지른 적은 유례가 없었다. 개별적으로 살펴보면 각각의 실수는 이론적으로 비고의적인 실수 또는 허접한 보도로 치부될 수 있다. 그러나 전체적으로 보면 이들 실수에는 내러티브의 특징이 담겨 있다.

첫째, 모든 실수는 일정하게 도널드 트럼프를 공격하는 방향으로 향해 있다. 둘째, 이들 실수는 기자 초년병도 저지르지 않을 수준의 실수지만, 최고 언론사의 베테랑 기자들이 저지르고 있다. 셋째, 실수를 저지른 기자들에게 준엄한 책임을 묻는 경우가 거의 없다. 정정 보도 역시 매우 드물며, 사과문은 거의 없다고 보면 된다. 대신 실수에 대한 변명을 늘어놓고 뻔뻔하게 선언한다. '우리가 틀렸다는 사실을 알자마자 실수를 바로잡았다. 이는 우리가 얼마나 믿을 만한지를 증명한다!'

정확성이 보도의 생명일진대, 왜 부정확한 보도를 일삼는 기자들이 해고되지 않을까? 왜 뉴스 기자들은 뉴스 취재원들이 거짓 정보를 제공하다 적발된 후에도 계속 그들에게 정보를 의존할까? 그들의 목표가 사실과 정보 및 진실을 밝히는 것이 아니라 내러티브를 확장하는 것임을 간파할 때, 비로소 모든 의문이 풀린다. 그러한 렌즈로 들여다볼 때 비로소, 그들은 정보가 틀려도 내러티브만 추진할 수 있다면 임무를 완수했다고 생각한다는 것을 알 수 있다.

## 미디어의 실수 101호

2019년 추수감사절, 내가 카운트한 바에 따르면 트럼프 시대에 미디어가 저지른 주요 실수 100호가 막 지나가던 때였다. 이때 등장한 이 기사는 수많은 미디어 실수들에서 고질적으로 보이는 편향성과 엉성함을 잘 보여주고 있으므로 자세히 들여다볼 필요가 있다.

이 실수는 〈뉴스위크〉의 정치부 기자 제시카 퀑에 의해 저질러졌다. 그녀는 '트럼프가 어떻게 추수감사절을 보냈을까? 트위팅, 골프 등등?'이라는 질문으로 기사를 작성하고 트윗을 올렸다. 그녀는 트럼프가 추수감사절을 플로리다주 팜비치의 마라라고(Mar-a-Lago) 리조트에서 보냈다고 썼다. 그 기사는 이타적인 일에 전념한 전임자 오바마 대통령과는 달리 트럼프는 또 다시 빈둥거리고 있다는 암시를 주었다.

문제는, 그녀의 기사가 틀렸다는 사실이었다.

사실 트럼프는 추수감사절 전날 플로리다를 떠나 아프가니스탄으로 날아갔다. 그는 골프를 치며 휴일을 보내는 대신에 미군 병사들에게 만찬을 대접했다. 퀑은 자신의 실수가 분명해지자, '의도치 않은 실수'를 저질렀다고 주장했다. 트위터를 통해 트럼프에 대한 부정확한 이전의 트윗을 삭제한다고 알렸다. 그녀는 이렇게 말했다. '대통령의 아프가니스탄 깜짝 방문에 대해 알기 전에 작성한 기사였습니다.'

나는 이 기사에 관해 다섯 가지 주요 문제점을 지적하고자 한다.

첫째, 퀑은 기본적인 기자로서의 지식이 심각하게 부족하다는 것을 여실히 드러냈다. 나는 정치부 기자가 아니며, 백악관 소식을 자세히 취재하지 않는다. 하지만 트럼프가 추수감사절에 군대를 방문하지는 않을지를 고려할 만큼의 지식은 있다. 최근의 역대 대통령들은 모두 휴일에 우리 군인들을 방문해서 감사의 뜻을 전해왔다. 전국 신문의 정치부 기자와 편집자라면 혹시 대통령이 '깜짝 방문'을 하지 않을지 당연히 알아봤어야 할 것이다.

둘째, 만약 트럼프가 추수감사절에 골프를 쳤다는 주장을 마치 본인이 직접 확인한 정보처럼 보도하는 대신에, 실제 출처를 인용해서 보도했더라면 퀑의 실수는 그리 큰 문제가 되지 않았을 것이다. 기자들은 실제로는 그렇지 않으면서 마치 자신이 직접 정보를 확인한 것처럼 정보가 사실이라고 주장하는 경우가 많다.

셋째, 사실 확인에 있어서 이해할 수 없는 실패가 있었다. 이것은 가장 기본적인 보도의 원칙이다. 아무리 확실해 보이는 것이라도, 아무리 많은 사람이 같은 내용을 보도하고 있더라도, 비디오 영상이 그렇게 보인다 하더라도, 종종 틀리는 경우가 있다. 그래서 기자들에게는 사실을 확인하는 것이 그토록 결정적으로 중요한 것이다. 퀑은 트럼프가 추수감사절에 골프를 친다는 주장이 사실인지 백악관을 접촉해서 확인해야 했다. 만약 백악관 측이 그렇다고 확인했고, 그녀가 그 대답을 인용했더라면 실제로 트럼프가 아프가니스탄으로 갔더라도 퀑은 잘못된 정보에 대한 보도 책임을 면할 수 있었을 것이다. 그것이 제대로 된 보도이다. 대신에 그녀는 마치 자신이 직접 확인한 것처럼 잘못된 정보를 보도했다.

넷째, 사실이 밝혀진 후 실수를 정정하는데 있어서 심대한 실패가 있었다. 비록 뉴스위크가 기사를 손보기는 했지만, 실제로 정정하지는 않았다. 편집자는 새로 고친 기사를 '업데이트'라고 지칭했다. 이것은 진솔하지 못한 대처이다. 그 기사는 '업데이트'되어야 할 것이 아니다. 뉴스위크는 최초의 보도가 허위라는 것을 알게 되었다면 당연히 정정보도와 사과문을 냈어야 했다.

다섯째, '업데이트' 이후에도 허위 정보가 지속되었다. 뉴스위크는 트럼프가 추수감사절에 골프를 쳤다는 허위 헤드라인을 내리지 않았다.

미디어가 실수를 통해 교훈을 얻지 못하는 역사는 반복된다는 사실을 이 사례가 여실히 보여주었다. 왜냐하면 NBC가 불과 1년 전에 비슷한 사고를 저질렀고, 마치 기사가 잘못되지 않은 것처럼 굴었었다.

2018년 12월 25일, 크리스마스가 공식적으로 끝나기 8시간 전에 NBC의 공격은 시작되었다. 방송사는 다음과 같은 헤드라인을 띄웠다. '트럼프는 2002년 이후로 크리스마스 때 군대를 방문하지 않은 첫 대통령이 되었다.' 기사는 트럼프가 '군대와 부상병을 방문하는 최근의 전통을 저버렸다'고 주장했다. 또한 트럼프가 전임자들의 기준에 미치지 못하는 대통령이라는 반트럼프 내러티브를 추진하기 위해 트럼프에게 여러 차례 잽을 날렸다.

그런데 NBC가 알지 못했던 것은 기사와는 반대로 트럼프가 2018년 12월 25일 밤, 이라크의 미군을 방문하기 위해 백악관을 떠났다는 사실이었다. 방송사의 실수가 밝혀지고 난 후 발생한 일은 뉴스위크와 마찬가지로, 실수를 인정하지 않는 것이었다. 애초에 대통령이 이라크로 떠났다는 사실을 몰랐으며, 이 사실을 확인하지 않고 잘못 추정했음을 간단히 사과하면 되는 일이었다. 하지만, NBC는 장문의 편집자의 글을 통해 '크리스마스 때의 방문'이 무엇인지에 대한 장황한 설명을 늘어놓으면서, 결국 최초 기사가 '엄밀히 말해서' 틀리지 않았다고 주장했다. NBC 편집자는 이렇게 주장했다. '트럼프가 크리스마스 무렵에 군대를 방문한 것은 맞다. 그는 크리스마스 날 이라크를 향해 백악관을 떠났다. 하지만 자정을 넘기기 전에 이라크에 도착한 것은 아니다. 크리스마스 다음날 방문이 크리스마스 때 방문이 되는 것은 아니지 않은가?'

즉 사과를 하는 대신에, NBC는 크리스마스 때가 엄밀하게 언제 시작해서 언제 끝나는지를 따짐으로써 실수를 옹호하려 했다. NBC 편집자의 글은 다음과 같다.

> 2018년 크리스마스 날의 마지막 시점을 기준으로, 트럼프는 군대를 방문하지 않았으며 그러한 계획도 발표하지 않았다. 기사는 정확했지만 12월 26일에 상황이 변했다. 트럼프와 영부인 멜라니 여사가 예고 없이 이라크의 부대를 방

> 문한 것이다. 그 결과, 이 기사의 주장은 애초에는 옳았지만, 더 이상 옳지 않게 되었다. 우리는 투명성을 위해 기사가 발표된 날의 상황이 반영된 기사를 NBCNews.com에 그대로 게재해 두었다. 그리고 독자들은 동시에 트럼프의 이라크 방문 기사도 확인할 수 있도록 하였다. 또한 우리는 기사에서 헤드라인과 한 문장을 변경함으로써, 보다 정확하게 트럼프가 2002년 이후로 크리스마스 때가 아니라 크리스마스 당일 또는 그 전에 군인들을 방문하지 않은 첫 대통령임을 밝혔다.

보도의 실수를 인정하지 않고, 기사가 '당시에는 정확했지만 상황이 변했다'라고 주장한 것은 정말 무책임하다.

그다음, 기사는 장황한 설명을 늘어놓았다.

> NBC의 기록을 확인한 결과, 버락 오바마 대통령은 2009년부터 2016년까지 재임 기간 내내 크리스마스 때마다 하와이 해병대 기지를 방문했다.
> 그 이전에, 뉴스 기록의 확인에 따르면 조지 W 부시 대통령은 2003년부터 2008년까지 월터 리드 육군병원의 부상병을 방문했다. ……
> 트럼프가 이전에 한 말에 따르면 그는 전투 지역을 방문한 적이 없는데, 이는 '스케줄이 너무나 바빴기 때문'이라고 했다.

반트럼프 언론사들 사이에서 트럼프를 오바마와 부시에 비교한 새로운 버전의 기사는 큰 반응을 일으켰다. NBC의 실수에는 아무도 신경을 쓰지 않았다. 마치 그런 일이 없었던 것 같았다. 트럼프가 '크리스마스 당일 또는 그 전에' 군대를 방문하지 않은 최초의 대통령이라는 수정된 내러티브에 모든 관심이 쏟아졌다. 이러한 집단사고에 동참하지 않은 한 예외적인 인물은 평소 반트럼프 성향을 보였던, 워싱턴 포스트의 에릭 웸플이었다. 그는 NBC 문제에 대해 이렇게 지적했다.

> 공동 취재 보도에 따르면 …… 트럼프는 크리스마스 화요일에 집에 머물지 않았다. 적어도 화요일 전부를 그랬던 것은 아니었다. 그는 '12월 25일 늦게' 백악관을 떠났다. ……
>
> NBC 기사는 '크리스마스 때'의 법률적 정의에 의존하려는 것 같다. …… '크리스마스 날과 그 전날들.'
>
> 하지만 크리스마스 때에 대한 일반적 정의는 '크리스마스 시즌 또는 12월 24일에서 1월 1일 또는 6일까지의 기간'으로 이해된다. 하지만 NBC는 트럼프가 실제로 크리스마스 시즌에 무엇을 했는지보다는 자신들이 성급하게 잘못된 추정을 하지 않았음을 기술적으로 방어할 수 있는지를 기사화하려는 것 같다.
>
> 인정할 것은 인정해주자. '축제 기간의 예고 없는 방문이라는 전임 대통령들의 전통이 계속 이어졌다.'
>
> NBC 뉴스는 기사를 정정하라. 아니면 가짜 뉴스를 양산한다는 정당한 비난을 받아들여라.

NBC가 비방을 하기보다 정보를 전파하는데 초점을 맞추었더라면 트럼프 대통령을 호의적으로 볼 수 있는 적지 않은 사실들을 발견할 수 있었을 것이다. 실제 통계 자료들을 살펴보자. 오바마 대통령은 '추수감사절이나 크리스마스 때' 해외 또는 전투 지역의 미군을 한 번도 방문한 적이 없었지만, 트럼프는 2020년 초까지 두 번이나 그렇게 했다. 오바마 대통령이 추수감사절이나 크리스마스 시즌에 가장 '근접한 시기'에 전투 지역의 미군에 방문한 것은 2009년 추수감사절 한 주 전에 한국(남한)을 방문한 것이었다. 빌 클린턴 대통령은 크리스마스에 가까운 2007년 12월 22일에 전쟁이 끝난 보스니아를 방문했다. NBC가 오바마에게 인정한 연례 크리스마스 군대 방문은 모두 전투 지역이 아니라 국내에서, 그것도 편리하게 하와이의 오바마 집 근처에서 이루어졌다. 로스앤젤레스 타임스에 따르면 재임 중 크리스마스 때마다 '오바마는 카일루아의 임대주택에서 하와이 해병대 기지로 짧은 여행을 했다.'

오바마가 비록 집에서 가까울 망정 우리의 군인들과 크리스마스의 일부를 함께 보낸 것이 의미가 없다는 뜻은 아니다. 하지만 입장을 바꾸어서, 오바마가 크리스마스 때 해외 전투 지역의 미군을 방문하고, 트럼프가 플로리다주 마라라고 리조트에서 가까운 군대를 방문했다면 헤드라인이 어떠했을지 상상해보라.

트럼프에 대한 NBC의 편파적인 기사의 내용 중 하나는 그가 '아직 실제 전투 지역을 방문하지 않았다'라는 것이었다. 마치 그가 2년 동안 그렇게 하지 않은 것이 비정상이기라도 하듯이 말한 것이다. 사실, 군사 기록에 따르면 대통령의 전투 지역 방문은 매우 드문 일이다. 트럼프 이전 미국 역사에서 대통령이 전투 지역을 방문한 것은 총 27회뿐이다. (2020년 초까지 트럼프는 이미 네 번의 전투 지역 방문을 기록했다. 2017년 11월 한국 방문, 2018년 12월 이라크, 2019년 6월 다시 한국, 2019년 11월 아프가니스탄. 영부인 멜라니아 여사도 두 번이나 전투 지역 방문에 동행했다.)

대통령의 전투 지역 방문을 조사하면서 또 다른 흥미로운 사실을 발견했다. 언뜻 한국을 전투 지역으로 떠올리기는 쉽지 않겠지만, 한국(남한)도 전투 지역이다. 왜냐하면 북한과의 종전이 공식적으로 선언되지 않았기 때문이다. 북한과 미국(미국은 한국과 동맹국)이 모두 남북을 가르고 있는 비무장지대를 순찰하고 있다. 놀랍게도, 오바마의 전투 지역 방문을 계산할 때는 군대와 언론이 그의 한국 방문을 훈장처럼 포함시켰다. 하지만 트럼프에 대해서는 그렇게 하지 않았다. 언론이 트럼프가 전투 지역을 전혀 방문하지 않았다고 주장할 당시, 그는 이미 한국을 두 번이나 방문했었다. 한번은 2017년 11월에, 또 한번은 2019년 6월에 방문했다.

위키피디아 역시 트럼프의 '첫' 전투 지역 방문을 2018년 12월 26일 이라크 방문으로 기록했다. 이 역시 그 이전에 있었던 한국 방문을 누락한 것이었다. 이와는 대조적으로, 오바마의 공식적 전투 지역 방문 횟수에는 그의 한국 방문 세 번이 모두 포함되었다. 편파적인 미디어 속에서는, 한국은 오바마 방문 시에는 전투 지역이고, 트럼프 방문 시에는 전투 지역이 아니다.

2019년 추수감사절에 트럼프가 마라라고에서 골프를 쳤다고 주장한 뉴스위크의 허위 보도로 다시 돌아가 보자. 사실 그는 아프가니스탄에서 미군과 함께 있었다. 뉴스위크는 독자들로부터 엄청난 역풍을 맞았고, 빠르게 퀑 기자를 해고했다. 그런데 나는 그녀를 옹호하는 일부 기자들을 보고 놀라움을 금할 수 없었다. 일부는 케이블 TV의 패널 토론에 나와 다음과 같은 변명을 늘어놓기도 했다. "그녀는 기사를 미리 작성했어요. 어떻게 트럼프가 예고도 없이 아프가니스탄에 갈 줄

알았겠어요? 뉴스위크는 그 사실을 알자마자, 잘못된 기사를 내렸습니다. 비의도적인 실수였습니다." 한 기자는 퀑의 실수를 기자들이 연로한 유명 인물의 부고 기사를 미리 작성해 두는 것에 비유했다. 사망 소식이 전해지자마자 바로 기사화할 수 있도록 사망 전에 미리 작성해 두는 것이다. "그런데 이 경우는 말하자면 그 인물이 사망하지 않은 것입니다." 그 기자의 설명이었다. "그래서 비의도적 실수인 것이죠."

하지만 나는 그것이 타당한 비교가 아니라고 생각한다. 기자들이 부고 기사를 미리 준비하는 것은 사실이지만, 그들은 그 인물의 실제 삶을 사실적으로 회고한다. 퀑의 경우에는, 미래에 일어날 일을 자의적으로 예측, 조작, 추정하여 기사를 작성했다. 그 결과는 항상 그렇듯이 트럼프에 대해 최악의 경우를 가정하는 것이었다. 사실을 조작하거나 예측하더라도, 트럼프가 골프를 치는 대신에 군대와 함께 추수감사절을 보냈다고 쓸 법도 하다. 하지만 미디어의 실수는 언제나 한쪽으로 치우치는 경향이 있다. 즉 반트럼프 내러티브 쪽으로 기울어지는 것이다.

잘못된 보도를 하다가 들통난 기자들과 그 동료들은 종종 이렇게 쏘아붙인다. '트럼프는 우리보다 거짓말을 더 많이 하잖아요.' 또는 '트럼프는 트위터로 미디어와 적들을 조롱하잖아요.'

사실, 트럼프는 가차 없이 조롱을 하고, 또한 민주당 중진 의원인 낸시 펠로시, 척 슈머 그리고 아담 쉬프 같은 정적들로부터 가차 없이 조롱을 당한다. 정치인들은 정치적으로 중립적이거나 공정할 의무가 없다. 사실, 정치판에서는 이런 식의 공격이 난무한다.

하지만 기자는 다르다. 기자는 취재 대상을 공정하게 취재해야 한다. 우리는 취재 대상이 마음에 들지 않더라도, 아니 그럴 때 더욱 높은 윤리 기준을 유지해야만 한다. 그렇지 않다면 기준이 도대체 무슨 소용이 있겠는가? 취재 대상이 도덕적으로 흠결이 있고 불안정한 성격이라 해서 미디어의 실수와 공격이 정당화될 수 있을까?

'우리의 견해와 맞지 않는 대상을 어떤 기준으로 취재하고 있는가'는 우리가 뉴스 취재를 제대로 하고 있는지를 보여주는 시금석이 된다.

# 희망은 있다

12장

SLANTED

좋은 저널리즘이 늘 칭찬을 받는 것은 아니다. 사실, 주류 내러티브를 거스르는 좋은 저널리즘은 공격의 대상이 된다.

독자 여러분은 강력한 이익집단들이 감추거나 왜곡하고 싶어하는 이야기를 보도하는 기자가 된다는 것이 어떤 기분일지 짐작할 수 있을까? '그런 기자가 되는 것은 쉽지 않다.' 수많은 사람이 억누르고 싶어하는 문제를 독립적으로 보도함으로써 개인적으로 얻게 되는 이익은 전혀 없다. 동료들은 그 문제를 외면하거나 묵살할지 모른다. 특별 이익집단은 그런 기자를 '음모론자'로 비방할지 모른다. 조직화한 여론조작 소셜 미디어 폭도들이 투입되어 그 기사와 기자를 공격할 수도 있다. 또한 언론사 상사들은 그 보도를 반대하는 힘 있는 분들의 압력과 항의 전화를 상대하고 싶어하지 않을 것이다. 어떤 상사가 그런 골칫거리를 좋아하겠는가? 만약 당신이 그런 기자라면 직장을 유지하고 월세를 내는 것이 점점 더 어려워질 것이다. 하지만 이것만은 분명하다. 지금은 그 어느 때보다 그런 기자들이 필요하다. 미국인들은 신뢰할 수 있는 정보에 목말라 있다.

마크 레빈은 현대의 매스미디어는 더 이상 우리 상상 속의 그런 저널리즘의 이미지가 아니라고 말한다. 레빈은 보수적 시사 평론가이며, 로널드 레이건 대통령의 검찰총장 에드윈 미스의 수석 보좌관이었다. 레빈은 현대의 대중매체가 자유 언론을 선호하지 않는다고 주장한다. 그는 저서《언론의 비자유(Unfreedom of the Press)》에서 이렇게 말한다. '미국의 자유 언론은 표준이 없는 직종으로 퇴보했다. 정부의 억압이나 탄압 때문이 아니라, 자기 검열, 집단사고, 편향성, 누락 및 선전선동으로 그렇게 된 것이다.'

나는 레빈과 만난 자리에서 연구 내용에 대해 자세히 설명해 줄 것을 요청했다. 그가 말했다. "언론학 학교에서 가르치는 새로운 신조가 있습니다. 대중 저널리즘 또는 커뮤니티 저널리즘으로 불리는 것이지요. 이는 일종의 집단적, 사회적 행동주의입니다. 우리의 뉴스는 가짜 사건들과 선전선동으로 채워지고 있습니다."

레빈의 말에 따르면 어린 기자들은 스스로를 사회 운동가로 생각하도록 교육받는다. 따라서 그들은 내러티브에 맞는 보도를 함으로써 대중이 '올바르게' 생각하도록 설득하는 것이 매우 당연하다고 믿는 것이다. 언론이 내러티브를 추진한 것은 매우 역사가 깊다. 레빈은 대영제국에서 독립할 것을 주장한 팸플릿을 작성했던 토머스 페인과 같은 팸플리티어(pamphleteer)들을 언급했다. 하지만 그들의 내러티브는 목적이 달랐다. 그가 말했다. "그들은 근본적으로 정부의 변혁을 원했습니다. 왕정을 전복하고 새로운 대의정치를 만들고자 했습니다. 하지만 오늘날의 미디어는 그 반대를 원합니다. 그들은 자유로운 시민 사회가 강력한 중앙 정부의 보호 아래 들어가는 변혁을 원하는 것입니다."

팸플리티어들은 자신들의 편향성을 인정했다. 레빈이 말했다. "그들은 객관적인 뉴스라는 것을 믿지 않았습니다. 그들은 대의명분을 지향했습니다. 그들은 자신들이 그날그날의 뉴스나 정보를 추구한다고 생각하지 않았습니다. 그들은 폭정에 대한 반란을 꿈꾸었습니다. 오늘날의 언론이 그들과 다른 점은, 마치 자신들이 객관적인 진실을 추구하는 사도인 것처럼 군다는 것입니다."

나는 레빈에게 오늘날 언론의 신뢰도 하락이 도널드 트럼프 때문이라는 주장이 타당한지를 물었다. 트럼프가 자유 언론의 최대 위협이라는 주장 말이다.

레빈이 말했다. "아니요, 전혀 타당하지 않습니다." 그는 진정으로 언론을 위험에 빠뜨린 미국 대통령의 리스트를 읊조렸다. 그는 먼저 존 애덤스와 1798년 선동금지법을 거론했다. "그는 언론인을 투옥하고 신문사를 폐쇄했습니다." 그다음 에이브러햄 링컨의 전쟁장관 에드윈 스탠턴도 '신문사를 폐쇄하고 언론인들을 투옥했다'고 말했다. 우드로 윌슨은 1918년에 새로운 선동금지법을 발효하여, 신문사를 폐쇄하고, 기자를 투옥했으며, 정적들도 투옥했다. 프랭클린 D. 루스벨트는 국세청(IRS)을 여러 신문 발행인에게 투입했는데, 그중에는 〈필라델피아 인콰이어러〉의 소유주 모 애넌버그도 있었다. 그 이유는 그들이 뉴딜 정책을 좋아하지 않았기 때문이었다. 버락 오바마와 그의 FBI는 뉴욕타임스, 폭스, AP(그리고 셰릴 앳키슨과 레빈)를 비밀 소환장 또는 감시로 뒤를 캐고 다녔다. "도널드 트럼프는 특정 언론을 '민중의 적'이라고 비방했을지는 몰라도, 그런 짓들은 하지 않았습니다." 레빈이 말했다.

어떻게 상황을 개선할 것인지에 대해서 레빈은 이렇게 충고했다.

"첫째, 보도국은 보도와 의견을 분리하도록 노력해야만 합니다. 보도국에 자칭 이론가라고 하는 자들을 고용하는 것을 멈추십시오. 왜냐하면 이론가들은 객관적으로 되기가 점점 더 힘들어지고 있기 때문입니다. 둘째, 진보나 보수 성향을 표방할 수는 있습니다. 다만 적어도 뉴스 취재에 있어서 어느 정도 객관적 기준과 절차를 적용하십시오. 현재는 이 두 가지 모두 지켜지지 않고 있습니다."

현실은 무척 암울해 보이지만, 여전히 매일 훌륭히 직무를 수행하는 위대한 기자들이 있다는 사실을 상기시키고 싶다. 위협을 무릅쓰고 힘 있는 자들에게 도전하고 독자와 시청자를 위해 헌신하는 기자들이 있다. 그들은 비방을 무릅쓰고, 자신의 안위를 돌보지 않고, 불편한 진실을 파헤치기 위해 애쓰고 있다. 그들이 어디에 있는지를 찾아내기만 하면 되는데, 그 일이 쉽지는 않다. 오래전 우리에게는 믿을 만한 뉴스 원천이 여럿 있었다. 특정 방송사의 뉴스를 보거나 특정 신문을 읽으면 되었다. 하지만 오늘날은 그렇지가 않다. 당신이 좋아하는 기자가 한 뉴스 매체에서만 일하지 않을 수도 있다. 여러 활자 매체와 방송사에 뉴스를 제공할 수도 있다. 특정 관심사에 대해서는 특정 언론사를 신뢰하지만, 다른 주제에 대해서는 다른 매체를 이용할 수도 있다. 더 이상 한 신문을 '처음부터 끝까지' 다 읽는 사람은 없다.

점점 더 많은 사람들이 전통적인 뉴스 매체를 거르고 있다. 그들은 대신 준언론사 기자, 블로거, 당원, 시민 기자들에게서 뉴스를 얻는다. 여기에는 여러 이유가 있다. 첫째, 오늘날의 방송사, 케이블, 언론사는 지배적인 내러티브에 대항하는 견해와 사실에 대해서는 보도를 꺼리는 경향이 있다. 둘째, 뉴스의 재료가 내러티브에는 맞지 않지만 대중의 관심을 끌 만한 스토리를 보도하는 경우, 그들은 그 스토리를 대중의 입맛에 맞는 내러티브로 변형시키는 경우가 많다. 셋째, 뉴스 소비자들은 입맛에 맞는 내러티브를 스스로 찾겠다고 결심했다. 그 결과 수년 전이었다면 CBS나 뉴욕타임스에 의해 보도되었을 중요한 이야기들이 이제는 다른 유사 언론에 의해 발굴되고 있다. 이들이 '주류 미디어'가 놓쳐버린 공백을 메우고 있는 것이다.

요즘은 '중도우파'의 관심을 끌 수 있는 뉴스가 주류 뉴스의 대체재로 작동하는 분위기다. 왜냐하면 일반적인 뉴스 내러티브가 도시적, 진보적 성향을 띠는 경향이 있기 때문이다. 따라서 보수파에게 어필하는 뉴스, 비정치적인 뉴스, 비당파적인 뉴스에는 공백이 존재한다.

비전통적인 보도와 기자들이 부상하게 된 또 다른 요소는 기존의 미디어가 두세 개의 스토리를 주야장천 반복해서 보도하고 있다는 사실이다. 이들은 다양성이나 독창성이 없다. 수많은 다른 이야기들은 외면을 받고 있다. 최근에 한 동료가 내게 말했다. "케이블 뉴스를 보고, 그다음 워싱턴 포스트를 읽고, 블로그를 보아도… 그들은 같은 이야기를 보도할 뿐만 아니라, 심지어 같은 단어를 사용하고, 같은 출처를 인용한다. 한두 개를 보고 나면 다음 매체도 정확히 똑같은 것을 말하리라는 것을 알게 된다."

인터넷은 주류 언론의 독주를 막을 수 있는 훌륭한 균형점을 제공한다. 블로거에서 '시민 기자'까지 누구나 뛰어들어 비디오를 만들고 기자처럼 소식을 전할 수 있다. 외면되었을 수 있는 뉴스도 보도가 된다. 그것은 대체로 좋은 일이다. 바로 그러한 비전통적 뉴스 전달자의 특성 때문에, 전통적 미디어는 그들을 묵살하려고 한다. 전통적 미디어는 대중이 자신들의 내러티브에 주목하기를 원한다. 그들은 자신들의 보도만이 정확하고 공정하며, 다른 각도의 보도는 믿을 수 없거나 당파적이라고 비난한다.

비평가들의 말에도 일리가 있다. 비전통적 기자들은 프로 기자로서의 책무와 윤리를 지켜야 할 적극적인 의무가 없다는 점을 고려하기 바란다는 주장이다. 그들에게는 객관적으로 기사를 보도해야 할 윤리적 책임이 없다. 시민 기자들, 블로거들, 지지자들은 자신들의 목적에 최대한 맞게 정보를 제시한다. 종종 그들의 정보는 사실이 아니거나, 상황에 맞지 않거나, 편파적이거나, 조사가 부족하거나, 공정하지 않은 경우가 있다.

## 추천 사례들

편향과 혼란의 와중에서도 사실과 진실을 제공하는 기자들을 찾을 수 있다. 중요한 업적을 이루고 있는 몇몇 대체 언론, 비주류 기자들, 내러티브를 따르지 않는 언론인들, 블로거들 및 시민 기자들의 사례를 모았다. 또한 오늘날의 혼란스러운 미디어 환경 속에서 제대로 일하고 있는 주류 언론사 기자들의 사례도 포함했다. 이 목록의 작성을 위해서 여러 동료들의 추천을 참고했다. 이 목록에 다 동의하지 않을 수도 있겠고, 이 목록이 모든 사례를 포함한 것도 아니다. 하지만 내러티브를 따르지 않는 정보를 찾기 원하는 분들을 위한 시발점이 될 수 있으리라 믿는다. 보수 언론이든 진보 언론이든 정부에 대한 감시를 늦추지 않고, 당파적 이익집단과 동료들의 따돌림에도 굴하지 않는 기자들이 있다.

### 에포크타임스

이 신문사는 내러티브에 맞지 않는 주제들에 대한 심도 깊은 탐사 보도를 해왔다. 다른 곳에서는 간과된, 다양한 국내 뉴스 및 국제 뉴스를 다뤄왔다. 사실적이고 공정한 방식으로 제시된 뉴스를 찾을 수 있다. 예를 들면 정치적 해석에 휘말리지 않고 로버트 뮬러 특검의 트럼프-러시아 조사를 심도 있게 파헤쳤다. 또한 해외정보감시법원과 관련된 권력 남용 사례를 가장 생생하게 보도하였다. 한편 코로나바이러스에 대한 주류 내러티브에 맞서, 2020 코로나바이러스 확산이 중국의 연구소와 연관이 있을 수 있다는 이론을 정확하게 보도했다.

### 리얼클리어폴리틱스

이 웹사이트는 좌파, 우파 및 중도의 모든 견해로부터 기사와 사설을 수집한다. 또한 '진정 선명한 조사'라는 제목하에 자체 탐사 보도를 실시한다. 예를 들면 법무부가 감찰관이 기소 의견을 주장하는 경우에도 부서 내 관료들에 대한 기소를 거절해온 역사가 있음을 폭로했다.

### 저스트 더 뉴스

이 웹사이트는 기자의 견해를 배제하고 옛날 방식으로 뉴스 기사를 보도한다. 또한 다른 언론사가 회피하는 주제들을 공정하게 보도한다.

### 더 힐

이 인기 웹사이트의 뉴스면은 진보 성향을 띠지만, 오피니언란은 양쪽의 의견을 다 알고 싶어하는 사람들을 위해 다양한 견해와 분석을 내놓는다.

### 바이스뉴스

대체로 진보적 관점에서 뉴스를 보도하지만, 내러티브를 따르지 않는 중요한 프로그램과 다큐멘터리를 제작했다. 2019년 HBO와 바이스뉴스는 7년 동안의 관계를 청산했지만, 바이스뉴스는 웹사이트를 통해서 다큐멘터리 비디오 시리즈를 계속 제작하고 있다. '중동의 분단' 편에서는 '세계에서 가장 불안한 지역의 긴장 고조 상황'을 조사했다.

### CNBC, 폭스비즈니스 뉴스, 블룸버그

케이블 뉴스에서 반복 재생되는 똑같은 기사들 외에 세상 돌아가는 소식을 알고 싶을 때, 종종 이들 비즈니스 뉴스 채널과 웹사이트를 둘러본다. 간혹 국제 및 국내 뉴스들에 대한 폭넓고 공정한 전반적 개요를 얻을 수 있다.

### 위키리크스

창립자인 줄리안 어산지에 대한 기소와 처벌 위협으로 그 미래가 불투명하기는 하지만, 정보당국의 문서와 같은 원본 자료와 2016년 대선 캠페인 중 민주당 내부의 실세들이 주고받은 당혹스럽고 비밀스러운 이메일에 관해서 가장 믿을 만한 출처가 되었다.

### 월스트리트저널

뉴욕타임스에서 일한 적이 있는 한 동료는 월스트리트저널을 최고의 뉴스 매체로 추천했다. '뉴스 기사에서 의견을 배제하는 면에 있어서 그들은 가장 엄격한 기준을 가지고 있다.' 그는 아마존과 구글에 대한 보도를 예로 들어서 그들의 뛰어난 탐사 보도를 칭찬했다. 종종 월스트리트저널은 다른 뉴스 매체에 비해 상대적으로 비내러티브일 때가 있다.

**피트 윌리엄스**(NBC 뉴스)

그는 개인적 정치 성향을 알 수 없는(비록 한때 공화당 행정부에서 일한 전력이 있지만), 비당파적 기자의 최고 사례라 할 수 있다. 그는 알려진 사실과 기사에서 벗어나는 행보를 결코 하지 않는다. 그는 특종도 여러 번 냈다. 또한 모든 기사의 분위기가 한 목소리를 낼 때도 자기주장을 굽히지 않았다. 심지어 '모든 사람이 틀렸습니다'라고 말하기를 주저하지 않았다. 그는 2013년 보스턴 마라톤 폭탄 테러 사건을 그 누구보다 정확하게 보도하면서 많은 주목을 받았다. 애틀랜틱은 그에 대해 '성급한 결론을 내리지 않는 자제심이 있다'라고 말했다.

**데이비드 마틴**(CBS 뉴스 국가안보 담당)

마틴은 1993년부터 국방부와 국무부를 취재했다. 나는 20년간 CBS 워싱턴 지국에서 그와 함께 일했는데, 피트 윌리엄스에 대한 평가는 마틴에게도 그대로 해당한다. 그는 견실한 사람이자 공정한 중재자 그리고 너그러운 동료였다. 나는 그의 정치적 성향을 알지 못한다. 넓은 인맥을 자랑하며, 어떤 조직의 누구에게도 굽신거리지 않고 내부 정보를 얻을 수 있을 만큼 두루 존경을 받는 인물이다.

**다이앤 소여**(ABC뉴스)

한 언론사 임원은 이렇게 말했다. "다이앤 소여는 정말 훌륭한 방송을 했습니다." 그 임원은 TV 뉴스 방송사에서 40년 이상 일하면서 함께 일했던 유명 뉴스 방송인 중에서 소여가 단연 뛰어났었다고 말했다.

**킴 스트러셀, 몰리 헤밍웨이, 사라 카터, 그레그 제럿**

이들 보수 기자들과 평론가들은 자주 내러티브에 어긋나는 중요한 뉴스들을 보도했다. 변호사인 제럿은 트럼프-러시아 조사와 FBI의 비행을 꼼꼼하게 분석했다.

**피터 슈와이저**(탐사 보도 기자 및 저자)

우파적 관점에서 정치적 탐사 보도를 하는 슈와이저는 클린턴 재단을 비롯해 주류 언론이 뛰어들지 못한 '건드릴 수 없는' 주제들에 대해 중요하고 심도 있는 탐사 보도를 실시했다.

**앤디 패스터**(월스트리트저널)

패스터는 보잉사와 항공 분야를 수십 년간 취재했다. 그는 많은 동료에게서 존경과 추앙을 받았다. 패스터의 동료 국제 뉴스 기자는 패스터에 대해 이렇게 말했다. '보잉 737수퍼맥스에 대한 그의 보도는 정말 뛰어났다. 매우 권위가 있었다.'

**제프 거스**

퓰리처상 수상자이며 뉴욕타임스와 프로퍼블리카에서 일했던 거스는 수십 년간 내러티브에 저항하고 강력한 이익단체의 위협에 맞섰다. 그는 위성 발사 기술의 중국 유출과 클린턴 스캔들을 포함한 다양한 탐사 보도를 수행했다.

**제임스 그리말디**(월스트리트저널)

워싱턴 포스트에서도 근무했으며, 퓰리처상 수상자인 그는 기업과 정부의 비행에 대한 심도 있고 중요한 취재를 해왔다.

**하우이 커츠**(폭스 뉴스 미디어 논평가)

커츠는 다양한 견해를 대변하고 다른 측면의 이야기에 귀를 기울이기 위해 최선을 다해왔다. 그의 일요일 프로그램 〈미디어버즈〉는 다른 뉴스 프로그램에 비해 더 포괄적이고 공정한 방식으로 그날의 뉴스를 다루어왔다.

**제임스 로슨**

전직 폭스 뉴스 기자였으며, 이제 나와 함께 싱클레어 방송그룹에서 일하고 있는 그는 맑은 눈으로 전국 뉴스와 정치적 이슈를 검토한다. 그는 특정 이데올로기를 시청자의 목구멍으로 밀어 넣기보다는 상대편 관점을 공정하게 고려한다.

**존 솔로몬**

솔로몬은 우크라이나의 2016년 대선 개입 의혹과 관련해 많은 기사를 보도한 후, 주류 언론의 전국적인 타깃이 되었다. 일부 미디어를 포함한 힘 있는 자들은 이를 부정하거나 묻어 버리기 위해 부단히 노력했다. 솔로몬은 민주당과 공화당의 고위직에 취재원이 있으며, 내러티브를 거스르는 것을 주저하지 않는다.

### 라라 로건

CBS 뉴스의 라라 로건은 미디어 편향성에 대해 중요한 목소리를 내왔다. 주류 언론의 논조를 거스르고 내러티브에 저항하는 그녀의 탐사 보도는 끊임없이 공격을 받고 있다.

# 맺음말

2년 전에 집필을 시작한 이 책이 출간을 목전에 두고 전국적으로 화제의 중심이 되고 있는 현상을 보니 감개무량하다. 내게 미래를 예측할 능력이 있는 것은 아니다. 다만 글에서 기술한 것처럼 나는 갱도 속에서 유독가스의 유출을 탐지했던 작은 카나리아와 같다. 좀 더 정확하게 표현하자면 언론의 신뢰도를 확인할 수 있는 지표라 할 수 있다. 그래서 내가 하는 종류의 보도는 불편한 진실을 논박하고, 심지어 대중의 눈에서 사라지게 만들려고 속임수와 온갖 전략을 마다 않는 자들에게 공격 대상이 될 수밖에 없다.

20여 년 전 CBS 뉴스에서 다양한 주제의 탐사 보도를 진행하는 과정에서 이러한 전략과 일부 핵심 세력의 존재를 어렴풋이 접하게 되었다. 인신공격, 사실의 보도에 대한 공격, 사고 자체를 말살시키려는 시도 등에 놀랐던 시절을 떠올리게 된다. 그 당시 나는 누가 이런 행위의 막후세력인지 알지 못했다. 다만 특정 뉴스 보도에 대한 일부의 조직적인 반응이 말이 되지 않는다고 느꼈을 뿐이었다.

나는 '제약회사 관련 이익단체'와 '위기관리 홍보회사'들이 이 전술을 개척하고, 기타 회사 관련 이익단체, 정치 단체 및 비영리단체가 이를 채택해서 완성해 가는 과정을 자세히 관측했고, 심지어 연구하기 시작했다. 그들의 시도는 꽤 성공적이었다. 그들은 여론을 완전히 장악했고, 그들의 편파적인 견해가 비판의 여지가 없는 '진실'로 받아들여지게 했다.

하지만 나는 또한 점점 더 많은 대중들이 정보로 무장하고 진실을 파헤치며, 돈의 흐름을 추적하고 스스로 생각하는 것을 목격했다. 이 책을 읽고 있는 당신도 그런 사람들 중 하나일 것이다. 하지만 나머지 사람들은? 이들은 이렇게 끌려가야만 하는 것일까?

나는 이 책을 시작할 땐, 급변하는 뉴스와 미디어 환경에 관한 나의 3부작의 완결판으로 생각했다. 하지만 지금은 그보다 훨씬 큰 문제에 관한 것이라는 생각이 든다. 뉴스 산업의 근본적인 변혁이라고 생각했던 것이 실상은 정치적, 사회적, 문화적 변혁의 일부였던 것이다. 이는 더 이상 별개의 문제가 아니다. 정보를 검열, 통제, 조작하고, 뉴스를 이용해서 여론을 강제로 조성하려는 그들의 공격적인 노력이 점점 심화하는 것을 목도하고 있는 지금, 국회의원과 보좌관들, 정부 기관의 직원들, 기업의 직원들에게서도 똑같은 불합리가 불거져 나오고 있다는 것을 들을 수 있었다. 그들은 곳곳에서 독립적 감시 기구와 체계가 무력화되고 있다고 말한다. 강력한 이익집단에 반하는 사실들은 매장된다. 내러티브에 맞지 않는 견해들은 걸러지고, 독립적이고 자주적인 정보를 전달하는 사람들은 비방을 받고 파괴된다. 의회 청문회는 보여주기에 그치며, 후속 조치는 거의 이루어지지 않는다. 더구나 정치적 지도자들은 특정 사안에 대해서는 청문회 자체를 막고 있다. 조직 내부의 비리를 폭로함에 있어서는, 폭로된 비리가 공공의 안녕을 위협함에도 불구하고 내부고발자는 종종 배신자로 낙인찍히고 처벌을 받으며 파괴된다.

반면에 그들의 목적에 도움이 되는 메시지는 모든 가능한 매체를 통해 전달된다. 유럽, 아시아, 러시아를 방문했을 때에도 비슷한 추세를 목격하였다. 이는 이제 국제적 추세다. 저널리즘과 미디어는 더 이상 예전의 모습이 아니다. 오히려 강력한 세력이 다른 사람들의 지식과 생각을 주무르는 수단으로 전락하고 말았다.

정보는 살아있는 생물처럼 끊임없이 변화하고 다양화되고 확대된다. 여러 다른 기관들이 같은 정보에 대해서 각기 다른 해석을 내놓는다. 대중은 여러 주제에 대해 각각의 관점이 있으며, 정부나 다른 외부 세력의 간섭 없이, 스스로 자유롭게 말하고 생각하며 결론을 내려야 한다는 '미국 정신(American spirit)'의 특수성을 잘 이해하고 있다. 그렇기에 이를 이해하는 대다수의 사람들은 법과 규칙을 지키며, 다양성을 존중하고 폭력을 멀리한다.

하지만 그렇기에 대다수의 선량한 대중은 주요 언론의 지원을 받고, 자금력을 갖추었으며, 공공연하게 규칙과 법을 어기며 폭력을 사용하고도 법의 처벌을 받지 않는 소수의 세력들을 당해낼 재간이 없게 된다. 이런 시나리오에서는 한 쪽 편이 늘 이긴다.

정보 독재자들의 궁극적인 목표는 무엇일까? 그것은 바로 자발적으로 정보가 통제되는 환경이다. 사람들이 스스로 자기 생각과 행동을 검열하고, 무엇이 허용되고 무엇은 허용되지 않는지를 인지하게 만드는 것이다. 사람들은 자신이 원하는 대로 말하고 생각한다고 착각하거나 그런 척할 뿐이다. 많은 사람들이 이러한 새로운 현실에 익숙해져 가고 있으며, 이미 받아들인 사람들도 있다. 이러한 현실은 서서히, 슬며시 다가오는데, 사람들이 그것을 자각할 때는 이미 돌이키기에는 너무 늦게 된다. '내가 인터넷에서 찾을 수 있는 정보에 제한을 둔다고? 어쩌겠어, 할 수 없지. 내 정보를 '큐레이트(curate)'한다고? 괜찮아. 상관없어.' 오웰이 제시한 암울한 미래의 모습이 점점 우리에게 현실로 다가오고 있다. 그러면 이 시점에서 사태를 되돌리기에는 정말 너무 늦은 것일까?

물론, 이 모든 것이 '뉴스의 관점'을 반대 방향으로 되돌리자는 말이 아니다. 진보이건 보수이건 어떤 관점으로 가야 하는가를 논하는 것은 중요하지 않다. 또한 뉴스의 보도 형식이 예전의 방식대로 되돌아가야 한다는 것도 아니며, 그때의 방식이 완벽한 모델이었다는 뜻도 아니다. 단지 나는 다양한 형태로 접근 가능한 정보가 보장된 미래, 옳은 것과 틀린 것을 자유로운 사고로 구별할 수 있는 미래가 있다고 믿고 싶은 것이다. 사람들은 마음껏 자신의 두뇌를 사용하여 원하는 것을 생각하고, 자신의 의견을 도출하며, 생각을 바꾸기도 하고, 자신의 입장을 타진하며, 논쟁하고 토의도 하는 그런 사회. 대중의 정보와 사고를 제한하려는 정치, 기업 이익집단 또는 사회적 운동가들의 억압이 없는 세상. 지식에 대한 끊임없는 탐구가 지속되는 그런 미래 말이다.

나는 그런 세상에 이르는 실현 가능한 길이 있다고 믿는다. 그렇지 않은 세상은 너무나 끔찍하기 때문이다. 그런 이상적인 사회가 도래한다면, 사람들에게 이 책의 존재 자체가 잊혀진다 하더라도 기쁘게 받아들일 것이다.

# 부록

## 트럼프 시대의 언론의 주요 실수들

이 책은 내러티브화 된 뉴스의 실태를 밝힌 책으로, 최근 미국의 정치적 사건들이 주류를 이룰 수밖에 없다. 근 4년 동안 트럼프 정부의 시대였기에 트럼프와 언론 간의 갈등이 많이 언급되고 있다. 진보와 보수의 당파성을 떠나 트럼프 정부가 언론에 의해 왜곡된 사실들을 나열해 보는 것은 의미 있는 일이라고 생각한다. 정치적 편향 없이 사실만을 서술하였으며, 독자들도 담담히 사실만을 확인해 주길 바란다.

1. 2016년 10월 1일: 뉴욕타임스와 여타 미디어는 트럼프가 18년 동안 소득세를 내지 않은 것처럼 암시했다. 나중에 MSNBC에 유출된 세금보고서 내역에 따르면 트럼프는 민주당의 버니 샌더스 및 버락 오바마보다 더 높은 비율로 소득세를 납부했다.

2. 2016년 11월 9일: 선거 당일 개표 초기에, 〈디트로이트자유언론〉은 힐러리 클린턴이 미시간에서 승리했다고 보도했다. 사실은 트럼프가 미시간에서 이겼다.

3. 2017년 1월 20일: 타임지의 지키 밀러는 트럼프 대통령이 대통령 집무실에서 인권운동가 마틴 루터 킹 주니어의 흉상을 제거했다고 보도했다. 뉴스는 세간의 화제가 되었고, 거짓이었다.

4. 2017년 2월 4일: 워싱턴 포스트의 조쉬 로긴은 다음과 같은 제목의 보도를 했다. '백악관 보좌진과 행정부가 트럼프의 이민 명령을 두고 다투다.' 그러나 보도에 나온 회의는 실제로 열리지 않았으며, 트럼프가 취한 조치라는 것도 사실은

수석보좌관이 시행한 것이었다.

5. 2017년 2월 22일: 프로퍼블리카의 레이먼 보너는 CIA 관료 지나 하스펠이 트럼프가 CIA 국장으로 선임하기 전, CIA 비밀감옥의 책임자로 있으면서 이슬람 극단주의 테러 분자 아부 주바이다를 한 달에 83회 물고문했고, 죄수의 고통을 조롱했다고 보도했다. 일 년 후, 프로퍼블리카는 그 주장을 철회하면서 이렇게 진술했다. '이들 진술은 모두 틀렸습니다. …… 하스펠은 주바이다에 대한 조사가 끝난 이후에 이 기지의 책임자로 부임하였습니다.'

6. 2017년 5월 10일: 폴리티코, 뉴욕타임스, 워싱턴 포스트, CNN, AP, 로이터, 월스트리트저널을 포함한 많은 매체가 유출된 것으로 보이는 동일한 정보를 보도했다. 즉 FBI 국장 코미가 러시아의 대선 개입 조사에 필요한 추가적 자료를 요청하자, 트럼프가 코미를 해고했다는 것이다. 법무부 검찰 부총장 제럴드 로드 로젠스타인과 FBI 국장 대행 앤드루 맥카비는 미디어의 보도가 사실이 아니라고 말했으며, 맥카비는 FBI의 러시아 조사는 '충분한 자료를 확보하고 있다'고 덧붙였다.

7. 2017년 6월 8일: 뉴욕타임스의 조너선 와이스맨은 전 FBI 국장 코미의 비공개 증언을 보도했다. '코미는 트럼프가 지명한 제럴드 세션스 검찰총장이 자신에게 러시아 조사를 '수사'로 부르지 말고 '사안'이라고 칭해줄 것을 요청했다고 말했다.' 와이스맨이 틀렸다. 실상은, 세션스가 아니라 오바마가 지명한 로레타 린치 검찰총장이 코미에게 힐러리 클린턴 보안 이메일 조사(러시아 조사가 아니라)를 '수사' 대신 '사안'으로 부르라고 지시했다.

8. 2017년 6월 22일: CNN의 토마스 프랭크는 의회가 트럼프 행정부의 관료와 연관이 있는 러시아 투자 자금에 대해서 조사를 하고 있다고 보도했다. 이후 그 보도는 철회되었다. 프랭크와 다른 두 명의 CNN 직원은 그 여파로 사임하였다.

9. 2017년 7월 6일: 뉴스위크의 크리스 리오타 등은 폴란드의 영부인이 트럼프

와의 악수를 거부했다고 보도했다. 이후 뉴스위크는 영상에서 확실히 볼 수 있듯이 사실은 영부인이 트럼프와 악수를 하였다고 보도를 '업데이트'했다.

10. 2017년 9월 5일: CNN과 다른 뉴스 매체의 기자들은 트럼프가 트럼프 타워가 도청되었다고 말한 것은 '거짓말'이라고 선언했다. 기자들은 정보 당국자의 주장만 있을 뿐, 사건의 진실을 독립적으로 확인할 방법이 없었는데도 그렇게 선언했다. 이후에 밝혀진 사실에 따르면 트럼프 타워에 대한 여러 건의 도청이 있었으며, 트럼프의 관료 및 외국 고위 인사들과의 회동 중에도 도청이 있었다. 트럼프 타워에 사무실이 있거나 자주 방문한 적이 있는, 적어도 두 명의 트럼프 측근들도 도청을 당한 것으로 밝혀졌다.

11. 2017년 11월 6일: CNN은 비디오를 편집해서 마치 트럼프가 일본 도쿄의 황궁에서 물고기에게 밥을 주다가 참을성 없게 물고기 밥 상자를 물속에 버려버린 것처럼 보이도록 했다. 뉴욕 데일리뉴스, 가디언 및 여타 매체들은 기사를 통해 트럼프가 미숙하고 충동적인 것처럼 암시했다. 전체 비디오는 트럼프가 단순히 일본 총리가 시키는 대로 따라 했던 것임을 보여준다.

12. 2017년 12월 2일: ABC뉴스의 브라이언 로스는 마이클 플린 중장이 트럼프가 후보 시절에 자신에게 '러시아인들'을 접촉하라고 지시했음을 증언할 것이라고 보도했다. 그런 접촉 자체가 위법 사항은 아니지만, 이 뉴스는 트럼프의 러시아 공모를 비난하는 내러티브로 활용되었고, 이 뉴스에 주식시장은 폭락했다. ABC는 나중에 그 보도를 정정하여, 트럼프가 이미 대통령에 당선되고 난 후에, 플린에게 ISIS에 대한 전투 및 기타 문제에 대한 공조를 위해서 러시아인들을 접촉하라고 지시했음을 밝혔다. 로스는 정직당했다.

13. 2018년 1월 15일: AP의 로리 켈맨과 조나선 드루는 새로운 조사에 따르면 트럼프 대통령 시절에 언론에 대한 신뢰도가 떨어졌다고 보도했다. 하지만 AP가

인용한 조사는 사실 1년 이상 지난 것이었고, 버락 오바마가 대통령이었던 시절에 시행된 것이었다.

14. 2018년 2월 2일: AP는 전직 영국 스파이 크리스토퍼 스틸의 트럼프에 대한 스캔들 정보가 원래 보수 언론 〈워싱턴 프리 비컨〉의 자금 지원을 받아 작성된 것이라고 보도했다. AP는 이 기사를 정정했는데, 왜냐하면 스틸은 민주당이 자금 지원을 시작한 이후에 이 프로젝트에 착수했기 때문이다.

15. 2018년 3월 8일: 뉴욕타임스의 잰 로센은 가상의 가족을 예로 들면서 트럼프의 세금 계획에 따르면 거의 4천 달러의 세금을 더 내게 될 것이라고 보도했다. 하지만 실제로는 이 가족이 세금을 4천 달러를 더 내게 되는 것이 아니라 43달러를 덜 내게 되는 것으로 나타났다.

16. 2018년 3월 13일: 뉴욕타임스의 아담 골드맨, NBC의 노린 오도넬 그리고 AP의 뎁 리크먼은 트럼프가 CIA 국장으로 지명한 지나 하스펠이 특정 이슬람 극단주의 테러리스트를 비밀 감옥에서 수십 회 물고문하고 그의 고통을 조롱했다고 보도했다. 실상은, 하스펠은 그 수감자가 시설을 떠나기 전까지 그 감옥으로 파견되지 않았다.

17. 2018년 5월 16일: 뉴욕타임스, AP, CNN 및 여타 미디어는 트럼프가 마치 이민자와 불법 이민자를 뭉뚱그려서 '동물'이라고 부른 것처럼 그의 코멘트를 발췌했다. 대부분의 매체는 이후에 그들의 보도를 정정하여, 트럼프가 흉악한 범죄 조직인 MS-13의 조직원들을 지칭한 것임을 밝혔다.

18. 2018년 5월 28일: 〈뉴욕타임스 매거진〉의 편집장 제이크 실버스타인과 CNN의 하다스 골드는 이민자 어린이들이 우리에 갇힌 사진을 공유했는데, 마치 이 사진들이 트럼프 행정부 시절에 찍힌 새로운 것인 양 했다. 사실 이 사진은 2014년 오바마 행정부 때의 것이었다.

19. 2018년 5월 29일: 뉴욕타임스의 줄리 허쉬펠트 데이비스는 트럼프 집회 인원이 1천 명으로 추산된다고 보도했다. 실제로는 5천5백 명 이상이 참석했다.

20. 2018년 6월 1일: AP는 트럼프 관세에 관한 기사에서 버지니아의 농업, 임업의 캐나다와 멕시코 수출액이 800달러라고 보도했다. 실제로는 8억 달러였다.

21. 2018년 9월 18일: 뉴욕타임스는 마크 저지라는 남자가 30여 년 전에 대법관 후보 브렛 캐버너가 폭행 혐의로 고발당한 사건을 기억한다는 증언을 보도했다. 저지는 사실 그 반대로 말했다. 즉 그는 그런 사건을 전혀 기억하지 못하며, 그러한 주장은 '완전히 미친' 소리라고 말했다.

22. 2018년 10월 14일: NBC 뉴스는 트럼프 대통령이 남부군의 '로버트 E. 리' 장군을 칭송했다고 보도했다. 실상은, 트럼프는 북군의 '율리시스 S. 그랜트' 장군을 칭송했다.

23. 2018년 12월 26일: NBC는 트럼프가 2002년 이후 크리스마스 때 군대를 방문하지 않은 첫 대통령이라고 보도했다. 하지만 그(와 영부인 멜라니아)는 군대를 방문했다. NBC는 이후 원 기사에 편집자 주를 첨부했지만, 허위 헤드라인은 그대로 남겨두었다.

24. 2019년 1월 11일: 워싱턴주 시애틀의 폭스 TV 제휴사는 트럼프 대통령이 대통령 집무실 연설 중에 혀를 날름 내밀었던 것처럼 조작된 가짜 비디오를 방영했다.

25. 2019년 2월 27일: 머클라치 및 기타 언론사는 전직 트럼프 변호인 마이클 코언이 프라하를 방문해서 러시아인들을 만나 트럼프를 위한 공모를 도모했다고 보도했다. 이후 코언은 의회 증언에서 결코 프라하 또는 체코공화국에 간 적이 없다고 밝혔다.

26. 2019년 7월 4일: 몇몇 뉴스 매체들은 트럼프 대통령의 미국독립기념일 축하 행사에 군중이 적게 모였다고 보도했다. 그러나, 어떤 기준으로 보아도, 많은

군중이 모였다. 가디언은 사실을 호도하는 행사 전에 찍힌 사진을 게재했다.

27. 2019년 7월 13일: 트럼프 후보가 선거 운동원에게 강제로 키스했다는 혐의의 소송에 관한 기사에서, CNN은 그 소송이 기각되었다는 사실을 언급하지 않았다. 이후 CNN은 그 기사를 정정했다.

28. 2019년 7월 21일: 많은 미디어가 조지아주 흑인 의원의 주장을 무비판적으로 보도했다. 그 의원은 한 식료품점에서 백인 남자가 자신에게 '네가 있던 곳으로 돌아가라'라고 했다고 주장했다. 미디어 보도는 그 혐오 발언을 트럼프 대통령과 연결했는데, 최근 트럼프가 몇몇 민주당 하원의원에게 '완전히 붕괴되고 범죄가 만연한 지역구로 돌아가서 재건에나 힘쓰라'라고 말했기 때문이었다. 그런데 다음날 그 의원은 자신이 처음 주장했던 것처럼, 그 남자가 자신에게 '네 나라로 돌아가라' 또는 '네가 있던 곳으로 돌아가라'라고 말하지 않았다고 고백했다. 그녀는 오히려 자신이 그 남자에게 '돌아가라'라고 말했음을 인정했다. 그 남자는 자신이 백인이 아니라 쿠바인이며 민주당원이라고 밝혔다.

29. 2019년 7월 29일: 복스의 애런 루파는 트윗을 통해 트럼프가 자신이 '9/11 응급 구조요원'이었음을 시사했다고 말했다. 사실, 트럼프는 이렇게 말했다. '나는 내가 응급 구조요원이라고는 생각하지 않습니다.'

30. 2019년 8월 5일: MSNBC의 니콜 월라스는 트럼프 대통령이 '라티노 박멸(exterminating Latinos)'에 대해서 이야기했다고 허위 주장했다. 그녀는 다음날 트윗을 통해 이렇게 사죄했다. '나는 트럼프 각하가 라티노의 박멸을 이야기했다고 잘못 말했습니다. 나의 실수는 고의가 아니었고, 진심으로 사죄드립니다.'

31. 2019년 9월 25일: 워싱턴 포스트는 익명의 출처를 인용하여, 국가정보국장 조셉 맥과이어가 어떠한 사안을 놓고 대립하며 사임을 할 것임을 밝혔다고 보도했다. 하지만, 맥과이어는 성명서를 통해 이렇게 말했다. '이 직책을 맡은 이후로,

사임을 생각해 본 적이 한 번도 없습니다.'

32. 2019년 9월 30일: 열두 살 흑인 소녀가 학교에서 백인 남자아이들이 자신을 바닥에 짓누르고 머리카락을 잘랐으며, 자신을 곱슬머리, 못난이로 불렀다고 주장한 이야기가 전국 뉴스를 통해 보도되었다. 다수의 뉴스 매체들은 적절한 근거도 없이 세부 내용을 마치 사실인 것처럼 보도했다. 예를 들면 NBC 뉴스는 이렇게 보도했다. '그 공격은 월요일에 발생했다. 두 번째 남자아이가 그녀의 팔을 붙잡았고, 세 번째 아이가 그녀의 땋은 머리 일부를 잘랐다.' NBC 제휴 지역 언론은 이렇게 보도했다. '쉬는 시간에 그녀가 미끄럼틀을 내려오려고 했을 때, 소년 중 하나가 그녀를 붙들었고 그녀의 입을 틀어막았다. 다른 소년이 그녀의 팔을 붙들었다. 세 번째 소년이 그녀의 머리카락을 잘라냈다.' 또한 많은 뉴스 기자들은 다음과 같이 보도함으로써 이 공격을 트럼프 대통령의 부통령 마이크 펜스와 연결했다. '이 공격은 부통령 마이크 펜스의 아내가 일하는 버지니아의 한 기독교 학교에서 발생했다.'

하지만, 결국 공격이나 '사건'은 발생하지 않았던 것으로 밝혀졌다. 최초 보도가 나간 지 3일 후에 그 아이의 가족은 모든 이야기가 지어낸 것이며, 용서를 구한다고 말했다.

33. 2019년 10월 13일: ABC는 트럼프 대통령이 미군을 철수시킨 뒤, 터키가 쿠르드족에게 저지른 '끔찍한 만행'과 '학살'이 담긴 것으로 알려진 비디오를 방영했다. 하지만 그 비디오는 전투 장면을 담은 것이 아니었고, 터키에서 벌어진 일도 아니었다. 그것은 교육용으로 미국에서 만들어진 자료 영상이었다.

34. 2019년 10월 27일: 다수의 미디어 매체들은 미국이 시리아를 급습하여 이슬람 극단주의 단체 ISIS의 수장 아부 바크르 알바그다디를 체포할 당시, 트럼프 대통령이 골프를 치고 있었으며, 백악관 상황실의 사진은 '연출된' 것이라고 주장

했다. 실상은 트럼프는 이미 골프를 끝냈으며, 작전이 수행되는 동안 실제로 백악관에 있었다.

35. 2019년 11월 19일: AFP통신은 10만 명 이상의 어린이가 트럼프 대통령 시대의 미국에서 이민 관련 억류 중이라는 센세이셔널한 '속보'를 발표했다. 그 숫자는 2015년 오바마 대통령 때의 것으로 밝혀졌다.

36. 2019년 11월 28일: 뉴스위크의 제시카 퀑은 트럼프 대통령이 자신의 플로리다 마라라고 클럽에서 골프를 치며 추수감사절을 보내고 있다고 허위 보도했다. 그는 사실 아프가니스탄에서 미군에게 저녁을 대접하고 있었다.

37. 2019년 11월 28일: 캘리포니아주 공화당 하원의원 데븐 누네스는 CNN에 4억 3천 5백만 달러의 명예 소송을 제기했다. CNN은 그가 2018년 12월에 오스트리아의 비엔나로 날아가서 전직 우크라이나 검사를 만나 조 바이든의 아들에 대한 비리를 캐려 했다고 주장했다. 누네스는 그 시기에 회담을 위해 리비아의 벵가지와 몰타에 있었다고 말했으며, 날짜가 찍힌 사진들을 제시했다. 또한 그 검사를 비엔나 또는 그 어디에서도 결코 만난 적이 없다고 말했다.

38. 2019년 12월 27일: 뉴욕타임스는 트럼프에게 투표한 사람들이 더 이상 그를 지지하지 않는다는 보도를 정정했다. 그들이 사례로 꼽은 사람은 애초에 트럼프에게 투표를 하지 않았던 것으로 드러났다.

39. 2020년 1월 7일: MSNBC는 이란의 로켓 공격으로 미국인 사망자가 30명에 이른다고 잘못 보도했다. 실상은, 미국인 사망자는 없었다.

40. 2020년 2월 26일: 코로나바이러스 확산 중에, 많은 미디어 매체는 트럼프 대통령이 질병통제예방센터의 예산을 삭감했다고 암시 또는 진술했다. 실상은, CDC 예산은 매년 증가했다.

41. 2020년 2월 28일: 많은 미디어 매체가 트럼프 대통령이 코로나바이러스를

'속임수'로 불렀다고 허위 보도했다. 실상은, 대통령은 민주당이 바이러스 확산을 정치화하는 것이 속임수라고 말했다.

42. 2020년 3월 15일: 익명의 제보를 바탕으로 한 뉴스 보도는 트럼프 대통령이 독일 코로나바이러스 백신 제조사에 뇌물을 주어 미국인에게만 백신을 공급하도록 시도한 의혹이 있다고 보도했다. 로이터는 독일 보건부가 이 보도를 확인해 주었다고 했다. 하지만 독일 보건부는 로이터의 진술을 반박했고, 트럼프 행정부도 로이터의 보도를 전면 부인했다.

43. 2020년 3월 18일: 뉴욕타임스와 제레미 피터스는 셰릴 앳키슨과 롭 슈나이더에 관한 다수의 허위 주장이 담긴 기사를 보도했다. 이들이 코로나바이러스의 위험성을 '축소'했고, 위험성이 과장되었다고 '주장했다'고 말했다. 사실, 피터스는 앳키슨의 인용문을 변경했고, 그녀의 보도에 대해 적어도 아홉 건의 허위 주장을 했다. 또한 피터스는 슈나이더의 인용문도 조작했고, 그가 레스토랑 취식 금지 권고를 무시한 것처럼 보이게 했다. 사실, 그는 이 권고를 위반하지 않았다. 뉴욕타임스는 앳키슨에 관한 허위 보도에 대해 여러 차례 정정 보도를 했다.

44. 2020년 3월 27일: 뉴욕타임스는 미국이 코로나바이러스 위기 속에서 적어도 100만 개의 산소 호흡기가 필요한 상황에서 20만 개 밖에 확보가 되지 않아, 80만 개가 부족한 형편이라고 허위 보도를 한 후, 정정 기사를 냈다. 사실, 연구팀은 특정 시점이 아니라 팬데믹 기간 동안 100만 명이 산소 호흡기를 필요로 할지 모른다고 예상했다.

45. 2020년 3월 30일: CBS 디스 모닝은 코로나바이러스 환자로 미어터지는 뉴욕 병원으로 알려진 비디오를 방영했다. CBS는 이후 시청자들이 그 화면이 이탈리아의 자료 화면임을 알게 되자 정정 보도를 했다.

46. 2020년 4월 8일: CBS 뉴스는 코로나바이러스 환자가 넘쳐난 펜실베이니

아 병원에 대한 보도에서 이탈리아 병원의 자료 화면을 다시 잘못 사용했다.

47. 2020년 4월 15일: 페이스북의 '사이언스 팩트체크'는 코로나바이러스와 중국 우한 연구소의 관련 가능성에 관한 에포크타임스의 다큐멘터리를 '거짓'으로 표시했다. 그 페이스북의 팩트체크 리뷰어는 우한 연구소에서 일했던 미국 과학자였던 것으로 밝혀졌다.

48. 2020년 4월 25일: 폴리티코는 코로나바이러스에 대해 중국과 협상 중인 트럼프 대통령이 2022년 만기인 수천만 달러의 대출금을 중국은행에 빚지고 있다고 보도했다. 하지만, 중국은행은 성명서를 통해 트럼프의 부채는 2012년에 단 22일 동안 가지고 있었다고 밝혔다. 이후 미국의 부동산 회사에 매각했음을 덧붙였다.

49. 2020년 5월 10일: NBC의 척 토드는 〈미트더프레스〉에서 마이클 플린 중장 사건에 관한 윌리엄 바 검찰총장(법무장관)의 코멘트를 기만적으로 편집한 것을 사용했다. 이후 방송사는 이 실수에 대해 사죄했다.

50. 2020년 5월 10일: CBS의 60분은 다음과 같은 트윗을 올렸다. '마이크 폼페이오 국무장관은 코로나바이러스가 중국에서 인위적으로 만들어진 것이라는, 거짓으로 판명된 이론을 다시 되살리려고 시도했다.' 폼페이오는 그 반대로 말했다.

내러티브 뉴스

**초판 1쇄** 2022년 2월 15일

**지은이** 셰릴 앳킨슨
**옮긴이** 서경의
**펴낸이** 김운태
**기획 · 관리** 박정윤
**편집** 김운태
**디자인** 당아

**펴낸곳** 도서출판 미래지향
**출판등록** 2011년 11월 18일 제2013-000129호
**주소** 서울시 마포구 마포대로 53 B동 1603호
**전자우편** kimwt@miraejihyang.com
**대표전화** 02-780-4842
**팩스** 02-707-2475
**홈페이지** www.miraejihyang.com
**ISBN** 979-11-85851-18-1

값은 뒤표지에 있습니다.
잘못된 책은 구입하신 서점에서 바꾸어 드립니다.